U0008084

年輪交錯的黃金歲月

飛舞的藍蝶

紀錄2020-21年度
黃金歲月的所有奉獻
看藍蝶漫天飛舞

本書版稅捐贈『財團法人台灣癌症臨床研究發展基金會』

發起粉紅絲帶活動的雅詩蘭黛集團已持續三十多年致力於多項乳癌防治宣導，透過台灣的集團公共事務總監蔡易伶邀請，國際扶輪3523地區社友們在2020-21年度響應粉紅絲帶活動，參與了多次募款並策劃活動，喚起民眾對乳癌防治的關注。

我們決定將本書著作的版權收入全數捐給雅詩蘭黛集團的長期公益夥伴「財團法人台灣癌症臨床研究發展基金會」，為推廣乳癌防治、為關照女性健康持續努力！

謹以此書

獻給

2020-21 年度社長暨團隊

與您們共享

這永遠的驕傲

CONTENTS
目錄

推薦序

Part 1　年輪交錯的黃金歲月——飛舞的藍蝶

驛動的感動

總監月報

扶輪有意義的服務

2020-21 年度社長們的話

第 01 分區

第 02 分區

第 03 分區

第 04 分區

第 05 分區

第 06 分區

第 07 分區

第 08 分區

第 09 分區

第 10 分區

第 11 分區

推薦序 扶輪路上結伴同行

2014-15 年度國際扶輪總社社長

黃其光 PRIP Gary C. K. Huang

Tiffany 是國際扶輪 3523 地區首位女性總監，雖說現在倡導男女平等、兩性平權，但在全世界 120 萬扶輪社友，539 個地區中，每個年度出任地區總監的女性還是少數，所以我特別關注每一位台灣女性地區總監。一則有鳳來儀脫穎而出，必然是有她們過人的智慧、成熟的歷練、與傑出的表現，自己能就近觀察，做為學習成長的榜樣；二則希望能將自己對扶輪的瞭解，多年在國際扶輪服務的經驗，隨時提供給她們做為工作的參考，和行動支持的力量。由於認識 Tiffany 很久，多年看她在扶輪各項活動工作的參與，我對她擔任地區總監可說是既期許又好奇，期許她會在任內做好扶輪的傳承，好奇她還會有什麼樣的創新表現。

我有幸在 2014-15 年擔任國際扶輪總社社長，身上背負著百年扶輪歷史上首位華人社長的光環，我深知那是一份榮寵，更是一個重責大任，因而我將年度主題訂為「光耀扶輪」就是要透過扶輪的影響力，將服務的善舉推廣到世界各個角落。尤其近幾年扶輪大力推動的「根除小兒麻痺計畫」已到了最後一哩路，希望全體社友全力支持這項計畫的進行，多年後 Tiffany 以最具體的行動，率領國際扶輪 3523 地區，得到消除小兒麻痺 DDF 捐款全球第一名。果然不出我對她的期許，她用最亮眼的成績，再度凸顯出扶輪人對傳承的堅持，也使國際扶輪 3523 地區揚名立萬、傲立脫群。

我在總社社長任內，大力推廣一首台灣扶輪人創作的歌曲〈這是咱的扶輪社〉，到全世界傳唱，曲調優美動聽，歌詞意境深遠，其中「愛珍惜每一個付出的機會，人生難得有緣來做伙」、「為著理想活出新的生命」、「扶輪這條路～咱用心做陣行」，看到一年 Tiffany 完美的詮釋，我不禁額手稱慶，她真的帶動 75 位社長和地區團隊，以最團結向心的伙伴情感，無畏新冠疫情的肆虐，讓 3523 地區充滿愛的凝聚，歡樂的笑聲。無論是集體宣誓就職，社長粉墨為癌症基金會募款登場展演；以及為 End Polio 募款的大型音樂劇《秦始皇》；或是深入小學做 3D 反毒電影巡迴校園教導識毒拒毒。很多創新令人驚艷，倍受感動的項目，再再滿足了我對她好奇的期待，我知道她以最大的毅力在接受自己設定的挑戰，我更能理解她對扶輪這條路，是如此地用心前行、而且真正做到了呼朋引伴，結緣同行！

推薦序 超我服務

2020-22 年度國際扶輪理事
劉啟田 RID Surgeon Liu

三月中旬，接到國際扶輪 3523 地區剛卸任的地區總監阮虔芷 Tiffany Juan 的邀約要我替她的近著《年輪交錯的黃金歲月——飛舞的藍蝶》寫一篇推薦序，但因時間匆促，未能一窺全書內容，但我確實把 26 集的「虔心逸芷」錄音 Podcast 從頭到尾聽了一遍，以圓我平常未能聆聽全集之憾，故欣然接受願為此書作推薦序。

扶輪有五大服務，那是扶輪社服務的哲學和實踐的基礎。這五大服務包括社務服務、職業服務、社區服務、國際服務及青少年服務。而第三項的社區服務是 Tiffany 總監最重視的服務，因為這是社友親身所做的各種努力，有時與他人聯合行動，以改善社區的生活品質，使地區變為更好的工作及居住地方。扶輪的地區服務，其目的在鼓勵及培養每一位扶輪社友能把扶輪的理想應用在其個人事務及社區的生活。

為了實現地區服務理想的應用，Tiffany 總監在其總監任內及其扶輪生涯中，鼓勵各扶輪社展開各種活動，使社友有充分的機會參與各種服務。社區服務其實是社友示範「超我服務」的好機會，改善社區居民的生活品質並為大眾利益服務，這是每位扶輪社友及扶輪社所立下的承諾與社友責任。

「虔心逸芷」二十六集的社區服務，正是我們國際扶輪七大焦點服務的縮影，Tiffany 總監與社友們全程參與、採取行動，在個人、在社區、甚至全世界產生了永恆改變，正是「參與扶輪，改善人生」的典範。

「圓夢助學計畫」、「行善天下，是一場沒有終點的馬拉松」、「扶輪公益網關懷弱勢」、「反毒是我畢生永遠的志業」、「關懷弱勢與對偏鄉的服務」、「十年樹木、百年樹人的教育服務」、「以扶輪公益新聞金輪獎來提高扶輪的公共形象」、「送愛心給寒士及弱勢家庭」、「捐贈 70 萬輪椅的基金會」、「每月一次的淨灘活動」、「關懷憂鬱症不遺餘力」這一切的一切，每一集的 Podcast 仍在我耳邊、在我心裡，不斷地餘音迴盪、感動不已！

社區服務旨在鼓勵並促進每位社友在個人、事業及社區生活上，應用扶輪的理想，這是一種人生哲學，是「超我服務」及「服務越多、獲益越大」的道德原則。

因從本書及 Podcast 的內容，受 Tiffany 總監打開各種機會、以身作則、以做社區服務來「打造社區，連結世界」的努力而感動，我樂於為之推薦此書，也希望大家能夠因為此書而有所獲益！

推薦序 走向美好未來

2020-24 年扶輪基金保管委員會委員
2015-17 年國際扶輪前理事
林修銘 TRF Trustee/PRID Frederick Lin

我曾跟 Tiffany 玩笑的說：「我以前真的太小看妳了，妳當上了總監，我才算真正的認識妳。」這話的確，她將一年總監的職務，做得既有效率又有效果。效率是她「把事情做對」，效果則是她都「做對的事情」。她真把總監這個職務做到淋漓盡致。這位高大的小女子真是讓人刮目相看。

我參與扶輪 30 多年，除了本地與國際上我都有諸多的服務經驗，與 Tiffany 也有很多機會在各型活動碰面。舉凡國際性的活動，Tiffany 總是擔任重要的職務。她是位思慮周密、待人真誠、包容力強、親和力夠，與她合作不但輕鬆愉快，而且可以感受到她所散發出的安定力量，這個特質正是扶輪領導人所必要具備的條件。2020-21 年度，她出任 3523 地區總監，這個職務論資歷她早就夠格，論能力她也是遊刃有餘，我們當然期待她的傑出表現。

2020-24 年度我擔任扶輪基金保管委員會委員（TRF Trustee）。年度終了結算成績，3523 地區「終結小兒麻痺」捐款，DDF 全世界第一名，「現金捐獻」全世界第二名（台灣第一名），Tiffany 再一次以耀眼的成績表現。我們知道勸募捐款工作看似簡單其實不易，它需要師出有名、完整規劃，和主事者的號召能量，Tiffany 能一舉奪冠，自然是深受地區扶輪社友的信服所致。

在《年輪交錯的黃金歲月——飛舞的藍蝶》一書中，從 Tiffany 親自撰寫近 20 篇各項會議總監的文稿中，體悟到她對生命的哲學和價值，付出的富有和快樂，幸福取決於心靈，善心善念自然回報的是幸福滿溢。在總監月報和地區服務紀實中，可以分享這一年是總監、社長、地區團隊最聚焦的一段光陰，這不但是 3523 地區成長的軌跡，也是她們共同努力下的驕傲。這本書承載了 Tiffany 生涯的結晶，詮釋了扶輪人的無私，相信這一份獨有的創新魅力，會是她們永恆的資產，也會淬煉出她們更卓越的成長；祝福 Tiffany 以精彩的過去，走向更美好的未來。

推薦序 那美麗穿梭的身影

2008-10 年國際扶輪前理事
2011-15 年扶輪基金會前保管委員
2026 台北國際扶輪年會地主籌備委員會（HOC）主任委員
謝三連 PRID Jackson Hsieh

認識 PDG Tiffany 已經有 26 個年頭，記得初相識時我們都還屬於 3480 地區，那一年總監是虞彪 PDG Jerry，我擔任地區年會主委，晚會有話劇表演，PDG Tiffany 剛加入扶輪不久，被社友帶來加入團隊，曾聽說她是演員，當時已是著名電視戲劇製作人了。從那時合作開始，以後只要是她負責的職務，我就特別放心，這份信任來自多年的累積，直到現在我依舊倚重不減。

每年她幾乎都是地區團隊的重要成員，各項扶輪重要的活動均能見到她忙碌的身影，尤為難能可貴的是，一位知名的戲劇節目製作人，常常身段柔軟、不卑不亢的做著檢場的工作，甚至是開心歡愉的完成任務。從未見過她紅過臉，擺過架子，在所有人的心目中，認真負責、本性純淨、樂於助人、勇於任事，已成為她的註冊商標。

七年前我擔任 2021 台北國際扶輪年會在台灣（HOC）舉辦的主委，籌備開始，有關於台灣表演節目的部分，我第一個想到的就是 PDG Tiffany，初期 HOC 的成員不到 10 位，PDG Tiffany 就開始一起籌劃。由於友誼之家的娛興表演節目需求量相當大，而我們又都希望大部分的節目，都由台灣社友親自表演，因此自那時開始，PDG Tiffany 就隻身穿梭於台灣 12 個地區尋找優質節目，只要哪個地區有年會，聽聞哪個地方有特殊表演活動，她都會單槍匹馬隻身前往探訪。或許是因為職業的專精，練就出她對節目特殊的敏感度。因此包括開幕式與閉幕式的大型表演，我也請她參與其中，將國外知名度高的節目、與國內具代表性的節目整合起來，並與RI國際年會團隊一起討論，我很仰仗她對台灣扶輪節目的瞭解，和對編排大型活動節目的熟悉經驗。也佩服她具舉足輕重的分量，卻又低調內斂處事的態度。

她的扶輪資歷要比許多扶輪人較深，加入扶輪26年，參加的國際年會與地帶會議竟然有40次之多，可見她對於扶輪的投入，不僅在台灣學習，還不斷的尋求國外的成長機會，如此這般的扶輪人實在不多見，也不可多得。很欣慰她願意在2020-21年度擔任國際扶輪3523地區總監一職，事實證明她的服務品質有口皆碑，一年總監生涯，大家都對她的成功領導讚譽有加，她卻總說：「我只是努力的把服務做到自己能力範圍的極致而已。」現在我們雖然身屬不同地區，但是她的優秀評價，已經跨地區傳到我們3522地區了，我真心為這位老朋友好夥伴高興，也慶幸扶輪增加這樣一位領導人。就我所知，她雖然已經卸任，卻仍然不停的在做推廣扶輪的工作，她總是低調的說，卸任之後就是普通社友，推廣扶輪、讓大家瞭解扶輪，是她現在該做的工作。

我們彼此要求完美的個性不相上下，所以我們喜歡一起工作，我們也相當有共識，凡事不怕麻煩、不辭辛苦，不斷的檢討和不停的修正。我發現我越是要求，她做的就更好，她總能讓我得到滿意的回應。這麼多年，我看到她在扶輪的貢獻與進步，在折服欽佩之餘、也高興得知她已更上層樓，在九地帶擔任公共形象副協調人，相信這個職務對她來說是駕輕就熟、如魚得水，一定可以發揮的淋漓盡致。祝福PDG Tiffany，也祝福這一本《年輪交錯的黃金歲月——飛舞的藍蝶》銷售空前，讓更多人更瞭解扶輪，讓大家被扶輪的公益熱誠而感動。

編者的話

許淑燕／Susan

這是我第三次被 Tiffany（阮姐）臨危授命協助她做我這輩子未曾做過的事。第一次是趕鴨子上架硬著頭皮加入扶輪社；第二次是自己才加入不久，在扶輪也未曾做過什麼職務，只因為在政大上過戲劇課有舞台演出就擔任社長展演主委，完成「年輪交錯的黃金歲月」舞台劇社長展演的演出任務；而這第三次則是跳入火坑，進入數十萬的文字與影像深淵，協助編排 Tiffany 在 2020-21 年度 3523 地區總監職務的精彩實錄。

認識 Tiffany 總監，源自 2016 年 5 月 15 日，那天我們一起到政大 EMBA 報到，成為 105 級的同學。這一千多個同窗的日子，我們一起參與春宴、夏泳，秋賞演出，舉辦冬歡，還一起上戈壁，在風沙烈日下走過 27 公里的礫石。老了才來當同學，更是分外的珍惜這難得的緣分。但是出版編撰完全不是我的專業，難道靠緣分就可以來編著一本總監的年度紀錄嗎？更何況是一本要上架的出版品！

大概在去年（2021 年 9 月）就聽聞她有出書的打算，但並不確定她想要出的實體書是什麼內容。由於她有分享的習慣，有時她將預計在重要會議的演講內容先 PO 在逸仙社的群組裡，而文字控的我，看到有錯字的地方，就會修改後再回傳給她，爾後她就自動把要 PO 的文章傳給我，請我幫忙看過。也因如此，從總監月報、到這次《年輪交錯的黃金歲月》及《虔心逸芷》裡她的隨筆文章，大多數她會請我先幫她看一下。直到今年三月中某日，她將一個隨身碟交給我，告訴我說她要出書內容中所有的照片檔案都在裡面。拿回去後，我先瀏覽過整個約 22 GB 的檔案內容，然後問她：「妳要我做什麼？」她先回：「照著落版單，找資料夾裡的照片，挑照片。」但看了兩天，我發現我不知道如何做起，不知道版面大小，不清楚每項活動可以挑多少照片，根本不知從何開始，我怕我會延宕了出書時間。但老實說，她自己已經做了所有資料蒐集整理的工作：逐一排列有序的文稿檔案，各項活動會議的照片也建好完整的資料夾並清楚歸檔；但就是沒有把《年輪交錯的黃金歲月》這本書的架構定出來，該如何呈現這一年來努力的豐碩成果，還有多人的心得感想。

從 2020 年 7 月 1 日她總監上任後到 2021 年 6 月 30 日屆滿卸任，身為她的好友，又是總監社的社友，從旁看她每天 24 小時全心全意投入扶輪，做好 3523 地區首位女總監的任務。這位總監就是宣導扶輪知識，協助各個社成長發展，宣傳各個社的社區服務，讓 3523 地區往正向發展，並積極投入社區服務。若說她事必躬親，其實是隨時在你我身旁協助完成指派的任務，或是陪伴在旁一起加油打氣；若說她光芒畢露，因為有著藝人的身分，再加上她對自己穿著外表的謹慎要求，每到各種場合必然成為大家爭相合影留念的看板人物，而她也從不推諉拒絕任何人的請求。雖然她都說自己天賦異稟還有鞋子好，穿著 15 公分高的高跟鞋也一點都不會不舒服，但一年 365 天，每個月 30 天中至少有 20 天得這樣穿梭在各種會議場合來來去去，仍鮮少聽她喊累。她就是這樣一個溫暖、親和、不做作的總監。

「年輪交錯的黃金歲月」正是我擔任社長展演主委的舞台劇劇名，是舞台劇導演大熊老師（劉長灝）命名的，而社長展演是 Tiffany 總監的創舉，她就是想做和別人不一樣的事。對於這一年度社長們因舞台劇從排練到演出，社長同學間的默契與交情種種效益，衍生出整年度的精妙絕倫，若未聽聞過，一定可以從這本書中一探究竟。也因為要做和別人不一樣的事，Tiffany 總監除了出版自己的半生傳記，同時還將自己的總監年度記錄以書籍出版品方式呈現在本書裡。不僅將自己在重要會議的致詞內容彙整成篇，也包含多位重要人物的心得感想，更不容易的是眾多社長們也分享了一年來的心得，不管上任前是準備充分，或是戒慎恐懼擔心做不好、直到開心卸任，相信，每一行文字，每一張照片，都是眾志成城的精彩人生紀錄。

因為先前 Tiffany 總監完整的準備工作，我的編排任務相對單純多了，但其中最麻煩的還是照片的挑選。近萬張照片，上百場的活動，活動性質的分門別類，照片該如何挑選？避免人物重複，分區比重，主辦單位及主角，照片畫質，人物表情及配色……多項因素都需要斟酌考量。最後挑了將近 2 千張照片，希望這些照片可以將 2020-21 年度 3523 地區的各項活動，展現出扶輪人這一年的精彩絕倫。二個月以來，從完成編排及照片挑選，經過一校、二校，這份任務應該已經告一段落，希望你我都可以在《年輪交錯的黃金歲月》中找到曾經感受到飛舞的藍蝶帶來的溫暖與感動。

前言

如果說生命是在創造宇宙繼起之生命
那麼生活就是在營造成功價值之生活
60 年的人生拚搏
30 載的扶輪浸潤
是一種優越　是一種殊榮
是一種收穫　是一種分享
蜿蜒交錯人生道路
我何其有幸
得天下英才　龍中翹楚而聚之
「2020-21 扶輪打開機會」年度
社長與地區團隊
人人有深厚寬廣的閱歷
個個具溫暖親和的內涵
通力合作　信念無間
於是藍蝶飛舞　彩霞滿天
打造出精彩的黃金歲月
我們記錄所有奉獻
珍藏全部回憶
集腋成裘　集結成冊
日後展讀
一頁頁如飲甘露
一篇篇如啜醇酒
那是我們共同曾經的奮鬥

— Part 1 —

年輪交錯的黃金歲月

飛 舞 的 藍 蝶

年輪交錯的黃金歲月　演出劇目

輪轉人生

愛找麻煩

膜王覺醒

塵封的記憶

星願

The Moment of Life

年輪交錯的黃金歲月
——完整版

自序　我的戲劇人生

阮虔芷 DG Tiffany

清朝袁枚的詩句「白日不到處，青春恰自來。苔花如米小，也學牡丹開。」這首詩就有如我人生成長的寫照！

18 歲從資源匱乏的離島澎湖隻身來到台北，從公司小會計做起。雖無心栽柳卻被星探挖掘，成為廣告明星後輾轉入行。25 歲初試啼聲演出台視連續劇《又見阿郎》，就被提名金鐘獎最佳新人獎項，並被台灣電視公司簽約為基本演員，後在《星星知我心》飾演小彬彬的母親，讓大家留下深刻的印象。在《新白娘子傳奇》中飾端莊、善良的觀世音菩薩一角，更讓東南亞觀眾發現了我，九年餘多彩的螢幕生活，豐富了我青春年華。34 歲由於想當媽媽的心願，我逐漸從掌聲中抽離，毅然淡出演藝生涯。卻也因此發現在我骨子裡，依然存有想當一位朝九晚五職場女性的因子，也因放不下對戲劇的熱愛，讓我因緣際會成為一位電視節目製作人。

在 45 歲以前，我可說是個人生勝利組，無論參與演出的劇、主導製作的戲，檔檔有口皆碑，收視居高不下。台灣媒體生態的改變，緊縮了電視劇製作的空間，我轉戰中國大陸，卻在大陸遭到識人不清，導致嚴重虧損的後果，幸好遇貴人賞識，奇蹟似地以《換子成龍》、《順娘》、《寧為女人》等描繪女性堅忍勵志故事的系列電視劇，高踞大陸 33 個省市，全都收視第一名，人生高低起伏的轉折，可說就是一齣高潮迭起的精彩好戲。

我一向喜歡製作帶有正面、溫暖，教化社會善良風氣的電視劇，在事業穩定之後，也積極希望能有回饋社會的機會，遂在 1995 年 5 月 16 日加入台北華麗扶輪社，成為創社社友同時被選為第二屆社長。2001-02 年在擔任第七分區助理總監的同時，被當屆總監于匡時 PDG Shoes 徵召，在第三分區創立逸仙扶輪社，新社於 2001 年 5 月 14 日誕生。逸仙扶輪社是個全女性社團，母愛的驅使讓我們設定服務的對象以孩童與老人為主。2011 年媽媽過世七週年時，我與兩位姊姊共同捐助一輛以逸仙社為名，母親名字為號的復康巴士給生長的澎湖縣，回報故鄉的滋養，也做為紀念媽媽的禮物，澎湖縣也終於有了復康巴士，當年兩輛都是以逸仙扶輪社名義捐獻。

我始終告訴自己「社會責任很重要，不管別人做不做，我一定要持續做。」這樣的堅持，一直在我心中縈繞，認識的朋友中，有人說我是「超級女強人」，事業、家庭、扶輪三方都能兼顧無礙，並且還都「顧得讓人無法挑剔」，溢美之詞不敢接受，而且我也不這麼認為，我的個性並不好強，我只希望每件事都做到自己能力範圍的極致。我的本職其實對協調工作並不嫻熟，戲劇拍攝錄製在於解決處理重重問題的過程，當把所有的困難解決，一檔戲幾十集也就拍完了，但也因這種長期以來的訓練，讓我對於調和鼎鼐覺得並不困難，在需要寬容退讓的「人和」時、或是面對大是大非的關鍵時，女性的堅韌特質，讓我還是會適時展現決斷的魄力。

在我的人生並沒有當地區總監的規畫，但參與 HOC（國際扶輪世界年會）工作後，看到一些台灣前總監們以及扶輪先進，大家不分晝夜的努力，為的只是要讓全世界的扶輪人看見台灣，這樣超然的心境，讓倍受感動的我挺身答應母社的徵召，首肯擔任 2020-21 年度 3523 地區總監，我想盡己之力，協助大會當個小小螺絲釘。在事業的領域中，我要求製作的每一部戲，都要超越自己以前的作品，面對總監這個職務，我也是用同等的心態，職場工作讓我習慣事必躬親，不要計較數字評等，只在乎自己盡力了沒有？在當前複雜多變的環境中，我依舊希望自己保有清新、溫暖的氣質，和睿智、婉約的美德，我也願意用豐富的情感，在峰迴路轉的變化過程裡，交織出精彩的人生，就像自己的戲一般，有著莫大的張力！我一直深信每件事冥冥中都自有安排，所以做人最基本要做到旁人掩耳說話的時候，我心不虛堅定以待，這是我給自己的期許。因此我在製作電視劇時，除希望戲可以娛樂觀眾外，也同時藉由劇中情節的發展，教化人心給女性正面的鼓勵，我期勉這份用心與專注，不斷的鞭策自己，也同時能感染周遭的每一個人。

加入扶輪 26 個年頭，我總共參加了 40 次國際年會與地帶會議，擔任過 91 個地區的主委職務，對我來說，這樣的學習經歷是難能可貴的，我很珍惜每一次任務的賦予，也很認真的扮好每一個螺絲釘角色。不可諱言在扶輪也是有挫折、打擊、與心灰意冷的時刻，也曾傷心的萌生退意，想要永遠離開扶輪。然而創社社長是條不歸路，當初擔任創社社長時就已有責任認知，當時我思索著該如何走下一步後，最後我決定先暫且放下在大陸的大好事業，置未來變化於不顧，回到自己創立的扶輪社。我學習靜心與忍耐，相信輕揉可以撫平會痛的傷口，挫折雖然給了我許多的磨練，同時也給了我最大的祝福，十年當中，我利用週六、日充實自己的學識，領悟沉靜、簡單的道理，懷抱這樣的心情，在 2017 年我以同額競選，榮幸的當選了 3523 地區 2020-21 的指定總監提名人，迎接國際扶輪世界年會，我有心要做好地主國的工作。當選後即開始準備我的總監之路，對接任 2020-21 這一年的社長，我一位一位的前往拜訪。也啟動規劃所有的地區社會服務，希望用有限的金錢做出無限的奉獻，我將服務工作回歸扶輪的本質，讓各社自行發揮、親自擘畫，我不能浪費社友們一年的時間，既然承諾了擔任地區總監，就該認真完成這個任務，每天就這樣的警惕激勵自己！

2020-21 我的總監計畫，在莫忘初衷的前提下，最重要的工作是找回扶輪的優良本質、注重並加強學習扶輪知識與扶輪禮儀的課程、凝聚社友之間的情感、增加新社友與慰留想退社的老社友兩者並重，同時希望各社努力將已退社的社友再次邀請回來。在社區服務方面以社為單位，由各社自行做持續性的社區服務，由於我的職業是戲劇製作人，又是女性總監，所以我將社區服務，著重在婦癌方面的篩檢，從資料顯示，宜蘭、基隆、新北三個區域罹患率最高，所以我在這三個地方做乳癌、子宮頸癌和卵巢癌的篩檢，另外在彰化、嘉義、雲林做低劑量的肺癌篩檢。「他鄉生白髮，千里思鄉心」，基於對兒時美好清新的記憶、盱衡離島的城鄉差異，我雖非功成名就，但抱著回饋鄉里情愫，我走訪自己的家鄉澎湖，看看有沒有我能著力的地方，在得知以雙心石滬著名，南端最小的七美離島醫療器材老舊時，於是申請全球獎助金，幫七美衛生所更新牙科設備，包括口腔根尖 X 光機相關設備及牙科治療椅二台，以及增加緊急急救的醫療設備，添購可在飛航時使用的心臟電擊去顫器及攜帶型呼吸器；而我所創立的逸仙扶輪社，也全力支持這項活動，加碼復健科常用的熱敷箱與耳鼻喉科內視鏡器材的購置。眼見計畫的完美實用，親自感受到偏鄉的需求，我心中已有下一步的念頭，那就是將同樣的計畫，推行到面積最大的離島、綠蠵龜最喜歡上岸產卵的望安！

我也打散各分區的籓籬，讓大家一起學習與成長，讓每一位社長寫出自己的生命故事，以故事性與黏著點創作劇本，並因團隊編寫劇本與彩排的接觸，讓社長們增進交流濃郁情感，也讓每位社長上台角色扮演，學習肢體語言與團體互動，社長的展演收入與粉紅絲帶和台灣癌症臨床研究發展基金會合作，捐作乳房篩檢與乳癌患者的陪伴。此外，「反毒」是我此生永遠的志業，加強學校的反毒扎根，End Polio 消除全世界小兒麻痺，我們依舊持續的進行著！

萬事不可能完美無缺，人生總會有些許的遺憾，原本進行兩年籌備工作的國際扶輪世界年會，因疫情持續蔓延而取消了實體活動，這與讓我當初設定在總監職務上參與工作的目標，有了非人力所能及的落差，心中的確是悵然若失，不過想想，這或許是另一種值得的期待，也可能會是不同一般天降大任於斯人也的考驗！心中也就泰然許多，且讓我們一起為四年後而努力吧。

花開不是爲了花落，而是爲了綻放。

人生就像舞台，即使無人欣賞，也要活得精彩。

2020-21 我訂定為「精彩團隊」

「We Are One Twenty Twenty-One 精彩人生，有您真好」。

我與團隊們都已經完成所有社區服務，這真是幸運順利的一年。

我被吐司麵包收買了

地區秘書長 DS/CP Jenny
張堉真

我常想著如果沒有加入扶輪社，就不會留在台灣定居，而我將會是在哪裡？其實當初是因為好奇，想知道到底「扶輪社」是什麼？能夠讓一群社會上的菁英投入社團還要出錢，出力，出時間，毫無怨言的付出而且還樂在其中。

為了探討這原因，我在 2012 年加入文華扶輪社，直到現在我終於懂了。從「感謝天，感謝地，感謝大家」到「無私奉獻，寬容的精神」這其中的意義是為了創造更多的感動與美好！

非常榮幸被總監阮虔芷指派擔任地區祕書長職務，當總監告知我時，我不但非常驚訝還有更多的惶恐！因為總監是一位力求完美主義者，於是我只能告訴自己不但要盡力而為，而且一定要做到極致，因為一輩子只有一次擔任地區祕書長的機會！能夠跟隨她的腳步一定受益良多！

四年前總監便開始計畫和構想，我們一起討論絞盡腦汁研究分配 400 多位職委員名單，她自己說「哇！好像當總統喔！400 多位幕僚！」

與總監的認識緣起於 2013 年一起出席參加葡萄牙世界年會，回到台北之後有一天下午大約三點左右忽然接到總監簡訊，問我是否在公司？我回答「在喔」她立刻說「那妳到樓下大門來，我車上有從宜蘭帶來的手工土司麵包要給妳。」真是受寵若驚，她居然還記得我！好感動還親自送來！從那天起我就被吐司麵包收買了！

直到 2015-16 她接任 3520 地區年會主委，給予我第一次到地區服務的機會，本來我是她的漏網之魚，忽然又被想起。於是從開幕到閉幕式，從台下交通管制到台上檢場，在她專業領導之下，讓原來狀況外的我居然駕輕就熟參與年會團隊服務。加上總監筆下的 Rundown 真是經典，第一次在國際會議中心 TICC 的年會成功順利圓滿。

2020 年 7 月 1 日總監和 74 位社長一起敲鐘就職上任，史無前例的創舉，至今已六百多個日子。但是在 2019 年 5 月 28 日就曾與總監共赴德國漢堡出席世界年會，而總監擔任台灣館館長，我也沾了她的光擔任執行長。我們提前抵達會場佈置台灣館，還有總監私人祕書悠雅和逸澤社長琳恩，四個女人從無到完成台灣館所有佈置，總監帶領著我們讓我見識到一位親力親為的總監，令人敬佩！

她不但是 Seven Eleven 還是 24 小時營運，半夜 2 點傳 Line 早上就又上線跟大家道早安！還有每日一句勵志銘言，無論刮颾風下雨未曾間斷。大家都認為總監的電池用不完，我想應該是她的睡功了不起。有些時候會議與活動之間的銜接空檔時，她會先抵達會場然後在停車場留在車上小睡片刻充電，這就是她的電磁永遠用不完的祕笈吧！

總監上任之後就開始和她一起走訪 74 個扶輪社，每個社都有不同的開會地點和時間，大多數是利用中午時間及晚餐時間開會。特別的是有個社是早餐會，早上 7:30 在君悅飯店開會。我還記得那天早上 5 點我就起床準備了。

拜訪所有 74 個扶輪社，目的是在於表達總監在這一年裡想要完成的社會服務，例如與美商雅詩蘭黛品牌的粉紅絲帶合作婦癌基金捐贈，還有嘉義雲林肺癌篩檢、小兒麻痺音樂會等等。希望能夠得到各社配合與支持協助完成所有活動，我們稱之為「總監公式訪問」。

第一個拜訪的是前總監社（南門社），也是最高的社，因為位在台北 101 大樓裡的頂鮮餐廳。開會時每位社員穿著嚴謹莊重的全套西裝領帶，是全男性的扶輪社，由大小企業老闆們所組成、很優秀的社；到第 74 個社，也有穿輕鬆休閒牛仔褲、喝著啤酒、男女合併的扶輪社，讓我們見識到每個扶輪社有著不同的文化與 DNA，每個扶輪社開會的氛圍都不一樣。我們馬不停蹄的走訪 74 個社，常常是中午一場晚上又一場，一樣的主題總監要演講 74 遍，但是每次她都會依照每個社的需求有所不同而調整內容，所以我總共聽了 74 次但從未打瞌睡！過程中踏遍台北市的大飯店，甚至連停車場都很熟悉了。

後來有一位社長常常被總監唸不用心！因為約好在松山火車站他跑去南港火車站，約好在台北市政府他跑去新北市政府，他每次看到總監都冒汗！還有一次他到我們社裡開會，真的是走在停車場都會撞到玻璃窗的型男。有天中午與朋友到餐廳用餐，吃飯完後朋友先行離開，他去洗手間，過了好幾個小時都沒有出來，直到餐廳發現時已經腦中風昏倒在地上，立刻 call 救護車送醫院急救進行腦部手術，狀況非常嚴重，總監得知後立刻四處找人拜託特別關照他，希望他能夠得到最好的醫療照護，還親自前往探病多次，後來他的母親告訴總監他還有 35 萬片的面膜囤積在倉庫不知如何處置，總監立刻在社長群組發出訊息，結果不到一夕，35 萬片的面膜已經由大家認購清空還超賣！當然我也囤積了 500 片面膜在家裡，目前正在努力敷臉中……後來得知他已經轉往桃園的醫院，總監仍然去看他，雖然很多次生命垂危都被救了回來，現在仍在復健中。總監想去罵醒他卻總是心疼捨不得，當總監要離開醫院時，他媽媽問：能不能送她到火車站？總監卻直接送她回到楊梅的家再趕回台北，對總監來說，只要屏東以北都算順路可以搭便車！

感謝老天讓我能夠遇見地表最美麗的總監！有一個廣告說「認真的女人最美麗」，那麼「美麗又認真的女人」又該怎麼形容？

老天讓我與她結下善緣，使人生更加精彩，有您真好！

也感謝總監讓我這一年沒有白活了！

再一次的挑戰、再一次的成長

眷屬聯誼會會長、南區扶輪社 PDG Jack Chu 夫人
陳孟貞女士

回顧 2020-21 年度的種種精彩，真心覺得自己好幸福，能夠擁有這麼多美好回憶。而這麼樣值得細細品味的回憶，仰賴著整個國際扶輪 3523 地區 2020-21 年 PDG Tiffany 團隊的努力。就因為親身經歷過，所以深知背後的辛苦。

一年又過去了，時光匆匆，往事仍歷歷在目。還記得當時 PDG Tiffany 熱心邀約我擔任國際扶輪 3523 地區 2020-21 年度眷屬委員會會長之時，當下的我確實是既感動卻又十分苦惱。

感動的是得到 PDG Tiffany 的肯定，讓我又能藉機與所有姊妹們歡聚在一塊，並且再次以扶輪另一伴的角色一起為扶輪去「服務世界」，一同努力推動改善世界。那麼什麼又令我苦惱呢？2018 年，我先生 PDG Jack Chu 卸任國際扶輪 3523 創區總監，我也卸下了當時身為眷屬聯誼會會長的職務。而在卸下那樣的重責之後，時隔三年，再一次負擔起這樣的重責大任，我擔心的是自己是否能夠再次勝任，能否可以再一次以會長的角色帶著所有的寶尊眷們一同參與

扶輪？甚至這段期間還加入了當初沒有的不可抗因素－新冠肺炎。疫情嚴峻的影響下，我們要如何一同渡過難關，化危機為轉機呢？

經歷過這一年，確實驗證我的苦惱都是多餘的。因為在 PDG Tiffany 帶領下，她所精挑細選的所有團隊成員，就像是撐起整個國際扶輪 3523 地區這棵大樹的枝幹，卓越且充滿著向心力。雖受嚴峻的疫情影響，但似乎也無法澆熄我們彼此之間熱絡的情誼。每當回想起我們所有國際扶輪 3523 地區眷屬聯誼會的姊妹們同聚在一塊時的歡笑聲、每一次經久不息的掌聲，到現在，還是令我感動萬分。

每一次的眷聯會活動，都能看見美麗高挑的 PDG Tiffany 在台下聚精會神地參與著，這樣的情景更是令我莫名感動。同樣身為女性，PDG Tiffany 活出自我的姿態，活出更精彩的自己。陪同夫婿 PDG Jack Chu 擔任總監的經歷，讓我更能體會擔任總監的辛勞。這樣的辛勞是無償的，但卻是豐厚的。那時候，我的子女們總會擔心他們的父親，認為他太辛苦了，但是看到他滿足且喜悅的神情，我們才知道，這一切是值得的。而我也確實在 PDG Tiffany 的眼神中看到了這樣的神情，是一種自我實現的愉悅，一種為著這個世界努力為善的喜悅。

年會晚會上，令我印象最深刻的莫過於 DG Tiffany 在台上大展舞姿並邀請各位社長一同上台共舞，我們地區所有七十五個扶輪社的社長一起載歌載舞上台，那樣的向心力，整個地區的凝聚力，令人咋舌，也非常感佩 PDG Tiffany 的領導能力。

國際扶輪 3523 地區的成長，真實是受到歷任總監們的努力付出所滋養著。身為扶輪人也好，身為扶輪人的另一伴也好，每一年的成長，都期盼著一年比一年更好。我在這邊，誠心地感謝 PDG Tiffany 當時的一通電話，因為再一次擔任眷屬聯誼會會長，讓我能夠再一次結識這麼多美好的姊妹、朋友；因為再一次以那樣的身分參與扶輪，讓我能夠再次透過自己的力量一同改善世界。

認真的女人最美麗

2020-21 年度寶眷聯誼會主委、華陽扶輪社創社社長 CP Broader 夫人
林梅芬女士

與 Tiffany 總監的情緣肇始於 1995 年春，華麗扶輪社創社之時，我們同為創社社友，在她擔任第二屆社長時我擔任她的祕書，從那個時候開始，我們兩人在服務和聯誼中建立了深厚的友誼。2000 年，她籌劃創立逸仙扶輪社，基於那幾年的情誼背景，我豈能不義無反顧，全力相挺？從初入扶輪起，我們兩人就同時在地區擔任許多不同的職務，在多方的學習和服務當中，彼此更加有默契，對於扶輪的服務理念也更加體會與認同。後來因為生涯規劃，舉家長居海外，我不得不告別扶輪，專心相夫教子，也專注自己的學術研究。

九年前當我回到台灣，Tiffany 總監說：回來社裡吧？我說我依舊喜歡扶輪，但是只想當個快樂的寶眷，她拿我沒轍。沒想到四年前，她跟我說她將擔任 20-21 年度的總監，希望我能擔任年度眷屬聯誼會的主任委員。我實在猶豫，因為我對地區的眷屬聯誼會事務完全不熟悉，所以推辭再三。但是我的推辭拗不過她的堅持，只能毅然披掛上陣。現在想起來，我很感謝自己能勇敢接受這個挑戰的決定。因為在這兩年（包括擔任 19-20 年度的副主委）的學習和服務過程中，我領受了許多溫馨的友誼，

看見了許多美麗的風景，更加認同「認真的女人最美麗」這句話。

Tiffany 總監最讓我佩服與驚艷的地方是，每一個階段的蛻變，從完全不知扶輪為何物的扶輪社友、社長到創社社長，然後在經過地區無數職位的完整歷練的 26 年奉獻之後，她終於破繭而出，化成一隻翩翩飛舞的美麗藍蝶。在任何扶輪的公開場合中，她總是氣質出眾的，在別人看不到的任何時刻，她總是嚴肅認真的。她要求完美的性格一以貫之，然而她又是最溫暖的，不但在地區、分區大小活動可以看到她的身影，社長團隊和地區幹部團隊也都能夠感受到她關懷的溫度與力度。作為 3523 地區的第一位女性總監，她的創意巧思史無前例，她的完美高度（以及，加上穿鞋身高 185cm）後來者怕也難以企及。

還有一個美麗的風景，就是我在眷屬聯誼會認識了許多優雅大方、可愛活潑的社友夫人們。至今想來，我仍然覺得這是個很神奇的機緣，許多身懷絕技、才華橫溢的人八方而來，一起服務，彼此分享，共同成長。我特別榮幸可以跟會長 PDG Jack Chu 夫人陳孟貞女士共同帶領我們的執委團隊完成年度的所有活動。我們是一個美麗認真、使命必達的團隊。每一位執委都有個人獨特的魅力與專長，最寶貴的是每一位執委都有一顆熱誠服務的心。從 PETS、DTA 以及年度三次的大型例會，在在都可看到執委團隊所展現出來的超凡能力與十足默契，而活潑有趣的創意也總能帶給大家意外的驚喜。雖然我們年度的執委人數是歷年來最精簡的，但是為寶尊眷們開辦的三個小班課程卻創下史上參與人數最多的記錄。

感謝總監 Tiffany 的委任、信任與充分授權，讓我有機會在這個年度中和團隊夥伴一起成長，在每一個連結的時刻，在每一場際遇中，我們都可以在美善的能量中共振向上。一年匆匆而過，我們不只在每個場域遇見更美麗的自己和彼此，也讚嘆這一條以前不曾走過的路，竟然沿途花繁葉茂，陽光燦爛，越走越寬闊。

道場

第三分區助理總監
王欽秉 AG Bill

「扶輪是一個道場」，當年剛加入扶輪時，扶輪先進告訴我這句話，這些年來漸有體會，今年尤甚。回首過去這些日子擔任第三分區助理總監的職務，學習良多，心中充滿感動、充實，收穫滿滿。

記得在二年半前接到總監阮虔芷 DG Tiffany 邀請擔任助理總監一職，當下有一些惶恐，助理總監明知是責任重大的任務，考慮到的是自己是否有這樣的能耐可以勝任這樣的任務，所以當下希望總監給我時間好好的思考一下，幾經思考總認為對自己是一個學習也是磨練的機會，既然有此機會當做是學習的歷程，所以也就接下這個任務，事後回想起來還是要感謝總監給我這個機會。

這一年不管是地區、分區有許多的活動，每一項都非常有意義，也都很成功，篇幅有限，不一一描述，給我學習最多的莫過於社長生命故事的展演「年

輪交錯的黃金歲月」因為總監要所有的社長來展演生命故事做為乳癌防治募款活動，展演相當成功，因為它把所有參與展演的社長的心全黏在一起，展演是為了募款，但是他背後所隱含的意義比展演更成功，因為在團練的日子裡所有的社長們共同演出別人的生命故事，也說出了自己的生命故事，因此每個社長就像兄弟姐妹一樣的感情很好，更具有凝聚力，雖然這個過程裡面花了很多的時間，都是值得的，身為助理總監，雖然我只是在旁協助，但是我也從他們的身上學習了很多，我很幸運，我們這一組「尼泊爾組」是由三分區、八分區、十分區三個分區的社長組成，每位社長都很專注地說出自己的生命故事，也很專注的聆聽別人的生命故事，在與他們相處這三個月的時間，大家培養的良好的默契和感情，無形的凝聚力更是在之後發揮的淋漓盡致，之後各社在所需的社區服務或活動，就有更多的社一同參與，讓許多的活動量能發揮到最大，我想這也是當初所始料未及，相當的成功，由衷的感佩總監的領導風格。

今年擔任第三分區的助理總監，和四位社長的互動相當的愉快，感謝社長們的支持和協助，得以完成地區交辦的任務，各社的互動，互相支援、協助讓人很窩心，總監常常參加三分區活動就會發現四社都參加，我們就像一家人，我們的團結讓地區都豎起大拇指稱讚，我真的與有榮焉，常常有人問我助理總監忙嗎？我說：「忙得充實、忙得愉快、忙得歡樂、忙得精彩，莫過於此！」

還是要謝謝總監給我機會學習與成長，認識更多的好朋友，充滿正能量，這也是扶輪最棒的地方，擔任著不同的任務就有不同的學習，就有不同的成長，扶輪的世界裡優秀的人太多，值得學習，無私的付出，參與扶輪、享受扶輪，享受精彩人生！

3523 地區社長的生命故事

劉長灝（大熊老師）

當初 3523 地區總監阮虔芷女士（我都稱呼她阮姐），因為她是我心目中的偶像與政大 EMBA 的學生。當她邀請我來做「年輪交錯的黃金歲月」這齣舞台劇的編導，我心裡面著實很惶恐，因為這是一個浩大的工程。但是當我聽她說這齣戲的所得都要捐款給台灣癌症臨床研究發展基金會的時候，我就拋開疑慮的答應了。

初期，我們在宜蘭，上了一天的表演培訓課程，下午上表演課，晚上分成 7 組，讓他們用自己的生命故事編排一段 15 分鐘的短劇。這中間還穿插他們自己準備的晚會表演。老實說那頓晚餐我吃得膽顫心驚，因為我在想等一下的生命故事演出，我會看到怎樣的表演效果，這時我想起我的老師吳靜吉博士對我說的一句話：「要給你的學生最大的信任空間，記住你的責任在於啟發，而不是填鴨知識。」

晚餐後，生命故事表演開始了，我看得目瞪口呆，真的是太棒了，他們怎麼做到的？有幾個故事都讓我感動得掉下眼淚。

過了三個多月，阮虔芷總監帶領她的團隊，安排分組，場地租借，宣傳，售票等等繁雜的演出相關事宜，有一天她跟我說：「老師，我們準備好了，你可以開始排戲了。」於是我帶領三位助教開始進入二個月排練階段。

▶▶ 第 1 組 輪轉人生

這組的故事是集中在一位 KiKi（何琪琪）社長的生命故事。由於他們沒有任何的表演經驗，在排練的過程中，我必須引導他們舞台的走位的位置與技巧。

KiKi（何琪琪）社長也因為過於緊張，總是記錯自己台詞的段落。到了彩排的時候，還是因為緊張而不知所措。正式演出前，10 位社長紛紛在後台給她打氣，一位抗癌成功的社長，怎麼會落敗。果然第 1 組演完，觀眾掌聲響起，這 10 位社長們做了最成功的灘頭衝鋒戰役。

▶▶ 第 2 組 愛找麻煩

這組的演出劇情是眾人的故事編織而成。在這組我必須提出 3 位社長，他們是張宏毅社長，蘇真社長，吳第明社長。張宏毅社長不但提供排練場地，也是從怯羞不敢說出自己的故事到最後勇敢的表達自己的愛情故事。蘇真社長是最認真的一位社長，從不遲到，也是最早把台詞背完的人。她一人扮演兩個角色，一個是少女，一個是老婦人，表演精準，我給她的指示她都很準確地做到。吳第明社長，最初是我最擔心的人，因為他的表演像是很難吞噬的演講稿，有一天我跟他說，流露你的真情你才能感動人，結果一直到演出上台，他沒讓大家失望。

▶▶ 第 3 組 膜王覺醒

這組的故事也是眾人的故事編織而成。要特別謝謝徐國楦社長提供的場地與每一次提供的飲料。當然社長們都很忙，這組是整體全員到齊次數最少的一組，但是他們都互相頂替對方的角色。最讓我感動的一件事情是，李宜蓁社長在排練的時候從未遲到，每次排練都非常認真，直到有一天，她沒有出現，阮總監跟我說她癌症復發，已經住院，前幾次排練都是抱病而來，也不知道演出時能不能上台。我立刻改寫劇本，無論如何都要她在台上出現。演出當天，她依舊住院治療，但是她的丈夫與孩子都來看這場演出，我安排了一個橋段，讓主持人張瓊姿女士說了她的台詞，讓所有的演員及現場觀眾替她祝福。

▶▶ 第 4 組 塵封的記憶

這組的排練是最有趣的一組。謝謝逸仙社前社長吳瑞玲提供場地，每次排練都有好吃的食物，好喝的飲料。每一個人可能都沒有準備好自己的表演，但是他們都準備許多豐盛的食物。這組社長們有的搞笑，不按牌理出牌，有的超級認真，潘素珠社長是最認真的演員，每一次排練都看見她的進步，許再森社長從來不按照劇本說台詞，他的對手演員都被他搞瘋了。邱琳恩社長也是我政大戲劇課的學生，她除了帶食物給我們，每一次都會問我，我這一次排演有進步嗎？當然會有進步，熱情與專注是演員的基本條件之一。

▶▶ 第 5 組 星願

這組的劇本是鄒靜雯社長的生命故事。當初在宜蘭演出，就是以這個劇本出發。故事很感人。也要謝謝陳芃君社長提供的場地與食物，有好幾次排完戲都不想離開。這組社長們在每一次排練，都會比我先早一步提出想法，道具，服裝，走位的感覺，超級認真。記得有一次排練，我疲累了，休息過長了，他們還會提醒我，是不是要開始下一段的排練。在整個排練過程中，他們總是互相叮嚀，絲毫不馬虎，也因為如此，在最後他們得到的演出獎項最多。這是他們應得的讚譽。

▶▶ 第 6 組 The Moment of Life

這一組社長們在頒獎典禮的時候得到的是最佳團隊獎，真的是實至名歸。從排練的第一天起，到最後從來沒有人缺席。看到他們這個團隊的凝聚力，我用不一樣形式來敘述他們個人的生命故事。13 位社長用不同的表演形式述說自己的生命故事，這是我對他們的尊重。排練的第一天起，到最後從來沒有人缺席。多麼難得的一個經驗。每一次排練時間，我都會早到 15 分鐘，他們就會自動自發聯絡其他社長，排練時間開始，所有社長到齊。彩排與演出當日，亦是如此，所以當他們拿到最佳團隊獎的時候，我真心為他們鼓掌。

我真要感謝國際扶輪 3523 地區總監阮虔芷女士，給我這樣一個難得的經驗。我時常在演講中提及有誰能夠在一年之內認識這麼多扶輪社社長，聆聽他們如此真切而感人的生命故事呢？

一生懸命·獨立從容
——側寫 Tiffany

台灣扶輪月刊特約撰述委員
陳騰芳 PP Reporter

要形容 IPDG Tiffany 這個人，套一句戲劇圈常用的句子「她是戲路很廣的人。」不但戲路廣，而且每個角色都難不倒她。

能演能編能製作，這是指她的戲劇人生。她的真實人生也是精彩萬端，人家說「人生如戲」，在每個階段、每個崗位，Tiffany 都恰如其分地扮演好每個角色，忠於每一個角色，「演什麼像什麼」。

她悠遊於扶輪世界，社友、社長、助理總監、公益新聞金輪獎主委、總監，在每一個職務上一步一腳印，「一生懸命」，「享受扶輪」也「奉獻扶輪」。

2020-21 這一年的總監生涯，她把她對扶輪的熱情發揮到極致，還以她的戲劇專長把七十幾位戲劇門外漢的社長推上舞台演出個人的生命故事，臨場觀眾固然驚艷感動，初登台的社長在過足戲癮後，無不認為這個難得的經驗對後代子孫三天三夜都講不完。

IPDG Tiffany 冷靜從容令人印象深刻，有一次應邀在 3501 地區演講，事先準備的 PPT 竟然臨場無法播放，這是致命的失誤，距離演講只剩十五分鐘，工作人員替她著急，她卻不慍不火一派從容，最後故障排除演講順利進行圓滿結束，問她何以能夠如此不急不徐，她說急也沒有用啊！

在大陸拍片遇到重大挫折，即使處在龐大的財務壓力下，她卻始終沒有把那種度日如年的感覺告訴家人，為什麼不說？「告訴家人，只是徒增家人的煩惱而已，減輕不了自己的壓力。」爆表的壓力對她而言竟是如此雲淡風輕。

印象中，在扶輪的場合，幾乎所有高層都是夫妻同進同出，IPDG Tiffany 卻都是單刀赴會，這是她們夫妻長久以來的默契，關心而不干涉。

2019 年 11 月，IPDG 接受《台灣扶輪月刊》專訪，她說「我不確定我先生是否已經知道我要接總監了」。她沒有刻意隱瞞也沒有正式告知另一半，這是 IPDG 一向的行事風格——獨立。

她說他們夫妻生活作息不同，一張床輪流睡，她說「他們夫妻是同睡一張床的同事。」

看她老是獨來獨往，曾有人懷疑她其實是未婚，故意說已婚是怕人追求。她對此「高見」大笑三聲之外，並未多作解釋。

有人把 EMBA 當成化妝品，可她念完一個不夠又再念了四個，這是什麼道理？她曾在臉書上寫下四句話：

風景就算再美也會後退，
流逝的時間會漸行漸遠，
前行的始終是自己，
是的，我還一直堅持前行。

沒錯，行事獨立的 Tiffany，始終一派從容地堅定前行。

驛動的感動

阮虔芷 DG Tiffany

與金輪獎的不解之緣

2019/5/16 金輪獎頒獎典禮

這是我第四次擔任金輪獎主委工作，原本在扶輪每一個職務都只輪流服務一次，為的是讓扶輪人在每一個角落都能夠做中學與親身服務，但對於金輪獎來說，承蒙三位前總監的厚愛，在他們負責的任內，給我再次歷練的機會。雖說已經擔任四次主委了，但每每看到好的報導還是很心動，總能感受新聞媒體朋友的用心與努力，今年因為新冠肺炎不能群聚，無法舉辦頒獎典禮，考量再三我們依然會有頒獎儀式，要讓得獎人能感受自己用心報導的成果，被評選後得到的尊崇。

金輪獎今年是第十四個年頭，從 3520 地區時代我就有幸參與很多，看到媒體朋友從不瞭解扶輪到認同扶輪，從我們辛苦找不到媒體採訪，到媒體主動來問「能一起去採訪嗎？」我認為這就是因為有了金輪獎做為引介的關係，金輪獎讓媒體人與扶輪人從此更為接近；也因為金輪獎的存在，媒體多方的報導，讓一般民眾終於知道扶輪是什麼樣的組織，平常在做些什麼社會服務。憑心而論，要舉辦一個頒獎典禮所費不貲，要每一年持續維持更是不易，在 3520 地區又分為三個地區之後，更是無力承擔這樣的支出，所幸台灣扶輪出版暨網路資訊協會適時願意接手這項有意義的活動，著實讓我感恩與敬佩，這也是為什麼台灣扶輪出版暨網路資訊協會接辦之後我就一直願意擔任著主委一職的原因，三年來共同的參與讓我也感受到台灣扶輪出版暨網路資訊協會的用心與真誠。

謝謝本屆專家與扶輪先進合組的評審委員，他們花了無數個日夜，認真費心觀看參賽作品，公正公平的評選出來優秀的作品，在旁看著他們熱烈討論，心想這是金輪獎給了大家凝聚共識熱忱參與的動力！

今年入圍的特定類報導有「企業家串連送愛到偏鄉」、「柬埔寨淨水計畫」、「共造生態水樂園」、「淨水續命」、「扶輪協力造屋」、「湖區濾水革命．傳愛柬埔寨」、「醫路上有你」、「工地行醫．傳愛尼泊爾」，從以上這些標題不難看到扶輪在這一年，對於水資源與醫療的特別關注，不但行愛在自己的台灣，還將愛放送到國際，愛無國界在扶輪更見實踐。

金輪獎 14 年來彰顯了許多優質的公益新聞，讓社會不只有八卦的負面報導，也表彰了許多優秀的新聞從業者，讓他們知道沉默的付出並不寂寞，更讓許多扶輪社的社會服務活動，打破了為善不為人知的藩籬，為社會公益豎起了一面大旗！就是因為這樣特殊的奉獻，台灣公益新聞金輪獎得到國際扶輪的肯定與重視，將這項全世界惟一的活動，列為明年在台灣舉辦的扶輪國際年會的項目之一，台灣扶輪人對社會的用心與堅持，再次得到了舉世的注目，我深以多次參加這個有意義的工作為榮為傲。

祝願台灣扶輪公益新聞金輪獎，在未來能帶動更好的新聞氛圍，促進社會和諧、關心弱勢的力量，達到隱惡揚善的成立目的，我或許不會再擔任金輪獎任何職務，但是我將會是金輪獎永遠的志工，願意為支持金輪獎持續盡心盡力，相信金輪獎會一屆一屆的傳承下去，會由暗夜的燭光，發展成明亮的燈塔，指引著公益新聞在台灣這片土地上發光發熱，也會讓國際的扶輪友人效法，在另一片土地上茁長壯大！

阮虔芷 DG Tiffany

這是一個扶輪學習的旅程

2019/11/22 GMS 扶輪基金獎助金研習會

2020-21 年度我訂定這是一個扶輪學習的旅程，我期許我們每一位扶輪人都能在這個新的年度裡，認真學習扶輪的精髓。扶輪之所以能 115 年屹立不搖，必定有它美好的精神，我們有幸身在這個大家庭中，必定要好好的研習，才不辜負過往扶輪先進的付出。

這次扶輪基金獎助金管理研習會，我著實花了一些時間思考著該如何舉辦？該從哪個方向著手出發？該邀請哪些主講人？是否要進行分組討論？我與地區扶輪基金委員會主委討論許久，最後我們決定以主講方式，用講座與互動來呈現最好的溝通與學習。

我們同時考慮了很多的講師，希望邀到最強的、講述大家最想聽的主題，最後我們確定了（以先後次序排名）區域獎助金專員王嫺梅 Shyanmei Wang、3490 地區前社長林蔚濠 PP Cilin、3481 地區前社長黃敏靈 PP Jo，壓軸的邀請到 3490 地區也是扶輪基金會捐獻基金與鉅額捐獻顧問前總監洪清暉 E/MGA Ortho。承蒙他們四位全都允諾來擔任講師，當討論好他們四位的主題後，我心中的大石頭便放下了，真的非常開心有如此堅強的主講陣容。

⑴ 區域獎助金專員王嫺梅，也就是扶輪基金會的 RGO，負責多地區 GG 案的的審核，從全球的角度來跟社友分享不同角落發現的問題跟如何解決。她帶來「國際全球獎助金——申請概要」也要與大家腦力激盪，據我所知已經有許多社友在準備好要發問了。

⑵ 3490 地區前社長林蔚濠 PP Cilin，他爲 3490 地區規畫獎助金使用經驗豐富，參與超過 40 個 GG 案的申請。將分享妥善利用我們今年的每一分捐款，同時也把過往每位社友的捐款用好用滿。他教我們如何「放大服務的效益——善用獎助金」，在準備透過服務計畫帶給社區滿滿能量之前，更要確認服務的效益能夠持續，這正是全球獎助金計畫能否通過的必要條件，讓我們共同解密。

⑶ 3481 地區前社長黃敏靈 PP Jo，GG 案申請經驗豐富，從實務的角度，帶領各位撥開迷霧，點出關鍵，從一開始的籌備就可有效率地抓出前往成功的方向，事半功倍。她來指導大家「如何籌備一個全球獎助金計畫」相信他會協助大家瞭解如何做好申請手續。

⑷ 扶輪基金會捐獻基金與鉅額捐獻顧問前總監洪清暉 E/MGA Ortho，讓我們知道當萬事都俱備，只欠東風時，如何找到足夠的資源，讓手上改善社區的計畫能順利執行，資金的募集是不可或缺的一環。感人的故事要搭配清晰的邏輯，社友也會更有意願共襄盛舉。要花錢就要募款「如何強化全球獎助金資金的募集」自然就更覺重要了。

台灣目前有 12 位 Cadre，我們這次 4 位講師就請來了 3 位，另外一位是負責審理台灣 GG 案的 RGO 也來到會場，課程內容保證正確，會讓社友少走很多冤枉路！從大方向來看 GG 案在全球怎麼改善社區、利用自己的每一分捐款、如何籌備企劃、到資金的募集，好好上完這一課，日後申請時就可以省下時間，並且確保方向正確無誤！

當然籌備期中，還是有些可愛的小插曲，原先我最喜歡的場地，每人桌上一支麥克風，開啟麥之後攝影機就能追到講話的社友，這樣的互動是我最想要的，直接、方便也有現場感。但很謝謝大家的捧場，由於報名人數由我們預設的最高 123 人，暴增到 288 位，我們不得不更換大的場地，也由此可見我們的四位主講人具有超高能量，吸引近 300 位前來受教。

課程上已臻完美，籌備會主委龍門社前社長朱威任 PP Michael 所帶領的團隊，更是力求呈現最好的 2020-21 年度第一次訓練會議，PP Michael 追求完美的個性完全顯現在這次籌備會裡。謝謝四位講師認真的備課、謝謝籌備會所有夥伴們，這將是一個成功的會議。感謝大家的參與，祝福每社都能成功申請GG案，也希望大家盡能力捐款，讓我們的社區得以改善。謝謝大家！！

阮虔芷 DG Tiffany

讓我們成為精彩的領航者

2020/2/22 DTTS 地區團隊訓練研習會

在進入主題之前，我先說一個跟時勢有關的小故事！上週一個來自武漢的包裹在加拿大安大略省肯諾拉市引發恐慌，警方甚至下令當地一間郵局緊急疏散，因為有兩名員工表示在收到包裹後感到身體不適。

安大略省警官甘菲德在談到下令疏散一事時說到：「新冠病毒是很新的一種病毒，我們不知它會如何傳播。」之後，在加國衛生部門告訴人們病毒不會透過無生命的物體傳播後，這間遭下令疏散的郵局才重新開放。這個笑話告訴我自己，在無知的過程中，因為無知會做出許多荒唐的決定！扶輪之所以偉大，就是因為它一直知道自己要做什麼！也一直在訓練每一位扶輪領導人知道要怎麼做！

「DTTS 地區團隊訓練研習會」，顧名思義今天來參加會議的每位扶輪人，都是新地區團隊的一分子，也都是我一位一位親自聯繫邀請，得到您們首肯答應！擔任新的一年團隊組成的重要精英。2020-21 年度需要靠各位熱情的幫忙與努力，才有可能完成所有的年度計畫。

我在春節期間去了一趟聖地牙哥，深切明白了為什麼扶輪可以 115 年屹立不搖。在上完課後雖然留在 LA 與兒子相處，但我的心卻仍停留在 IA 給我的課業上，這也就是在 Line 的群組裡，大家每天都可以收到我做好的作業原因。我把五天的課程 78 個頁面，分成 11 個大的標題，全部整理出來轉給大家，與其說是我在整理給大家，不如說是我自己在重覆複習著，我也的確是蠻著急的想把我學習到的好資訊立刻轉傳給大家，這樣我們才能跟 RI 同步，聖地牙哥之行是一個非常難得的學習機會，親身經歷後我異常的珍惜。

在這次會議中，讓我印想最深刻的部分，此刻我想要跟大家分享，在國際扶輪社長當選人 Holger 的演講中，他說有次他跟扶輪社員談話，其中一位是柯達公司（Kodak）的前主管。他告訴 Holger 他們都知道攝影最後終將會轉型為數位，可是他們沒料想到會發生得這麼快，他們在短短幾年內從該領域的全球龍頭老大變成一家瀕臨破產的公司。

這讓我們明白，時間真的不會為我們停下腳步，它不會等我們。我們不能停滯不前，我們不能滿足於目前的成就。我知道 RI 去年就希望把扶青團轉變為扶青社，這是一項大改變，而在這一年我一直持反對心態，可是這一次我自己被說服了，雖然我知道執行上會有困難，但是因為我聽懂 RI 的想法了，所以我要跟大家報告，扶輪已決定希望有年輕人的腦袋加入。我們希望扶輪要開始改變，因為時間不會為我們停下腳步，與其讓快速的改變擊敗我們，不如我們抓緊時機讓扶輪成長，讓它更強大，更具適應力，甚至更符合我們的核心價值。

另外，在社員成長的部分，我希望回歸到扶輪的本質，「莫忘初衷」，我們必須仔細挑選新社員，確保他們是適合的人選，也確保他們選對了扶輪社，因為我們是在挑選新的終身朋友。當然，在注意新社員的同時，也要留意老社員，要讓我們的終身朋友在扶輪的世界裡是快樂的。我們除了增加自己社的社員之外，也請大家協助人數較少的社，使他們也壯大起來，我一直告訴自己，大家都好才是最好。

Holger 也希望每個扶輪社每年至少舉辦一次策略計畫會議。每個扶輪社應該捫心自問五年後要讓自己的社，成為什麼模樣的扶輪社？並且知道它將帶給社員的價值是什麼。

因此，我要請大家接受挑戰，把我們自己的社規畫成一個優質的扶輪社，也為扶青社社員及年輕專業人士打開扶輪的大門。

2020-21 的年度主題「扶輪打開機會」Rotary Opens Opportunities

3523 團隊是精彩團隊——「精彩人生，有您們真好。」

阮虔芷 DG Tiffany

人生一場邂逅已足夠美麗

2020/3/14 PETS 社長當選人研習會

長路漫漫，若與良友伴行，路遙不覺其遠，環顧你身邊的人，在這個年度裡，他們就是你最好的良友，他們將常相伴隨在你左右，和我們一起成為「精彩的領航者」，領航人之所以能稱為精彩，是因為真正的領航者能給人希望，我們大夥相互結伴，就可以在新的年度裡帶領所有社友，給更多需要我們幫助的人無窮的希望。

身為扶輪社員，我們有幸能夠在這個美好的時刻，擔任扶輪組織中的領導角色。我們所做的每件事，都有可能為某個地方的某個人打開另一個機會。國際扶輪社長當選人 Holger 說「我們相信，無論大小，我們的服務行為都會為需要我們幫助的人們創造機會」。因此，我們今年度的主題是「扶輪打開機會 Rotary Opens Oppor-tunities。」

Holger 還說：「『扶輪必須改變，也將會改變』，即使有些扶輪社友抱怨，扶輪已變得不像他們舊日時光的扶輪，我們還是必須堅持改變。如同保羅．哈理斯所言『我們有時候必須改革』，現在就是改革的時候，其中一個方式就是建立新的扶輪模式，重新思考加入扶輪的意義。『年輕人應該是建設這些新扶輪的人。』」

他更希望每個扶輪社每年至少舉辦一次策略會議。每個扶輪社應該自問五年後我們的社要成為什麼樣的扶輪社，我們要知道它帶給社員的價值是什麼？想想看！除非你改變了策略計畫，否則，五年之後的你和現在一定完全一樣，你的社也是一樣，因為習慣是一種最可怕的麻藥，凡事不進則退，我們一定要走出舒適的圈子，一定要改變自己，人生如同一條長河，進入成熟期後無須波瀾壯闊，而是應該安靜平穩而有力的流動。

我最近有很多不同的會議要準備致詞，面對不同的對象、不同的場合、要講不同的言語，所以要花很多時間去做 Power Point，但我很歡喜，因為能有機會在做中學真是太難得了。參加扶輪，我從過往不會做 PPT，到目前的極其順手，誰說這不是扶輪給我的學習機會呢？我們即將攜手改變很多我們從來沒做過的改變，我們即將揚帆啟航，我知道你們也都準備好了。

在這一場我們譜寫生命故事的同時，也讓大家有機會重新檢視自己，其中也許會讓自己淚流兩行，也許會嘖嘖的默默稱許自己，這個作業真的會使自己重新面對生命中的挫折與困難、收穫與歡樂，重新感受曾經的自己。

如果眼中沒有淚水，又怎能映照出靈魂的彩虹；在生活的洪流中，沒有人是毫無煩惱的。生命非常短暫，我們必須做讓自己快樂的事，我們才能保持微笑繼續前進。我的政大老師吳靜吉博士是位教育心理學博士，他創造的領導統御這堂課，讓我們在電腦前悲喜交加，但卻使我們都能在這個過程中自我成長。

今天的社長當選人訓練研習會，我絞盡腦汁，希望在兩天時間能給大家最好的學習環境與課程，劉長灝老師會把吳博士的課程淋漓盡致的教給大家，我們會在這一天讓大家情感濃密，第二天更能全心投入扶輪課程，我們是精彩團隊，有堅決的信心擔任好新年度的領航員，雖然我們是平凡人，但一定會成就不平凡的社區服務。只要懷著信念服務，我們必定會擁有雙倍的成效。

有足夠寬容的心，就必定看到春光明媚的世界，不管新冠肺炎疫情有多嚴重，只要做對的事，任何時機都是好時機，所謂持之以恆，滴水都能穿石。各位社長當選人，是時候了，讓我們一起攜手前進！加油！！

阮虔芷 DG Tiffany

生命會回應給你每一件你曾做的事

2020/7/1 3523 地區總監暨社長聯合就職典禮

2020 年 7 月 1 日凌晨 0 點 0 分，在這歷史的時刻，國際扶輪 3523 地區產生了 74 位新任社長，你們是上帝派來服務社區的天使，同時還推派了 39 位坐在你們身後的前社長們來輔佐各位，為了是要能讓你們更完美的運作社區服務計畫與社務，另外，在我們地區還有 432 位扶輪行政人員隨時準備協助大家，相信你們會在充足的資源下，帶領著地區 2186 位社友全力以赴，在往後的一年中，我們身負著神聖的使命，特別是 2020-21 這個精彩的年度，因為世界年會在台北！

你們知道嗎？要超過四分之一世紀，才有機會主辦一次世界年會，我們有幸在我們的任期內巧遇，感謝你們願意並勇敢承擔，在這麼重要年度擔任社長職務，這將會是一個令人感動、備受挑戰、與大步成長的一年，也會是日後充滿記憶、回味無窮的一年。

人生最有價值的力量，就是能在扶輪天地相遇，相知和相惜！也只有幸運及盡責的人，才會有福分在此重大時刻共同承擔，我相信你們每一位都會成為勇於盡責的好社長，且讓我們珍視機緣，攜手好好的為社、為地區、為扶輪，完成社友對我們的託付而努力，我深信我們會在這一年，做到自己能力範圍的極致，我也期勉未來我們回看自己的人生，會覺得相當值得，也十分的有意義。

今天在現場，我邀請到兩位特別的貴賓，因為她們在我的生命裡，扮演著非常重要的角色，所以我希望她們一起見證這神聖的時刻，第一位貴賓是公共電視、中華電視公司董事長，陳郁秀女士，她是我政大碩士學程的教授，是一位始終默默關心與疼愛我的師長，舉凡我辦的任何活動，她總是說「只要是妳辦的活動，一定都會成功的」。

人的一生的確很需要有人在旁鼓勵與支持，這是動力的來源與希望的所寄，每一次我有活動，發簡訊報告老師，老師總是給予極大的精神支持，或是直接以行動鼓勵，尤其是在舉辦公益活動時。曾經是艋舺扶輪社寶眷的她總是說「虔芷，不要擔心，勇敢前行，有困難找我」。

她也常說因為扶輪社對社會的貢獻是最強的國家生命力、競爭力，最難能可貴是她能感受到扶輪的團結、合作、溫馨的那份情誼！真好！路上有人同行，才能豐富精彩。我邀請她的時候，老師還說「虔芷！很高興妳能擔任重責，我一定在旁協助妳」。謝謝您，老師！

另外一位是曾經叱咤風雲，美麗動人的大明星——許佩容小姐，縱然我們不常見面，甚至很久沒見，但是她始終在我心裡。在 25 年前，經由她的推薦我加入了扶輪，是她讓我有機會在扶輪這個大家庭裡學習成長，我始終感恩銘記在心。今天我邀請她來到現場，是要在大家面前感謝她 25 年前的引薦，我也希望在場所有扶輪朋友，在當下這一刻，也回想一下當初是誰帶你進入扶輪，請找個機會謝謝他，因為他絕對是你今生的貴人。

各位社長，我會珍惜從現在開始與你們相處的這一年，今生與你們能在 2020-21 年度結緣，你們都是我最要珍惜的人。再次恭喜你們每一位都是幸福之人，改變態度就可以改變高度，改變想法轉個彎就遇見幸福，我們都改變了自己的態度與想法，所以，我們即將會有高度有幸福，祝福我們自己。

因為我們是精彩團隊！

阮虔芷 DG Tiffany

任何值得前往的地方都沒有捷徑

2020/7/12 DTA 地區訓練講習會

我愛扶輪，因為我看到扶輪對社會的貢獻，我愛扶輪，因為我看到許多扶輪先進的謙卑與內斂，扶輪社會彰顯的品德是我學習的目標，因此我非常注重扶輪禮儀與扶輪知識，也認為身為扶輪人必需依循著這樣的軌道前行，所以 2020-21 年度我安排了許多扶輪禮儀與扶輪知識的課程，邀請了許多位扶輪前輩到各社去推廣，因為，扶輪若要永續經營，就必定要正規的運作。

每一次訓練課程，我都絞盡腦汁，尋找最優秀的講師來傳道解惑，今天的分組討論在社長組部分，我希望由社長來分享你們的年度願景與重大計畫，讓社長們彼此相互激勵，同時瞭解風險控管的重要，期盼每個社因新團隊的灌注而充滿活力，社的氛圍對了，就能吸引更多的新社友；在財務組方面，除了角色與責任必不可免外，如何擬訂社的財務目標也是重點，當然，各案的研究也會在今天的分組討論裡出現；社員發展是今年的重頭戲，每個社都得有 20% 的成長，到目前為止，我總監公式訪問，已經拜訪了六個社，有五個社接力了社員發展的棒子，我授證了 19 位新社友，這樣的成績，我非常滿意，但請注意別讓他們變成只是個數字，要持續關心社友，不要讓社友流失了。各位親愛的社長，別忘了，我們的約定，這是您們親自許下的承諾喲！

總社社長 Holger 說過：「扶輪必須改變，也將會改變」，扶輪希望有年輕的頭腦加入，所以我們要一起研究如何與年輕領導人合作，激盪出不一樣的火花，達成共同的目標，年輕領導人在策略優先事項中扮演什麼樣的角色呢？要如何促使年輕領導人積極參與扶輪？這些都是我在聖地牙哥每天訓練會結束之後，回到房間苦思的問題，我要怎樣把所學的帶回來給大家呢？還有思考著我們整年會議的主題，尤其是今天的 DTA 分組討論。

公共形象組是研究討論我們如何推動扶輪的形象，在 3520 時期首創的台灣扶輪公益新聞金輪獎，就是一個讓台灣媒體看見扶輪人做公益服務的最佳模式，我們雖然為善不欲人知，但我們要能帶動風潮！在台灣扶輪出版暨網路資訊協會接手扶輪公益新聞金輪獎的這三年，我之所以願意一直擔任金輪獎主委，就是明白金輪獎對扶輪的形象幫助有多大。三年來的參與，讓我感受到協會的用心與真誠，清楚的知道他們除了出版刊物之外，還默默為台灣扶輪做了很多的貢獻，所以我們在 PETS 已經通過每人每年要支付新台幣 700 元訂扶輪月刊，請大家記得，這是義務也是責任，RI 也一再重申，扶輪人一定要訂閱扶輪雜誌。

至於各社該如何經營才能擬訂一個好的服務計畫呢？我覺得服務計畫要像說故事一樣，故事如果能感動人，才會是好故事，好的計畫不也是如此嗎？感受美好，才能產生新的動能。最後談到扶輪基金，在此要謝謝各位社長與各社的領導人，在總監公訪的會前會上，大家的壯闊豪情與真摯熱誠，讓我非常感動，也讓我常在會議結束後，仍沉浸在其中久久不能自已。還有值得向大家報告的是，我們今年捐獻計畫的金額，在大夥還沒上任之前就已經超過原先預計的 80 萬美金，今年 3523 地區首度突破 100 萬，來到 104 萬美金了！所有扶輪人都知道，扶輪基金相當重要，沒有扶輪基金，扶輪就不可能永續經營，俗話說「有錢不一定能做好事情，但沒錢一定做不好事情！」另外我還希望大家多多留意台灣有許多苦學的碩博士生，中華扶輪教育基金一直不間斷的支持這些孩子，中華扶輪教育基金會董事長 PDG Tony 經常掛在嘴上的一句話「投資理財有賺有賠，但投資教育卻是穩賺不賠」，誠懇的希望大家都能支持中華扶輪教育基金，給我們的孩子一個更好的未來。

最後我還是不能免俗的要鼓勵大家參與 2021 台北國際扶輪年會，我們作為年會的主人，更要親身體會台灣在地的魅力，尤其是 5K 健走以及志工招募這兩個項目，相信整個年會豐富的活動內容，絕對會值得做為我們人生下半場的回憶。託大家的福分，讓我們能在這麼美好的年度裡，擔任扶輪重要職務，一起迎接精彩，共同分享榮耀，這一切值得我們感恩，也值得我們奉獻。

謝謝大家！！我愛扶輪！！

阮虔芷 DG Tiffany

最難懂卻是最該懂的學習

2020/8/15 DRFS 扶輪基金研習會

DRFS 扶輪基金研習會是一個最難懂卻是最該懂的學習會議，但只要您願意開始學習與運用，就絕對能夠摸懂想通，我相信任何事情只要我們願意去做，就必定能達成目標。

首先要謝謝地區扶輪基金委員會主委，前總監郭俊良 PDG DK 與所有委員們，在我們全球獎助金與地區獎助金申請時，與各社的討論和給與的協助，也要謝謝扶輪基金研習會籌備主委龍華社 PP Ichiro 帶領的整個籌備團隊，配合著基金委員會做會前的規劃和整體呈現；更要謝謝今天所有的主講人，帶給我們精湛的演講內容，無論是獎助金運用成果，獎助金的稽核原則與重點，還有表彰的制度以及基金會的現況報告和 2020-21 年度的目標，當然冠名永久基金及巨額捐款都是我們今天要研究的重點；我們還會把成功的三個案例與大家分享。

希望大家能從今天的學習會議中得到寶貴的資訊，並帶回到各社一起研究，從而完成更多人道關懷的服務計畫，並透過扶輪基金的捐獻，讓地區的社區服務能完滿達成，以關心更多的癌症病友。

謝謝大家！！

阮虔芷 DG Tiffany

邀請您成為支持 End Polio 的一員

2020/11/6-7 End Polio 慈善音樂劇

聚沙成塔、集腋為裘，寸積珠累，滴水穿石，身為扶輪人，您一定知道扶輪的驕傲——「根除小兒麻痺症捐贈計畫」，為了讓您更瞭解這個榮耀的計畫，且容我向您提供最新的報告。

在讓我們改變世界的目標下，扶輪不但有崇高的理想，同時也有積極的行動，「根除小兒麻痺捐贈計畫」已成為歷史成功典範。

世界衛生組織（WHO）在 8 月 25 日宣布，由於連續 4 年都未出現病例，學名脊髓灰質炎的小兒麻痺症野生病毒已久未在非洲出現，30 多年疫苗運動，小兒麻痺終於在非洲大陸絕跡了。這是世界致力根除小兒麻痺症的一項里程碑。從 1988 年啟動計畫時的 35 萬個病例，至今全球尚餘的病例僅集中在阿富汗和巴基斯坦兩個國家，我們可以毫不汗顏的，為自己是位致力於 End Polio 根除小兒麻痺症的扶輪社員而鼓掌拍手。

在此我要向您們致敬，謝謝您們願意為 End Polio 募款，走進今晚的松菸文創園區多功能古蹟展演廳，觀看大型史詩音樂劇《秦始皇》，我深知您是用最珍貴的扶輪本質「親身參與」——以實際行動，來表達對消除全世界小兒麻痺的決心。

自 1996 年以來，各國政府和非營利組織一直透過疫苗接種運動，試圖在非洲根除小兒麻痺症，非洲至今已接種過 90 億劑小兒麻痺症疫苗。其中一大部分的任務，都是由 1988 年發起的「全球根除小兒麻痺症倡議」協調完成。這個倡議由各國政府和五個合作夥伴領導，其中包括國際扶輪、世界衛生組織、聯合國兒童基金會、美國疾病控制和預防中心，以及比爾暨梅琳達蓋茲基金會。

國際扶輪自 1985 年起推動「全球根除小兒麻痺症」計畫，35 年來一直是扶輪社的優先目標，比爾暨梅琳達蓋茲基金會宣布將捐款交由國際扶輪執行相關工作，更凸顯出對國際扶輪的肯定。

我們今天在此舉辦根除小兒麻痺症慈善音樂劇，募款所得將捐贈國際扶輪基金會，以具體行動響應「全球根除小兒麻痺症」計畫，為幫助孩童遠離小兒麻痺症，奉獻一己之力。

還記得「風蕭蕭兮易水寒，壯士一去兮不復還。」這首悲壯短歌嗎？還記得「遠交近攻，併吞六國」這些記載典故嗎？統一「書同文、車同軌、行同倫」的始皇帝待會即將出現在您面前。

《秦始皇》這部大型史詩音樂劇，是我去年就約定好、做為 2020-21 的 End Polio 慈善音樂劇服務計畫的節目，這是一齣費時三年籌備、橫跨四個國家的聯合製作，耗資一千八百萬精心打造，由方文山與吳若權填詞，大中華區迪士尼音樂總監王柏力特別跨刀編曲，擔任本劇的音樂總監，台灣「美聲主廚」邊中健親自編導並擔任主演秦始皇，邀請了 2018 年入圍金鐘獎最佳女配角的潘奕如演出女主角——羽姬，還獲得 2020 年美國中央市歌劇院夏季歌劇演唱計畫合作的男中音——陳翰威的首肯，擔綱演出劇中荊軻一角。

在《秦始皇》的場景設計上，您不難發現他們捨棄了常見的平面舞台，而以「台上台」的堆疊方式呈現藝術視覺，這需要製作人的磅薄思維，才能展現如此精緻大氣的舞台效果。

導演邊中健認為，台灣缺少媲美百老匯音樂劇的作品，因此特別選擇代表東方華人文化的秦始皇作為演出主題，並運用西方管絃樂演繹動人心弦的曲目，為大家創造一場跨界融合的經典演出，相信這部蕩氣迴腸的史詩音樂劇，將帶給您一場前所未有的震撼與感動。

一個讓您可以參與改變世界的行動計畫，一齣可以讓您感心動耳的精彩演出，今晚！讓我們一起走入歷史的長河，攜手共譜美好的未來。

阮虔芷 DG Tiffany

善行的痕影，帶動善行的風氣

2020/11/27 DPIS 扶輪公共形象研習會

過往，人類在行為品格上，追求「善行無轍跡，善言無瑕謫」的目標，在奉行「善欲人知，便非真善」的認知下，「為善不欲人知」便成了有道德的人的傳統思維，隨著社會型態變遷，價值判斷的更迭，於是「自我顯揚，為善最樂」觀點被重新檢視，道德經中即有「常善救人，故無棄人，常善救物，故無棄物」的揭示，現代人終於意識到「善行的痕影，帶動善行的風氣」，整體對做好事積陰德有了全新的詮釋！近期扶輪開始注重公共形象的塑造，除了要消除民眾對扶輪吃喝的誤解外，也要讓大眾瞭解扶輪是公益團體的本質。

錯誤的認知曾讓扶輪社團活動邀請記者報導非常不容易，最近十餘年由於 3520 地區舉辦的公益新聞金輪獎，透過表彰的方式，讓媒體朋友參與各社的社區服務，進而角逐獎項，不但建構了金輪獎的崇高地位，也推動了媒體宣揚扶輪正面形象的進行。

公共形象顧名思義就是要如何在一個組織裡，運用各項傳播的方式，與社會公眾之間建立相互瞭解和依賴的關係，並透過雙向的資訊交流，在社會公眾中樹立起良好的形象與聲譽，從而有利於促進組織目標的實現。

而國際扶輪的公共關係與形象塑造，是為加強與社會公眾的關係、促進公眾對其認識，以樹立良好形象、取得公眾的理解進而觸使更多的人一同加入，一起參與扶輪的社區服務。

在 2020-21 上半年，我們成功的做了七場大型記者會，再再展現了扶輪卓越的正向形象：

⑴ 7/01 社長就職與各社社區服務記者發表會；

⑵ 7/13 世界年會在台北反毒路跑前哨記者會；

⑶ 8/20 各社社長爲女性癌症篩檢展演募款記者會；

⑷ 11-12 月分五座捷運燈箱公共形象廣告；

⑸ 10/26 捐贈「財團法人台灣癌症臨床研究發展基金會」記者會

⑹ 10/29 End Polio 大型音樂會記者發表會

⑺ 11/04「愛你肺盡心思」記者會（肺癌防治月）

這些由扶輪社友親手所做，增進社會福祉的公益活動，都加深了社會大眾對扶輪更正面的印象。

扶輪社地區的公共形象工作，可以確保社區明白扶輪的優良，公共關係活動更可以協助吸收新社員以及防止流失，在善心的牽引下，每個人都渴望加入社區中一個具有正面形象的團體，地區公共關係委員努力宣傳扶輪社的服務專案，也期盼經由這些地區層級的公共關係工作，增進扶輪社友的驕傲支援防止社友的流失。

我出身影視傳播產業，30 多年來對傳播工作有著強烈的責任感，所策劃製作的戲劇作品都富有教化人心的意義，我參與扶輪的行列 26 年，擔任所有職務都以學習奉獻精神為出發點，我親身體會出這兩者之間的共通性，因此在接任總監職責時，即立下強化地區公共形象研習課程的計畫，謝謝今天五位的強棒講師，謝謝研習會主委 PP Marisa 和他的團隊為大家提供了精彩的課程和活動，也謝謝大家在疫情期間，不畏辛苦的前來參加學習，相信經由研習課程與經驗分享，未來我們對扶輪公共形象的營造，會有更多的想法，也會對公共關係有更好的做法，扶輪在這些養分的灌溉下，因此將會綻放出更多美麗的風景！祝研習會勝利成功，各位社友研習愉快！

阮虔芷 DG Tiffany

生命的意義
在創造更多的感動與美好

2021/1/8 逸新扶輪社創社授證典禮

「逸新扶輪社」是逸仙扶輪社輔導的第三個社，由一群年輕人所組成，我們醞釀了 10 個月有如十月懷胎，今天終於瓜熟蒂落要正式舉行創社授證典禮了。我以母社創社社長與現任總監雙重身分，恭喜逸新扶輪社正式成為 3523 地區大家庭的一分子。

眾所週知今年我不言輕易創社，既然要創就要創高品質的社，沒想到從不迷信的我，在 3523 地區創的第一個社，卻是找了高人先將社名選好，「逸新」兩個字因此出線。

有了名字開始招募新社友，這時候 CP Alletti 陳又新竟然出現在我面前，真的太巧了「又新」&「逸新」，這是否上帝安排的旨意？在仔細瞭解 CP Alletti 的背景後，我們相信他是可以勝任創社社長重任的人，那時心裡就打定主意，希望他能來擔任逸新扶輪社的創社社長，幾經商討 CP Alletti 終於答應成為逸新扶輪社的創社社長。

有了帶頭的人，母社逸仙扶輪社開始放手，因為我們希望讓逸新扶輪社社友們，一步步的走出他們自己的路徑，營造出他們自己的文化，而母社只要在一旁關注即可。今年希望加入的準社友，都必須經過多次的篩選，因為現階段是 3523 地區，創造優質社友的最好時機，大家有心一起攜手與時並進，讓 3523 整體繼續向上提升，就一定可以做到。接任總監之初，我就立下宏願，希望這一年所有的社，皆能遵循扶輪禮儀、注重扶輪知識，回歸扶輪本質，因此在籌備期間，我們循序漸進，做好做滿所有的準備工作。

「逸新扶輪社」籌備八個月時，很快的得到 RI 的祝福，我們在 2020 年 11 月 9 日送至 RI 申請創立，短短一週 2020 年 11 月 16 日就收到核准證書，可以感覺到 RI 對我們的信任。八個月 200 多個日子中，我看到褓姆逸仙扶輪社的努力，也看到新社代表吳瑞玲 PP Joyce 的用心，更看到逸新扶輪社所有社友的團結與信念，很開心我和他們一起走過從無到有的過程，他們珍惜祝福蓄勢待發，我知道他們都已準備妥當，並以加入 3523 這個大家庭為榮。

今天的創社授證典禮，謝謝所有的扶輪先進蒞臨指導，同時謝謝輔導社社長江翠敏 P Cherry、謝謝新社顧問也是總監特別顧問吳瑞玲 PP Joyce、謝謝輔導主委陳念萱 PP Amrita、謝謝輔導委員林美琴 PP Maggie、周小雯 PP Marisa、李麗雪 PP Yuki、陳桂惠 PP Grace、陳美齡 PP May、趙台仙 PP Jacqueline。是妳們全心全力的投入，才能讓逸新扶輪社創社的過程順利，籌備的工作完美，才能在今天呈現出一個如此與眾不同，用心深刻的創社授證典禮。

逸新扶輪社從去年開始籌備迄今，輔導委員在正常開會之外，也經常私下聚在一起研討規畫，這些讓人敬愛又值得欽佩的輔導委員，她們的態度和精神就是扶輪的核心價值，她們為新社所做的一切每每讓我好生感動。真心的謝謝她們！

今天我終於可以恭賀逸新扶輪社創社了，回憶起來，這條創社的路走的有些艱辛，也走的有些漫長，但容易走的都是下坡路，唯有挑戰困難的上坡才能享受登頂的愉悅，短暫的時間磨不出良好的訓練，艱辛才會給自己生命增添精采，而漫長是為了要走更遥遠的路！

我們觀察到逸新扶輪社的社友各個都非常認真負責，從這次的授證典禮，就可以看出這個團隊的向心力，和嚴謹合作的企業文化。

各位親愛的逸新扶輪社社友們，在這個你們即將成為正式扶輪社友的美好夜晚，我要期許你們從現在做好準備，擦亮逸新扶輪社的名號，要開始讓自己散發溫暖，提供各種的協助給需要幫助的人；也期盼你們要花更多的時間，計畫好並親身參與各項聯誼與服務工作，讓逸新扶輪社把陽光灑向社會每一個角落，這才是參加扶輪社成為扶輪人真正的意義。

如果，您想要讓自己成為一個更成功的人，那麼！就從當一個優秀的扶輪人開始吧！

祝社運昌隆、逸新長紅！

阮虔芷 DG Tiffany

人生～一邊走一邊學

2021/3/27 地區年會

過往的地區年會，時間都會落在4月份，而今年我之所以提前在3月，最主要是為了2021國際扶輪世界年會在台北舉行，在HOC分工中，我負責世界年會的友誼之家，要有五天不間斷的節目，需求量相當大，我自忖必須全心處理，所以揣想若是地區年會舉行過了，剩下時間就可以全力投入國際年會。當然，最後的結果大家都已經知道了，因為疫情的關係，2021世界年會實體會議改為虛擬年會，這樣的結果雖然令人有些扼腕，但好在我們也已經申請2026將再在台北舉辦，相信屆時一定也能熱熱鬧鬧成功的完成。

人生沒有最好的決定，只有在決定之後做到最好，考量我們既然已經規畫好今年的地區年會，所有工作都已經就定位，而且全部項目都認真做到極致，我想時間不動就是最好的決定，因此地區年會仍舊在今天舉辦，將我們一年的總結順遂的進行，感謝諸位籌備委員全心的投入，也感謝各位社友的熱心參與。

今年度我每一篇文章或是講稿都有個標題，今天這個標題是「人生～一邊走一邊學」，這是我在扶輪這26年的心得。享受人生，因年紀而增長知識，體驗生活，因經歷而增加閱歷，一年的總監生涯，讓我收穫滿滿，個中的滋味也感受良多，在現實世界裡，大多數的人會想，「如果我們幫助了他人，我會得到什麼呢？」但真正的扶輪人，就會有「如果我不幫助他們，他們該怎麼辦呢？」這樣的憂心。我們做所謂的善事，其實就是社區服務，我們做社區服務，從來不是為了得到回報，而是做自己認為正確的事，這或許就是扶輪人之所以成為扶輪人，能夠承天順命，完成造福民眾大業的原因。慷慨解囊、雪中送炭，是高尚美德的體現，不僅成就了別人，同時也成就了自己。在我的扶輪經歷中，真心而論我學到很多，更可貴的是所有都是做中學，我一向很喜歡學習，所以在這 26 年當中，我真的是享受到「一邊走一邊學」的幸福。

早在三年前，我就開始計畫 2020-21 年度所有的工作事宜，這一年我們做了很多的創舉，比如總監暨社長聯合就職典禮——大家不必疲於奔命到各社去參加所謂的首敲；社長展演——我們不只捐 162 萬給台灣癌症臨床研究發展基金會，最主要我們把社與社的距離拉近，讓每一位社長都相互熟稔，讓日後各主辦社在尋找協辦社時方便許多，也對社區服務做了很好的開端；路，有人同行才豐富精彩；人，互相幫助才覺得溫暖，從總統府開跑的國際扶輪世界年會反毒公益路跑，跑出了 15,000 多人；也為地區籌措了 60 多萬，這些錢，我們身體力行，到各小學去做反毒工作，我們把錢再回到宣導毒品的危害上；《秦始皇》的根除小兒麻痺音樂劇演出，讓我們今年的 End Polio 捐款籌措到 19 萬 7 千美金，我們將每位社友的每一分錢都善加利用，感謝大家對我的信任，願意與我在年度中一起嚐試新鮮事物。

我們來扶輪如果只為做好社區服務，只為社員發展人數而忙，相信不但缺乏了樂趣，也失去了意義，有幸與良友伴行，路遙不覺其遠，在社區服務的付出中，在聯誼活動的過程裡，我們也要享受當扶輪人的快樂，這才是參加扶輪真正的目的。

「做對的事，任何時機都是好時機」，這是我到各社去公式訪問時對大家的叮囑，今年我很忙，但忙得很快樂，我每天穿梭於各社的社區服務，體會助人為本的快樂，認識到無論什麼事，只要樂在其中都將獲益無窮的道理，也更加相信只要大家持之以恆，一定可以產生正能量，把社會帶向積極和正面。真正的扶輪領導人是帶給人希望，而在各社的活動中，我確實看到大家給出的希望，我真的要為大家鼓掌點讚！謝謝大家的努力與付出！

今年年會舞台搭建有不同的變化，進場方式，開幕式的表演，大家就可看到籌備會的用心，僅是為了開幕式，我們就與舞鈴劇團討論了許多次，更別說其他的節目了，我向大家保證這兩天的節目都非常精彩，若不參加就可惜了。

提到今年的社長，那真是不簡單，他們都是全方位的，為公益募款要會演戲、會跳舞、還要會唱歌，這些都要花時間排演與練習，謝謝社長們願意讓自己一邊做一邊學。在所有的團隊裡，唯有社長是由各社選出來，而不是我能選擇的，但我覺得自己非常幸運，因為今年每一位社長都是如此的優秀，如此用心全力以赴，我真心感念之餘，也懇請社長們都務必留到明天的閉幕式，我準備好了要給各位一個大大的驚喜。

兩個午餐座談會都是數一數二頂尖的主談人、加上特別精心設計的友誼之家，更令人耳目一新，至於總監之夜晚會，我必須要先跟大家說聲抱歉，因為我被要求表演了自己最弱項的…「舞蹈」，不過請大家放心！我同時也練就臉皮加厚的功力，反正自娛娛人，讓大家有些娛樂，也是美事一樁。晚會其他的節目，真心推薦都非常具有水準，或許由於我的職業使然，我素來注重對演出人員的肯定與尊重，所以晚會不會一邊看表演一邊用晚餐，而是先下樓品嚐美食佳餚，再上樓好好觀賞節目，在這先透露一個祕密，這是一場沒有主持人的大秀，可看性極高，大家可千萬別錯失機會。

每一全會的扶輪歌曲，都是經心挑選出來演唱的，一定會讓大家看到不一樣的扶輪歌唱演出；雖然年會賽事已經完美落幕，我還是要藉此機會謝謝幾個主辦社，籃球比賽——南東社、龍門社，保齡球比賽——逸仙社，高爾夫球比賽——中區社，羽毛球比賽——龍門社，桌球比賽——龍華社，麻將公益比賽——華欣社、華真社，六場比賽參加人數高達 1,600 人次，謝謝您們嶄新創意的規劃，再次譜下圓滿成功的歷史。

年會這兩天，我們循例安排國際扶輪獎項和地區獎項的頒獎，以及基金捐獻的表彰，雖然會覺得這只是個形式，但卻是感謝大家在這一年無私的付出人力、時間、與金錢，完全體現了扶輪真正出錢、出力、出時間的三出貢獻。

我們今年眷屬委員會在會長 PDG Jack Chu 夫人 Jenny 與主委 PP May 的用心經營下，寶尊眷的向心力極佳、團結自然不在話下，寶尊眷是扶輪的寶貝，他們在照顧著我們的社友，所以我們必須更加認真讓他們認同扶輪，社友才能好好的安心的在扶輪天地盡情發揮，寶尊眷今年度的每場例會、專題演講，場場爆滿，簡直是超完美呈現，我非常感恩她們如此大力的支持。

今年的 RI 社長代表，我特別向總社申請，希望能邀請到 3502 地區八德扶輪社的前總監陳弘修先生，他也是九地帶區域扶輪基金會協調人 RRFC E. N. T. 來擔任，很開心得到總社的同意，我與 RIPR E. N. T. 結識於跨地區的「台灣扶輪公益新聞金輪獎」，我欣賞他對扶輪信念的投入，認同他對事務處理的態度，而且大家一定會發現細心的夫人林靜文女士 Rita 總是會在一旁叮嚀，打理細節，二位的鶼鰈情深，是扶輪的典範，也是我們學習的榜樣，相關 RIPR E. N. T. 伉儷的豐功偉業，待會 DRFC D. K. 會跟大家做詳盡的介紹，我就不在這裡贅述了，希望兩天的年會，RIPR 能看到我們的用心，告訴我們更多 RI 的信息，給我們更多的指導。

再次謝謝籌備會所有委員們，歷經八個月不間斷的修正調整，才能呈現今日的美好；謝謝所有社友把 3523 地區當成自己的家，全心投入所有活動，謝謝今日所有蒞臨的貴賓，撥冗參加我們的盛會，相信這兩天將會是一場令您難忘的饗宴。

最後我要欣慰的向大家報告，今年的「藍蝶計畫」已經產生出蝴蝶效應，效果正不斷的在擴大；我確信「付出才會傑出」，現場的各位，您們每位都是非常傑出的人士，因為您們在這一年都做到了無私的奉獻與真誠的付出，Tiffney 在此向各位致上最敬禮，謝謝您們！感謝大家！

阮虔芷 DG Tiffany

智慧不在於經歷了多少
而在於從中領悟了多少

2021/4/2 RYLA 扶輪青年領袖營

我一向注重青少年的成長，所以在「扶輪打開機會」這一年裡，有關青少年反毒活動與青年領袖營（RYLA）的課程我認為絕不能輕易喊停，即便是在疫情持續的狀況下，我仍堅持可以延後，但結論是一定要辦，我們會盡全力做好防疫工作，雖然辛苦但青少年的學習不能停止，我一直是這樣鞭策鼓勵自己。

這一個年度的每一場研習會，我都會認真的選擇最適合也最優秀的講師，我不但在乎過程，我更重視結果，所幸到目前為止所有的會議都可說非常成功，也被大家所認同讚許。

這兩天的青年領袖營（RYLA），籌備會花了很多心思設計規劃，我建議邀請劉長灝（大熊）與郎祖明兩位老師前來指導，因為只能邀請到這兩位老師，一切就會順利完美，因此當籌備工作在找對了籌備社後，我知道不必擔心了。

人生的體驗告訴我，生活是一場個人的修行，我們要做自己的主人，只要我們願意，這個世界就會有不同的風景，這兩位老師的課程我自己上過，所以我非常有把握，來參加的青少年一定會很幸福，所謂生命之美美在活出價值，請相信我，這個課程非常特別，只要大家願意認真學習，你們會感受——智慧真的不在於經歷了多少；而在於你從課程中領悟了多少。希望你們在這兩天一夜裡，你們會很感恩與同學因緣分而相聚，也會很享受彼此間因有情而溫暖。

最後我要請大家給你身邊的同學一個擁抱，也給自己一個微笑，因為我確定你們是愛自己才願意來到青年領袖營（RYLA），是為活出價值才來感受生命之美，祝福你們有個愉快學習，成果豐碩的週末。

阮虔芷 DG Tiffany

我們沒有理由不前進

2021/4/10 國際領袖論壇－變與不變的 2021

我對兒女的教育，一向採取關注但充分尊重的方式，因為身處在台灣新舊世代轉移的過程，做為一個母親，我發現現實的社會變遷，在經濟環境與政治議題崩壞下，台灣的年輕人對事情的理解與我們已大相逕庭，我也觀察到小確幸（微小而確定的幸福）成為社會脈絡主流，甚至形成了一種生活風格的享受，我無意在此探討社會現象的對錯，或是研究生活態度改變的原因，但我知道我此時必須引領兒女們，對生命要更加擁有熱情，因為熱情是存在於自身內心的張力，也唯有熱情才能面對未來迎接挑戰。隨著高科技的發展，大波助瀾了人類世界整體結構的改造，現在的社會是滾動式邁進，不快速學習即將被淘汰，我們不但沒有藉口不打拚，我們還得拚搏到能感動自己。時代既然不同，方法就要改變，我們有幸在扶輪的世界中，藉由很多管道，聽到、看到、學習到很多人的成功模式，我們也感恩在扶輪的社會裡，經過多種成長訓練，聽聞了、體驗了、領受了百年老店優質的傳承，我們雖複製不了他人的成功，但我們可以自悟找到出路，可以學習典範人士的精神。過往我們這個世代，是一個講究實踐、要求效率的世代，經驗值告訴我們，只要心存希望，機會就會降臨身邊；只要心存夢想，奇蹟就會籠罩四周，只要我們懷抱著前進的動力，為自己的目標盡一切的努力，為自己的理想做一切的奮鬥，精彩的人生就會在自己的掌握中。

在多次的負面檢討後，我們瞭解有能力的人最怕驕傲，最怕不學習；無才能的人最怕懶惰，最怕不積極，能力不足的人當然需要學習，才智豐富的人則更需要謙虛。今天我們來到「國際領袖論壇」，一方面代表我們想學習，一方面我們也想聽主講人告訴我們，在現實和理想之間，在暗淡與輝煌之間，不變的，是不是依舊要面對問題？不變的，是不是仍然要開創新局？我們是否還是要張開手、睜開眼、放開胸、打開心，熱情的擁抱未來，迎接每個可能？人生的驚喜，源自用一顆炙熱的心擁抱生活，用一對明亮的眼觀察生活，用一雙勤快的手創造生活，用一雙有勁的腳踏實的體驗生活，四位主講人與談人鄭家鐘董事長、王文靜執行長、張鐵志創辦人、上海世博會台灣館總館長葉明水顧問，都是滿滿熱情，所以活力很充沛，都是事事週到，所以做事被肯定；都是處處用心，所以做人受歡迎；都是面面俱到，所以才能全方位的成功，他們所有的努力，所有的累積都是為了要讓自己更好，因此我們也期盼借由今天的講題——從「『變與不變的 2021』讓我們來一場世紀之約，打開未來之鑰」，讓我們與四位一起探討，如何做個具有未來競爭力的企業領導人，如何擴大視野將目光放遠到全世界。

我知道大家正在一步一腳印的逐夢踏實，持續朝著已定的人生目標前進，我相信縱使平凡也能造就非凡人生，機遇是給有準備的人，只要創新、努力、自律、激勵、堅持就一定能夠成就自己，進而由優秀到卓越，我們透過創新才會有改變，透過努力才會有成功，透過自律才會有正義，透過激勵才會有勇氣；透過堅持才會有永續。

最後，謝謝由嚴爵所帶領的「我們 OURS」，為我們演唱三首原創歌曲，更欣慰主辦的南茂扶輪社，選擇將這一場論壇的所有盈餘捐給台北市失親兒福利基金會，同時讓所有協辦社都有機會共襄盛舉。

生命是一種回聲。我們把最好的給予別人，就會從別人那裡獲得最好的；幫助的越多，得到的越多，我保證大家今天一定會收穫滿載，就再一次讓我們用歡樂的心情來學習成長吧！

阮虔芷 DG Tiffany

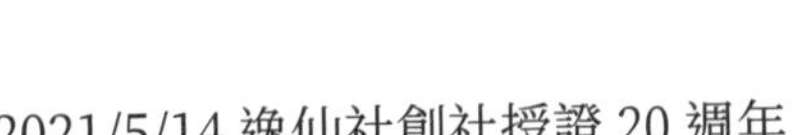

懂得感恩方能走得更遠——寫在逸仙廿週年慶前夕

2021/5/14 逸仙社創社授證 20 週年

基於對理想扶輪的憧憬，基於想建構一個扶輪理想的國度，廿年前在當年總監 Shoes 的支持下，我一邊擔任 3520 地區第七分區助理總監職務，一邊開始與多位抱持相同扶輪理念的朋友，著手規劃創社的工作，在我們的腦海裏，縈繞著一群飄逸的仙女，如敦煌壁畫上的飛天，手彈琵琶、笙簫合鳴，神韻祥和的共同打造一方美麗的世界！每當憶起創社的籌備期，有如十月懷胎般的辛苦，廿年的漫長成長時光中，有多重的喜樂辛酸、個中滋味點滴在心，曾經風雨、遍嚐甘苦，如今的逸仙在眾人澆灌呵護下，出落的亭亭玉立、貌美如花，端視著這個親生的女兒，想到她如此嬌艷芬芬、卓越超群，又怎能不叫人有美孜孜之感！

今年逸仙社是總監社，所有社友腦袋裡早已做好準備，就是兩個字「配合」，不但全力的配合地區，而且配合的令所有人感動，友社社友們都訝異怎麼能做到這樣？紛紛詢問如何才能做到如此？連下年度的總監社也在我總監公訪的時候問我，要如何才能做到像逸仙社這樣優秀出色，我回說這還真的不容易，因為未經寒澈骨那來撲鼻香，逸仙社是經歷過低谷重生，浴火鳳凰後大家情感當然不是一般，不過這種悲愴的經驗不必嘗試也是好的。

今年的逸仙週年慶，原先跟社友們商量，「總監社要低調，我們今年就不辦週年慶了好嗎？」，因為在我的認知裡，越是總監社越要低調，然而她們不經思索的回應我「今年是逸仙社成立廿週年耶！」噢！說的也是，廿週年理所當然要好好的辦，接著我又提出，「去年我們將週年慶的錢，捐給一線醫護人員買護目鏡，以後我們能不能逢五遇十再辦週年慶，這樣可以省下錢來做公益」，當然我有把握逸仙社社友全體都會同意的。

走過廿年的歲月，逸仙社早已蛻變，穩定成熟生機蓬勃，風雨不再陽光燦爛，由於我們對於質的追求更甚於量，所以現在要加入逸仙社相對比較困難，當時創社的初衷，就是要成立一個不一樣的扶輪社，而今我們終於做到了。

廿年來，我們秉持著「人生就是來學習，學習成長。人生不易，且行且修心。」的態度，社友也都有「餘生，過最好的人生，做最棒的自己！」的想法，所以我們相當在乎逸仙整體的氛圍。

我個人在扶輪 26 年，一路走來，曾經許多狀況讓心累了；一路行來，也有許多挫折讓心懷疑了，每逢低潮時，就回過頭看看那個初心是否仍在，於是加油添柴！讓心再度燃燒，再度熱情。我一直記著媽媽總說「心有多寬，路就有多寬」，人生要學會釋懷，心胸才會無限寬闊，生命要學會接納，心靈才能無限暢快。「痛而不言，是一種智慧；笑而不語，是一種豁達；苦而不訴，是一種堅忍；難而不哀，是一種剛毅。」這廿年走來我們不聽、不聞、不問所有的是非，雖不容易，我跟逸仙社友也都做到了。

即將完成總監工作的前夕，我完全體會了「懂得感恩方能走得更遠」的道理，由於這份切身的感受，所以我想把這幾個字，做為我這一篇致詞內容的標題。我知道溫柔可以偽裝，浪漫可以製造，美麗可以修飾，只有心疼才是最原始的情感，長期以來，我在扶輪環境中，在逸仙家庭裡，感受到每一位社友對我的情感，人生每一場相遇都是緣份，逸仙廿年，五分之一世紀，社友對我的愛與包容，溫暖的散播在我四周，我懂得也感受到，所以我除了感恩更深信會與大家走的更長遠。

今年社長與社友都辛苦了，我們今年做了許多過往沒有的嘗試，或許大家覺得忙累，但刀越磨越利，能力越練越好，潛能越激發越提升，唯有承擔才會成長，只有付出才會茁壯，人生的價值，不在於職位的高低，收入財富的多寡，而是創造出自己，被需要無可取代的價值，相信這一年的付出讓我們了無遺憾。

令我最自傲的是逸仙社是那麼懂事可人、她們始終懂得多一點付出，多一點堅持，多一點努力，一切的轉機就都在那個多一點，我們也明白若要受人尊敬，就得先努力付出；若要讓人喜愛，就得先誠心相待；凡事不斤斤計較，處處忍讓諒解。唯有成敗之間才是生活，它增添我們的經驗與智慧，唯有得失之間才是人生，它豐富我們的內涵及視野。我們謹記自己的目標，才會有前進的方向，切記自己的責任，才會有跋涉的動力，謹守自己的承諾，才會得到別人的尊敬，只有忘記自己昨天的成功，才有助於得到明天的勝利。

在團體裡我們可以學習的機會很多，大喜大悲時我們看清自己，大起大落時我們看清朋友，沒有一個足夠寬容的心，就看不到一個春光明媚的世界。生命無法重來，人生可以精彩，生活中、或多或少會有風有雨，但和煦陽光總是多些，生命中，對我們好的人，就是我們最珍貴的擁有，感恩拜逸仙所賜，讓我們生命中遇見這麼多對我們好的人，我知道這份幸運將會持續，我也知道這種珍貴的幸福我們會繼續擁有！

明天逸仙將會用輕盈的腳步，引領全體社友朝下一個廿年走去，我們期待逸仙的芳華絕代，也深信她們會有更多的驚艷展現，而推動這種向前的能量，就是我那群高貴典雅、浪漫脫俗的好姐妹！

總監月報

7月號 彌月的足印

7月，我們初試啼聲就成果滿載、豐碩輝煌。

檢視我們滿月的能量，不難發現那都是經過長時間思考的累積，如今才能開出美麗的花朵處處綻放。

每個人心中都有一畝田，種桃種李種春風！每個人心中都有一座城，橫看成嶺側成峰，懷抱熱情的人必能做出改變，讓世界更美好，相信每一位社長都和我一樣，早在一、二年前得知即將接掌職務時，就開始憧憬架設

心中的理想之國，盤算著如何才能把自己這份工作，經營的風風火火、有聲有色了。

就任的第一個月，7 月分就已是行程滿檔，當然第一天的「總監暨社長聯合就職典禮」絕對是重頭戲，這一天國際扶輪 3523 地區產生了 74 位新任社長，同時還有 39 位助理總監、副助理總監、以及副祕書來輔佐他們，這是為了要讓社長們能更完美的運作地區的社區服務計畫，也隨時準備協助社長們完成社內所有事務，我相信因此社長們能在充分的瞭解及充足的資源下，帶領社友全力以赴，完成自訂的計畫與社友的寄託。

往後的一年裡，每位社長可說都身負神聖的使命，不過我希望他們除了做好服務大家的工作外，還要當個快樂的社長，因為參加扶輪就是要創造快樂、享受生活，何況我們 2020-21 會是一個精彩的年度，因為世界年會在台北！

2020-21年度的地區服務計畫有27項之多，將會從8月分起全面展開，總監暨社長就職典禮之後，風雨兼程開始我的總監之路，首先應邀參加華中扶輪社健康 23 就職典禮，社長展演彩排也開始如火如荼進行中，我暗自期許自己每次都要陪同。賀喜 7 月 6 日南茂扶輪社、瑞光扶輪社就有新社友入社，令人開心的是欣見各社紛紛展開社區服務，龍華扶輪社用全球獎助金舉辦了「有愛無礙送愛心給寒士及弱勢家庭」，目睹他們認真執行的態度，真是讓人滿懷感恩與感動。

在 7 月分的 31 天中，我的總監公式訪問已經去了 33 個扶輪社，之所以一社一社的拜訪，是我認為這樣近距離的接觸，可以更瞭解各社的文化，單一的交流，可以深入學習每個社的長處，發掘不同的問題，由於早早就開始赴社長工作崗位，拜訪過每位社長本人，再加上因社長展演彩排我們經常見面，因而大夥熟悉度大大增溫，總監公式訪問也就都在愉悅氣氛下順利進行。

山輪會是一群熱愛登山的社友所組成，在山輪會的交接時，我笑嘆自己是「路平專案」，請有平路時再找我，至於登山，我已老矣不合適時宜，就別給大家添麻煩了！

7 月分另有一項重要的會議就是地區訓練講習會（DTA），謝謝 RI 前理事謝三連 PRID Jackson，應允擔任我們專題演講的講師；也謝謝地區訓練師前總監陳曜芳 PDG Gary 細心規畫課程，我們區分成七個組別，分別是社長組、財務組、行政管理組（含祕書）、社員發展組、公共形象組、服務計畫組、以及扶輪基金組，每個組別我們都認真的找了最優質的講師，辛苦了七位主持人、21 位訓練引導人，由於大家都如此的全心投入，成果自是斐然超過預期。

由於 11 月 1 日我們會有一個很重要的活動，「國際扶輪世界年會反毒公益路跑」，所以 7 月分先舉辦了一個記者會，這可說是推廣扶輪公共形象的絕佳機會！7 月 14 日我特別參加了龍欣扶輪社的第一次例會，最主要是要給社長一個鼓勵的擁抱，患有小細胞肺癌的社長李宜蓁 P Carol，勇敢努力的把當社長做為給自己一份重要的禮物，這樣令人動容的意志力、堅強面對生命的衝擊，我毫不猶豫的要去給她加油打氣。

第一次的正副助理總監和副祕書的聯誼會終於到來，雖說是餐會的形式，但是聯誼也是培養感情的一種良方，是日群賢畢至，加上我們又已熟如老友，忘情開心不在話下。同樣的例行工作「執行祕書會議」，這個月已經是第二次會議了，上任前我曾召開過第一次會議，主要是要傳達我們這一年的工作事項，讓執行祕書充分瞭解，襄佐社長做好與地區的配合。

扶青社的地區訓練講習會（DTA）跟扶輪社一樣，因為疫情的關係延到 7 月分舉行，他們找到了很棒的場地，辦了很成功的會議，小朋友的團隊真的不容易，我對他們的期待很高，要求也相對嚴格，總覺得地區代表陳彥佐 DRR Joe 每次見到我都在顫抖，哈哈！捫心自問我有如此嚇人？我是真心希望無論是扶少團或扶青社，自小開始就要懂得遵守扶輪規矩。

這個月有兩個服務委員會辦了相見歡，分別是地區社區服務委員會與地區職業服務委員會，每個委員會對地區工作計畫的執行都很重要，我非常仰賴各委員會的支持！

第一個要創的新社「逸新扶輪社」已經進入第三次籌備會，擔任律師的準創社社長陳又新 Alletti，非常用心籌畫，加上新社顧問逸仙扶輪社的總監特別顧問吳瑞玲 PP Joyce 鼎力協助，碰到認真負責團隊，真的不需要花費太多精神操煩，逸新扶輪社有如此的優秀的領導人，未來肯定是一個優質社團。

年會主委華樂扶輪社前社長黃秀敏 PP Joy，7 月分特別在 101 大樓的 86 樓辦了年會領導層的相見歡，一出手就在台灣最高樓層，用如此高的格調、顯見其擘畫年會的雄心壯志，也讓人期待未來年會以何種風貌呈現！這個月我還參加了攝影社的交接活動，順帶邀請正要採訪我的電視台也到現場，讓外界媒體一窺我的生活日常。

7 月分「總監有約」訪談，我們如願約到了心臟科的權威名醫洪惠風醫師，他曾經是 3523 地區扶輪人，因為工作忙碌救人為先，暫時離開扶輪，不過，只要與醫療有關的扶輪社活動，他都率先響應，地區 2019-20 年度「尼泊爾國際醫療服務計畫」，他也曾盡心盡力參與，我們這一期有兩個討論議題、分別是如何保養好血管壁的「凍齡篇」，與預防心肌梗塞的「血壓篇」，洪醫師很多見解發表在報刊雜誌、有超高的網路能見量與書籍發行量。在這還要謝謝新北投扶輪社前社長洪敏智 PP Angus 的大力相助，幫我們拍攝了三段影片。

這一期總監月報，我將 3523 地區的社區服務計畫大致列出，讓大家先行瞭解。我同時也把刊登在扶輪出版網路資訊協會的文章放上來，我以「我的戲劇人生」做為標題，請各位扶輪先進批閱鑑賞。我非常重視的社長當選人訓練研習會（PETS），幸運的在疫情還未升溫 3 月分就低空掠過完成了任務，我把很多照片挑出做為集錦，在這一期放入以供大家回味，此外尚有聯合就職典禮、地區訓練講習會、總監公式訪問、眷屬聯誼會等諸多的照片，請大家多多過目給予鼓勵。

參與總監月報編印的團隊人數雖只有五人，但分工效能良好，謝謝主委南陽扶輪社儲正明 PP James 的領軍，總編輯雲聯網扶輪社前社長蕭淑妹 PP Amy、藝術指導逸仙扶輪社謝如玉 Inno、美術設計比撒列創意空間方子元、還有可愛美麗隨時幫忙拍照的貼身祕書胡悠雅 Yoya，他們個個使出渾身解數，務求結果的完美達標。最後要感謝攝影團隊南陽扶輪社楊邦彥先生 Hiko，他所帶領的捌零後媒體製作股份有限公司，下個月起就開始無償的大力協助我們拍攝，凡我們走過必留下痕跡，所有的活動都將留存珍貴的紀錄，讓大家永誌難忘！

好的開始是成功的一半，7 月我們初試啼聲，就可說是成果滿載、豐碩輝煌，檢視我們滿月的能量，不難發現那都是經過長時間思考的累積，如今才能開出美麗的花朵處處綻放，而我在這兒也願意驕傲的向大家保證，我們每一位同學都將會保持自律、充滿自信，不忘汲取經驗、整合資源的初心、共同攜手開啟一年快樂的旅程！

8月號 相互擁抱的感覺——社員擴展月的省思

社長展演會成爲社長一輩子說嘴的事，這也是給自己增添精彩人生最好的詮釋。好喜歡大家在台上相互擁抱的感覺。

我是品質保證的製作人，社長們都沒有砸了我的招牌。

8月是扶輪的社員擴展月，而我們在七八兩個月就有了很好的成績，42個社共同努力增加126位新社友，「不張揚」；「默默認真做」是我們這一年的特色，我也期許每一位社員都能真誠而努力在扶輪與工作的各個崗位上，但請務必做到不流失社友。

在聖地牙哥上課時，RI總社社長Holger Knaack說：「扶輪要改變，扶輪要創新」，所以我就認真創新與改變，首先我在

7 月 1 日辦了「總監暨社長聯合就職典禮」，非常非常成功。而這個月的社區服務——社長展演，為癌症病友籌措經費，也是大大成功，社長們共同呈獻了一齣精美的作品，「年輪交錯的黃金歲月」，社長的表現讓我驚豔，我曾經在彩排擔心的說過，請千萬不要砸了我的招牌，我是個品質保證的製作人，看了 N 遍他們的彩排練習，他們的台詞我都會熟背了，連他們有錯誤我也能發現，也許該說不可能有新鮮感，但，第一天結束時我想跟他們說：「你們表現得太完美了」，真的很棒。

老天爺真是厚愛我，非常感恩，每位社長都有演戲細胞，兩個月集訓，完美演出！演員好棒，導演太強，即便是演他人的生命故事，演員的塑造都像極了劇中人，完全無違和感，佳評如潮，社長在這個過程有學習到吳靜吉博士的領導與團隊，這就夠了，至少全部社長感情深厚，這樣他們做社會服務時，便可以有更多的協辦社，讓社長做公益聯繫方便，我的基本目的完全達到，他們也因此學習到舞台劇是怎麼一回事，原來配合一部戲還有那麼多的細節，原來排戲除了導演，還有那麼多位戲精的排練助裡，原來音樂不能隨便用——有版權問題，原來演員講話還要與燈光配合，音樂還有秒數問題，音響該如何選擇，原來耳麥還要以每一個人的音量，先存進電腦；原來還要有節目表，還要拍劇照，當然也要有平面設計；原來還要拍預告片，以及排練影像紀錄；原來還會有舞台監督，還要有執行製作，太多太多的細節，原來要完成整個節目，除了籌備主委，還要有財務組／票務組／公關組／編印組／多媒體組／攝影組／場地組／聯誼組／協調聯絡組，還要開記者會。讓社長他們一同參與，就能瞭解所有，再加上有了上台演出經驗，也就足夠了。

這兩個月，他們一直在進步，也一直大步成長，在這次的戲劇探索中，他們時時發現新大陸，兩個晚上演出前老師給的功課——每一個組長帶領大家，說一句鼓勵自己的話，然後自己默默期許鼓勵自己，再擁抱十位社長，告訴他們給自己鼓勵的話語，這些都是更激勵大家發揮潛力的方法，而他們都做到了，真是一群天才社長，但也證實了「付出才會有收穫」這句話，這是一項不可能的任務，才兩個月，又沒上過正規的課，大熊老師讓大家都完美呈現。超讚的。我真的很感動，這會成為社長一輩子說嘴的事，也是給自己增添精彩人生最好的詮釋。好喜歡大家在台上相互擁抱的感覺。

7、8 月分，我也公式訪問了 45 個社，為什麼我要捨 13 次分區總監聯合公訪，而選擇 74 個社分別的公訪，我就是想要看到每一個社的真實面貌，才能知道該怎麼著手共同努力向上提升，到每個社，我都很享受他們的氛圍，一樣的 PPT，不一樣的社，不一樣的說法；看到每一個社長的努力，好開心；7、8 月也參加了兩個社的週年慶，看到社長與社長之間的聯繫與合作，很欣慰，社長展演的力道發揮到淋漓盡致。

我是一個龜毛的人，但今年的各個講習會我都超級滿意，從扶輪獎助金管理研習會 GMS，到正副助理總監、副祕書訓練研習會 Pre-DTTS，接著地區團隊訓練研習會 DTTS，再到疫情來臨低空飛過的社長當選人訓練研習會 PETS，這個研習會對我來說相對重要，社長是今年的靈魂，必須要好好在研習會讓大家瞭解我今年的計畫；接著地區訓練講習會 DTA，扶輪基金研習會 DRFS，都超成功的，好開心，謝謝各工作會的努力，大家這樣努力為 3523 地區，我也會更加用功加油，為社、為地區、為 3523 而努力。

9月號 無私天地寬

我們無需掩耳盜鈴，而要勇於發掘自身的不足，知道問題所在後對症下藥，假以時日就可以修正成爲完美大社。

唯有眞誠的面對問題，才能清楚的瞭解如何提升自我。

媽媽墓誌銘中，「心有多寬，路就有多寬」這句話影響我至深且遠，有如她的叮嚀讓我謹記在心，是我日後行為處事、待人接物的準則。

9 月分進入總監公式訪問最密集的時刻，共 19 場。而在 9 月分最值得一提的是，我們社員發展表現出很好的成績，年度第一季，在社長們的努力，全體社友通力合作下，我們共加入了 132 位新社友，完全符合了我初始訂下「不求急於創社，但求固本清源」的目標，本屆的社長們真的都好給力，讓我由衷地欽佩。

每一位總監任內最重要的任務，就是要向社友介紹國際 RI

現況，傳遞最新扶輪知識、與傳承扶輪精神，這不但是身為總監責無旁貸的責任，也是我在 RI 總監訓練時所接收到的任務。或許每一個人的想法、做法未必相同，但對一個 25 年資歷的扶輪人來說，我認為這就是我的天職。

我時常分享說我很 Enjoy 去各社的總監公訪，因為是時我可以近距離的與社友們互動，我可以深切感受到每個社的優點，也能大致體認到尚需加把勁的地方，若能把各社的優點集結起來，就會成為地區一股強大的力量，這正是扶輪世界中所需要的能量。

一個社一個社去拜會走訪，的確也能看見一些社的小小不足，我相信只要有心願意調整，必定可以搖身一變成為一個強大的社，所以我們無需掩耳盜鈴，而要勇於發掘自身的不足，知道問題所在後對症下藥，假以時日就可以修正成為完美大社，扶輪之所以能夠 115 年屹立不搖，必然有它成功的道理，只要我們奉行不懈，相信這個社必能長治久安，且讓我們大家一起努力。

9 月 5 日我們辦了社員發展暨新社擴展研習會（DMS），我目前也正在研擬社員人數 20 人以下的社，是否共同舉行一次成長午茶，我們必須面對社內人數不足的真像，大家一起思考努力的方向，一起帶起潛在社友對扶輪的興趣，我們一起加油相濡以沫，只要對社的熱情仍在，灌注下旺盛的企圖心，我們必定能鳳凰再起浴火重生。在懂得思考以來，我總是覺得要誠實的面對自己，或許有時候說話會讓大家聽起來不舒服，但請原諒我的堅持，因為唯有真誠的面對問題，才能清楚的瞭解如何提升自我。

9 月 6 日舉辦了地區年會籃球邀請賽，我要給主辦社——龍門和南東兩社拍拍手，除了參賽人數較過往成長一倍之多外，整個比賽過程緊湊刺激熱鬧滾滾，企劃完整毫無瑕疵，揮出了地區年會賽事的第一棒，而這一棒揮的非常精彩，奠定了日後其它賽事成功的基礎。參加完籃球比賽，我立馬回家換裝去參加社長展演的頒獎典禮，我們很認真的頒了「18」座金星獎，如果我沒記錯，獎項如下：

最佳主持人獎：張瓊姿 Nora

最佳導演獎：劉長灝

傑出演員獎：黃齡萱

傑出演員獎：林彥玫

最佳保姆獎：陳昱光 AG Parker

最佳保姆獎：王欽秉 AG Bill

最佳團隊精神獎：尼泊爾組

另，最佳吸睛獎：

永康社社長蘇眞 P Isa

瀚品社社長張宏毅 P Jerry

西華社社長丁士殷 P Sean

最佳女演員：南茂社社長鄒靜雯 P Lily

最佳男演員：益成社社長張東權 P Tony

最佳劇情獎：星願

最佳態度獎：

碩華社社長倪韶謚 P Benson

健康社社長吳第明 P Damon

龍欣社社長李宜蓁 P Carol

南方社社長潘素珠 P Pan

風雲社社長陳芃君 P Michelle

此外，我偷偷又做了「金蝴蝶獎」給勞苦功高的主委許淑燕 Susan。我豪氣的認為，這些獎座跟金鐘、金馬獎不相上下！

9 月分起，每一個分區也都開始各自舉辦聯合社區服務，有第六分區的愛心敬老捐贈暨捐血服務，第三分區的全國視障國、台語演講比賽，加上全地區每一社的惜食計畫，社區服務如火如荼的開始行動了，隨之而來的是 STAR 會議也陸續展開，第一分區和第二、第八、第十一分區聯合 STAR 會議都非常精彩，無論是南區社的前社長陳如勇 PP Peter，還是 3522 地區前總監林華明 PDG Venture，兩位的演講都是以故事型態帶出主題，聽故事最容易打動人心，加上兩位都是主講強將，內容肯定精彩無與倫比。

我想社長展演「年輪交錯的黃金歲月」，這齣作品引發大家許多感觸，在您我心中盤旋久久不去，我也看到好幾位社長都在這一期總監月報發表了感言，下個月我們將把展演盈餘 162 萬元捐贈出去，這是社長們共同創造的社區服務，將嘉惠許多癌症病友，希望我們能將這個藍蝶計畫與粉紅絲帶長期合作下去。

我注意到這一期月刊中，還有一篇永華社創社社長陳柏舟 CP Lawyer 寫的〈招募新社友 · 重質不重量〉文章，與我的看法不謀而合，也是我今年工作的重點，扶輪社友必須具備高道德標準，他們先帶著潛在社友去觀賞社長展演，傳達了扶輪為社區做公益服務的目的，這位新社友也因此如期加入永華的大家庭，成功的例証，說明帶潛在或新社友去參加社區服務，會引發其心裡的共鳴，會是讓他們成功加入扶輪家庭的關鍵。

瑞光社社友屈復文 Gary 的一篇〈勇士之歌 VS 展翅之蝶〉，讓我們看到畫家也是瑞光前社長陳柏安 DAG Ander 花了很長時間，在南投仁愛鄉親愛國小的牆上，畫上藍蝶，這幅動人的畫作真的好美好美……我看著看著，感動得想哭！

另外親愛國小萬大分校李文宗主任也以〈花若盛開蝴蝶自來〉為題，寫了一篇感言，謝謝瑞光社出錢出力的服務計畫，德不孤必有鄰，相信施比受有福！

9 月分文華社辦理了八週年慶；年輕的南波社也舉行一週年慶，扶輪就是這麼讓我的人生精彩豐富起來。

今年的眷屬聯誼會可說是超強團隊，9 月分的生活藝文班，雖然我因總監公式訪問沒法參加，但看到會長／南區社 PDG Jack Chu 夫人陳孟貞女士、主委／華陽社 CP Broader 夫人林梅芬女士、以及生活藝文班班長／中區社 AG Tank 夫人包秋蘭女士、和南區社 PP Henry 夫人邱玲玟女士寫的文章，琳瑯滿目，每篇都精彩可期。

還有南欣社 PP Akita 夫人張琍女士談到〈不一樣的美術館——朱銘美術館〉，南山社 IPP Steven 夫人黃郁苓女士〈走出生命中燦爛的印記〉……這些文章都字字珠璣值得一讀。

這一期因為加入了大家的文章，顯的更為充實，開展出更大的視野，這一份夾雜著豐厚的扶輪情感、洋溢著清新活力的刊物，希望您們會喜歡！

10月號 與懂你的人相處是一種幸福

每次參與完社會服務工作開車回程時，憶起方才經歷的點點滴滴，嘴角都不由自主的開心上揚，心中也無限踏實平和，這應該就是公益活動的魅力吧！

10 月分將最後的總監公式訪問走畢，全部 74 場終於都完成了，這種近距離與社友互動的行程，讓我非常喜歡、縱然逸新扶輪社尚未授證，我也去演講了一場，所以今年 3523 地區 75 個社，我算是全部都跑了一遍。按照計畫總監公式訪問結束後，接著各社、各分區的所有活動都將開始登場，10 月分有三場聯合例會，邀請的主講人都大有來頭，各個是強棒，分別是第六分區邀請前總監林華明 PDG Venture、第九分區邀請財經專家謝金河先生、以及第十一分區邀請公共電視陳郁秀董事長，這份重量級的名單，可看出大家對待每一件事的

認真態度，我心裡是充滿感動的。

話說社員發展部分，各社都非常認真的增加社員，光是 10 月 14 日這一天中午我就跑了華樂和華南兩社為新社員佩章，所幸都在同一家飯店，我樓上樓下跑場即可，可喜可賀的是華南社現在社友已經突破 80 關卡，達到 81 位了。10 月分還有益成社 15 週年慶，我親眼目睹這 15 年一路走來確實不易，今年社長張東權 P Tony，真的是太強太認真了，也終於把益成社帶領至另一層境界，此外南德扶青社也舉辦了創社授證大會，母社南德社社長廖清祺 P Leo 每件事都鉅細靡遺凡事躬親，難怪南德扶青社超級優秀。從我上任以來，我一直好感恩，覺得自己是一個幸運的總監，因為每個社、每位社長，都是是那麼的認真在每件大小事務上，如此的執著當然成果可見一斑。

10 月 17 日地區年會保齡球比賽，在 30 隻火雞臨場下熱鬧滾滾、扮演火雞的逸仙社前社長們當天忙的不亦樂乎，一個球道表演還沒結束，另一個球道火雞又冒出，不知道是不是扮演的火雞太認真，讓大家都想打出火雞來熱鬧一番，以致於成績非常好，可愛的逸仙社把保齡球賽辦的如此火熱，大家真是讚譽有加。頒獎完保齡球優勝獎盃，馬不停蹄的立刻趕往第七、十、十三分區的聯合捐血活動，因為就任以來，我要求自己，每個社、每個分區的活動，都儘量能到場為他們打氣加油。10 月 18 日第五分區在萬里舉行聯合淨灘活動，過程也是讓人興奮不已，眼見從垃圾遍地，到整理出一片潔淨美麗的沙灘，海水碧藍拍岸，海風習習吹拂，景色好美，不遑多讓的第九分區聯合淨灘活動，也是選在白沙灣，可見英雄所見略同。

每次參與完社會服務工作開車回程時，憶起方才經歷的點點滴滴，嘴角都不由自主的開心上揚，心中也無限踏實平和，我想這應該就是公益活動的魅力吧！

由於有華樂社前社長陳慧君 PP Maggie、龍華社社友許文智 Art 二人的精心籌畫，藝術扶輪日每年都會援例辦理，拜此活動所賜，我們得以聽到一場陸潔民大師的精闢演講，在專業導覽下，連沒有藝術細胞的我，都能從頭到尾好好欣賞一遍每幅作品，若不是還有行程，我真希望能留下慢慢品鑑，看著今年年輕藝術家比例增加許多，代表著台灣生命力的延續與傳承，沉浸在藝術領域中的感覺真好！

第三分區在 10 月分自己舉辦了分區高爾夫球比賽，儘管天公不作美細雨霏霏，但也澆不息大家的熱度，最可愛的是－獎品數量竟多過參加的人數，從募集的獎品有多豐盛，就知道助理總監華陽社王欽秉 AG Bill 的人緣有多好。

另一個值得誇耀讚佩的社會服務是，第十一分區六社及第八分區華真社與忠義基金會，在花博公園——花海廣場共同舉辦的「築愛童盟」公益園遊會，他們攜手為流離失所的兒童構築新家園，為孤苦無依的孩子建造安頓身心的避風港，大家一起認攤義賣，在每位社長的帶領下，現場 50 個攤位，七個社就包辦了 10 個，涼爽舒適的秋日週末，大伙聚在一起伸出援手的感覺美妙無比！

10 月的社區服務活動多的枚不勝舉講述不完，永康社的讓愛傳承－苗栗幼安教養院、南茂社的偏鄉學童閱讀素養提升、華南／雙贏送愛到南港關愛之家、雲聯網社捐贈「藍染圍裙及認養大菁」、台北網路社綠色方舟計畫——偏鄉弱勢學童、華欣社／日月潭國際萬人泳渡嘉年華、Family Run 扶輪有愛，親子路跑愛心園遊會、華欣社還結合了八分區各社送愛到大豹溪，內容包括夏日防溺宣導、物資捐贈活動、還有關懷兒童歡夏逗陣營、以及台華窯職業參訪，今年華欣社社長可真是卯足了全勁。

我今年力推的「惜食廚房送餐服務」，10 月分各社也都已經展開，看到大家如此相挺，認同我的構想，並以實際行動支持，真心感謝想與大家相擁入懷！

這個月地區有兩個記者會，一是藍蝶計畫——社長展演演出結餘 162 萬多，捐贈給粉紅絲帶活動記者會，以及《秦始皇》歌劇排演記者會，都受到相當矚目紛紛給予篇幅報導。

眷屬聯誼會也不讓前項諸多活動掠美，采風班的采風輕旅行讓我貪焚的想去參加，今年眷聯會會長 PDG Jack Chu 夫人 Jenny 陳孟貞姊姊、主委 May 林梅芬、以及副主委們把眷聯會帶的有聲有色，各個小班也都做的風生水起。

隨筆至此，地區財務長龍欣社前社長邱明玉 PP Happy，給我如下的簡訊：「因為您是很棒的總監，應該也是很多社長的 Role model（偶像），激發了社長們的熱情及潛力」。溢美之詞不敢領受之餘，反思認為說法恰恰相反，我認為現有一切加諸在我身上的幸福，都是來自前總監、總監特別顧問、各委員會主委，委員到社長們對我厚愛，大家對我的疼惜、相知，讓我切身感受到「與懂的人相處是一種幸福」，四個月 123 天過去了，我真摯的知道，我是幸福的！

11月號 捨得～是善念慈悲心

「患難見眞情」，相互關心、相互扶持的培養，完成騎車目標也得到更多「友愛」，這些唯有參與的人才能感同身受。

雪中送炭是高尚美德的體現，不但成就了別人也圓滿了自己，值得誇耀的是我們一直不斷的進行中。

國際扶輪 3523 地區總監月報發行固定在次月，主要希望詳實記錄當月的行事，因此每月都讓大家久等了，甚為抱歉。

11 月分地區大型活動有三項：1. 台北世界年會萬人反毒公益路跑、2. End Polio《秦始皇》慈善音樂劇、3. 地區年會高爾夫球比賽。

這一期的影音部分有《秦始皇》音樂劇導演邊中健 Jonathan 的採訪，當然也會剪輯出音樂劇的部分內容，讓大家回味，要謝謝所有扶輪先進的支持和捐款，讓我們兩天都熱情爆滿，還要謝

謝 Jonathan 讓我們發現，原來台灣也能製作出這麼精緻的音樂劇，《秦始皇》得到所有看過的社友以及來賓一致好評，讓我卸下心中懸掛許久的那塊大石頭，大家接受之餘還給了不少的嘉勉和讚嘆，大夥兒的善念與愛心更讓 End Polio 捐款增加許多。

扶輪人對社會回饋之情，展現在這次的門票上表露無遺，在主委健康社前社長譚雅文 PP Angel 所帶領的團隊用心與努力下，成果亮麗耀眼，另外還有譜寫世界年會萬人反毒公益路跑的影音紀錄，這個路跑真是個很難達成的任務，我們排除萬難做到了，在這要謝謝 HOC 的 Chair，RI 前理事謝三連先生 PRID Jackson，和中區社前社長台北市市政顧問楊樑福 IPP Jassy 的勞心勞力，不但促成此次路跑，還讓此次活動成功的在總統府前舉辦。另外還要謝謝主委許能竣 IPP Deya 帶領的團隊，人雖不多，但個個能力超強，功不可沒！

我很清楚自己設定的人生目標，就是要不斷的挑戰自己，這個年度我念茲在茲的就是要把路跑辦在台北市，雖然要成功的完成 A 級賽事真的並不容易，但我告訴自己無論有多麼困難，我都要設法克服，真心感謝五位總監同學願意一起合辦，沒有六個地區共同主辦，真的可能無法達到 A 級賽事的條件。請看由新北投社前社長洪敏智 IPP Angus 率領團隊所攝錄剪輯的影片，本月三段錄影，請大家撥空觀看。

今年年會的各項賽事活動都辦的熱鬧非凡，四工召集人龍門社前社長張啟明 PP Mingo 超級認真，第三場賽事高爾夫球比賽也同樣辦得有聲有色，恭喜中區社前社長 PP Health，在 A 區第六洞「一桿進洞」，可惜不是指定的洞，否則一台賓士車就可以開回家了，這是地區多年來舉辦高爾夫球賽，首次出現一竿進洞，象徵著地區鴻運當頭值得慶賀。謝謝主委中區社前社長曾鴻佳 PP Home 帶領的團隊精心策劃完美賽事。

今年儘管有疫情肆虐，但對地區來說，群策群力後仍然創造出精彩的一年、跨地區單車環島由第一天送他們出發、第八天在宜蘭綠舞飯店慶功、到第九天國父紀念館接他們回到台北，我都親自參與精神相隨，目睹他們亢奮的出發以及疲憊返回台北，非常佩服克服九天環島中耐力與毅力的考驗，值得一提的是「患難見真情」，相互關心、相互扶持的培養，完成騎車目標也得到更多「友愛」，這些唯有參與的人才能感同身受。

今年各社每一項的社區服務我都到場，看到社友們認真的執行任務，真的是令我滿滿的感動。第二分區聯合淨灘，把沙灘清理乾淨這樣的心情我感受過，我很明白那份湧自內心的喜悅；一場名為「愛你『肺』盡心思」的記者會，顧名思義就是肺癌篩檢的媒體發佈會，我在就任前，想著自己是地區首位女性總監，當然應該以乳癌婦癌當作首要的服務計畫，可是在準備籌劃中，發現肺癌居然也奪走了許多女性的生命。此次扶輪肺癌篩檢計畫，就是讓高危險群的民眾，接受「低劑量斷層掃描」，能更早檢測癌症基因，謝謝主辦社文華社主委黃瓊琇 PP Sarah，並在創社社長、總監特別顧問鄭誠閔 CP Paper 帶領，加上 26 個協辦社的協助，依照近年來的統計數字，選擇在雲林、嘉義這兩個肺癌罹患率最高的地區，做肺癌篩檢。

明星公益棒球賽，是一群職棒 OB 球員和演藝人員陪伴智障孩子所舉辦的棒球賽，由南北社主辦，現場炒熱感動氛圍；第七分區的新北市家扶中心園遊會、是一場大型為著失家兒所舉辦的園遊會，還有第六分區聯合社服由大都會社主辦，五社共同協辦的兒癌計畫，舉辦了金絲帶小勇士才藝徵選暨獎助學金頒獎典禮，這個為癌症兒童所舉辦的才藝競賽，讓我們瞭解每個抗癌家庭背後，都有一個讓人動容的抗癌故事；第二分區與第十一分區還有第九分區一連串的聯合捐血活動，讓我常常想著這個社會如果沒有扶輪人，不知道會是什麼樣的景況。

另外，南華社與雙和醫院的潔牙活動，這項「身心障礙與特殊需求者正確潔牙觀摩會」已經連續舉辦 8 年，這麼有意義的公益活動，是由十一分區南華扶輪社主辦，五社聯合協辦。南陽扶輪社協助桃園嘉惠啟智教養院、健康社的銀髮童歡樂活遊 · 彩色老年創意活動、以及為彰化家扶中心／彰化溪州鄉橋義國小捐贈二手電腦社會服務、瑞光社關懷之家孩童動物園健行趣、西華社去年的全球獎助金「為愛而腎」案子，篩檢腎臟 400 位民眾、南方扶輪社的「蕾雷家族罕見疾病」幫助一群無法控制自己的小天使。

龍欣社捐贈新北市政府溫馨助學圓夢基金 35 萬 4,000 元，由社長李宜蓁 P Carol 代表捐贈，龍欣社長期投入教育公益活動，第二年捐贈圓夢基金，藉此拋磚引玉，做孩子生命中的貴人，給孩子逐夢的翅膀飛翔。

慷慨解囊，雪中送炭，是高尚美德的體現，不但成就了別人，同時也圓滿了自己，值得誇耀的是我們一直不斷的進行中。

這個月辦了一個地區公共形象研討會（DPIS），針對各社對扶輪公共形象進一步認識及學習，我們搭配錄影拍攝的效果來呈現，充分運用場地特色採取「現場直播」與「多媒體錄影」，提供社友上線點選學習，本場主講人都是一時之選，真是一場精彩大戲登場。

南東扶輪社二週年慶，這是一個全男性超優質的社，年輕可愛又團結的社，有著南港社優良的 DNA，我經常跟他們說，假以時日他們定會成為地區的模範社。最後以 RI 於 2020 年 11 月 16 日核准逸新扶輪社創社，來做為這一期的 End，台北逸新扶輪社創社授證典禮即將在 2021 年 1 月 8 日舉行，歡迎扶輪先進一起來為地區 2020-21 首個新生兒的誕生祝福！

12月號 人生在世如軌，懂得轉彎最美

撫心自問今年我最引以爲傲的，就是這75位社長，如兄弟姊妹家人一般的情感。

扶輪是要永續經營的，絕不是我們這一年好就好，且讓我們一起爲3523地區給力加油！一起來散發扶輪的光與熱！

2020庚子年對大家來說都是個辛苦的一年，而12月分對我來說也是特別哀傷，衡陽扶輪社社長周書正P Simon，在11月24日因腦幹出血，進住加護病房，生命指數3，我們直至26日才由南華社社長陳雅慧P Joan處得知，還是因為要跟他聯繫聯合例會之事，接通P Simon的電話才知道。乍聞這個震驚的消息，我也緊急打了P Simon的電話，與周媽媽聯繫上。面對一個死亡率高達60%的腦幹出血，我們束手無策什麼都不能做，無奈只有集氣一途為P Simon祈

福，悲愴之餘有感人生命的脆弱，在這個突發事件中，我看到社長們像是自己家人出事般的焦急，體現了團結一致與全力協助的力量，團隊精神很是讓人感動。截至目前，P Simon 還沒醒來，媽媽說該做的努力都做了，一切只能聽從上天安排，這真是個不平靜的一年，令人傷痛的一年，希望一切趕緊過去，聽到周媽媽說 P Simon 家裡進了很多面膜的貨，我連夜發簡訊籲請大家幫忙，早上起來看到接龍購買就已累積 7000 片了，最後不僅存貨都賣光，周媽媽還要再補貨，因為大家都認為這樣也可以幫忙一點醫療費用，至今大家都還繼續在買，同時我們也啟動社長們的人脈機制，安排好醫生特地去瞭解狀況，過程好感動也好感恩。撫心自問今年我最引以為傲的，就是這 75 位社長，如兄弟姊妹家人一般的情感，有幸能與他們成為 2020-21 的同學，是我的福分也是我的驕傲。

忙碌的 12 月分，開始的第一天是十一分區的聯合例會，碩華扶輪社有一位社友入社，十一分區非常團結，雖然有幾個社社友人數少些，但也不減他們做社會服務的熱誠。第二天是第二分區聯合例會，有七位新社友入社，上半年各社社會服務就已經做滿，下半年就是豐收時刻，相信潛在社友看在眼裡，體認到社內做社會服務的熱忱，親身參與社會服務工作的感動，瞭解扶輪是一個公益團體組織，將會越發有興趣入社，加入扶輪家庭的行列。

12 月分有許多的週年慶，南鷹扶輪社四週年；松山扶輪社三十週年；華欣扶輪社廿四週年；風雲扶輪社四週年；永華扶輪社五週年，同時也增加兩位新社友；台北網路社扶青社四週年慶的同時也成立了台北網路扶少團；南陽扶輪社廿四週年；逸新扶輪社得到國際扶輪批准加盟，也正好新社顧問，逸仙社的前社長，也是總監特別顧問吳瑞玲 PP Joyce，前一週把社槌交給創社社長陳又新 CP Alletti，於 12 月 3 日辦了真正的首次敲鐘，經過了多次籌備與臨時會，歷經八個月逸新社終於舉行正式例會，在此再一次恭喜逸新扶輪社。

每個社的週年慶我都全程與會，也很 Enjoy 其中，社友非常訝異我竟能全程參加，可我覺得這是我應該做到的本分。其實只要不在 5、6 月分舉行，我就不須要趕場，在拜訪社長當選人時，就都希望他們能把各社週年慶時間，訂在國際扶輪批准加盟的日期附近，我就一定可以全程參與。

有關社區服務方面 12 月分也非常多活動，12 月 3 日一早去了陽明山，參加第十一分區聯合社會服務，雖然當天天氣驟冷又下雨，文化大學山區溫度寒冷偏低，但整個捐贈儀式卻令人倍感溫暖溫馨，永華扶輪社「青少年棒壘輔導訓練營」，捐贈訓練基金給青少年，關注青少年的成長，華麗扶輪社的「美「畫」榮星，歡「螢」回家」本次的主題是「珍愛地球、守護環境、就在你我」，這是跟五常國中合作多年的社區服務，以淨園方式讓螢火蟲在榮星花園繁衍，當天我也從榮星花園趕往參加第三屆扶青社的「創媒新識代」高峰論壇，這是三個地區的扶青社共同舉辦，已行之有年不必再擔心他們的運作。

逸仙扶輪社在信義區經營長達十多年，今年與信義區舉辦「憶起懷舊信義區陪辦失智長者」，陪伴失智的長者到 101 大樓與新蓋的遠東百貨，安排一輛公車隨時接送，同時還有家人的陪伴，只要上下車算好人數，也就不擔心長者走失。

這個月有三場社區服務非常遺憾我無法參加，因為 2021-22 年度已經開始啟動，最先起跑的是獎助金管理研習會（GMS），我必須全程參加，所以六分區聯合社會服務「偏鄉享食」糧食包裝分享活動、南欣社獎助金頒獎典禮、府門社「孩子的藝想世界」，真心抱歉無法參與，也覺得少了學習機會非常可惜，我誠摯的希望能與他們一起分享。

雲林的全球獎助金消除肝炎篩檢活動，到了現場才知道副總統也會參加、碩華扶輪社的「和忠義齊步走做孩子的家人」捐贈儀式我沒錯過，這是很有意義的捐贈活動，逸仙扶輪社和逸仙扶青社都曾來過忠義基金會，所以對他們還算熟悉，龍鳳扶輪社年度獎助金計畫「三鶯部落學齡前兒童教育計畫學習成果展」，幫助恩加貧困家庭協會也已經是第八年了、龍華扶輪社全球獎助金「經濟與社區發展」、「有愛無礙、送愛心給寒士及弱勢家庭」社區服務發展計畫，都是超棒的策劃，瑞光社與卓越雜誌和3470 地區攜手合作「慧松大師岩彩回溯臺南公益巡迴首展」，我也遠赴台南與台南市長一起剪綵。

本月捐血活動由第四分區與第五分區輪值，上半年我已經走遍各分區所舉辦的捐血場合，我常常會想，社區若沒有扶輪社的捐輸，血庫肯定會少很多熱血。

12 月分 3523 地區辦了主持人／司儀研習會（MHTS），這是一場開心的學習時光，兩位主講人——華陽扶輪社周震宇 Eric 和王介安兩位老師，超強超棒的經驗傳授，讓整個研習會充滿歡樂，大家十分滿意也收獲良多，12 月我們也辦了地區年會第四場球賽——羽毛球比賽，龍族扶輪社頃全力籌備，做出好多的創舉。每當感受到所有團隊沒有怨言往前直衝，凡事都要做到極致時，就覺得自己真是好命！

時光荏苒，半年好快就過去了，所幸在一半任期內我並沒有荒廢工作，也許是自我感覺良好吧，總覺得這半年所做的都蠻好，但我也自我期許，決不會半途而廢，只做半年就等著卸任，下半年我們仍舊會繼續忙碌，相信每位社長們也都做好準備，迎接下一波的挑戰，在元宵節這天，我們要跟新北市政府一起舉辦放天燈為國家祈福、我們還有扶輪友店要拓展，讓社友有機會把自己產業介紹出去，協助社友企業才能留住年輕社友。此外還有反毒民歌快閃、也會帶著「趕路的雁」的影片，到十三所小學做反毒工作，反毒也是我畢生永遠的志業、我們還要準備出書，要把 3523 地區每一個社今年做的社區服務和各社的文化推廣出去，讓還沒加入或觀望的朋友們知道我們在做些什麼，也把每一個社想要吸收的社友特質傳遞出去，因為扶輪是要永續經營的，絕不是我們這一年好就好，且讓我們一起為 3523 地區給力加油！一起來散發扶輪的光與熱！

2020 庚子年冬月。

1月號 幸福因轉念而綻放，讓幸福永遠對你微笑

生命中有一種幸福那就是愛與被愛，我有幸藉由大家身上體會到了，所以我很幸福。

幸福並非來自我們擁有多少事物，而是來自我們有多麼享受現今所擁有的。

我要求自己學習著傾聽，因爲愛的首要任務是傾聽，心存感激就會覺得擁有更多。

轉眼總監任期竟然已經過半，日子就在不知不覺過了七個月，之所以會說不知不覺，是因為從來沒有累的感覺，反倒是每天都過的很快樂，也就沒覺得日子倏忽已過。心中一直接收到大家賜給我的愛，無論我忙到忽

視了也好，忙到淡忘了也罷，這份愛總是在那裡靜靜的守護著我，每當我沉澱靜下時，就能感受到那份愛的脈動。生命中有一種幸福那就是愛與被愛，我有幸藉由大家身上體會到了，所以我很幸福。

每天我們都會跟許多人擦身而過，彼此沒有交集，對他們一無所知，不過也許有一天，緣分到了，他會變成你的朋友或是你的知己，世界之大，物換星移，我們可能就是曾經擦身而過之人，而今我們因扶輪成為知己，我們因緣際會共同做一件件的小事，豈知這一件件小事，由於我們的團結與努力，卻可變成一件件大事，我們也因心中有愛，願意為感動而付出，所以自然而然走進彼此生命裡，相信您已決定把對方留下來，在人生的道路上相互為伴。

1 月分高峰社／黃埔社／網路社與新北投社都有新社友授證。到 1 月底，我們愉悅的歡迎新增社友 243 位，恢復社籍有 26 位，但遺憾的是退社社友高達 155 位，今年我也毅然終止了一個社的社籍，這個社當時掛著 6 位社友的社籍，實際只剩一位有效社友，我也安排希望她到各社初步去瞭解，找到適合的社再加入。我始終認為有問題的社，寧可忍痛結束，不要淪為長期惡性循環。感嘆大家辛苦的結果，淨成長只剩 108 位，真是不捨 155 位的退社啊！

所幸有逸新扶輪社的創立，目前已經有了 34 位社友，據瞭解還在陸續增加，當社友全部都動起來時，順勢而為社員成長就會特別快。走筆自此，要報告大家另一個好消息，我們又要開始籌備第二個新社了，由第九分區的副助理總監 DAG Edmund 魯逸群前社長新創「富華扶輪社」已經啟動，目前雖然一籌尚未開始，但他已經拜訪了 25 位新社友，我非常認同按部就班，穩扎穩打的做法，好好的創，好好的經營，我們今年創的社一定會是優質的社，擔任創社社長重責的，都是經過我深思熟慮，挑選出來最適合最優秀的前社長，為了扎實新社的根基，我主動邀請創社社長，排除過往想創就輕易創社的簡易，至少在我這一年裡，我是這樣的希望，因為扶輪的質一定要堅持向上提升，我期待正能量的發揮。

1月分各項社會服務工作仍舊持續在做，南方社主辦，第六分區南門社／大都會社／南光社／南英社／南波社聯合的社會服務「歲末關懷弱勢獨居老人分送物資」，讓我倍添感動；第四分區捐血短短在12月和1月分密集舉辦捐血，讓我熱血沸騰；值得關注的焦點是民生社的淨攤，竟然是每個月的月底都辦一次，社長范樓達P Daniel，投稿的標題就如同他的個性「低調做事。由心出發」，每月一次，一件事能堅持著做就是不容易；Daniel社長說，這是PP Goodyear叮嚀他的，也就是因為參加了無數次的淨灘，改變了他原有簡單的思維，這篇文章寫得很具可看性；龍華社的「安德烈慈善協會食物箱捐贈計畫」，我雖因為地區活動無法到場，但看到照片還是欽佩不已，龍氏家族團結無間，無論哪個社主辦，分區其他社皆為協辦社；華欣社此次結合育成基金會與娘家鮮食家共同舉辦「讓憨兒幸福過好年，寒冬送暖關懷活動」，這是照顧老憨兒們，讓他們過年時能吃到圍爐菜色；南天社的「青少年人才培育計畫與達人有約」這是Golbal Grant，國際贊助地區有3350地區和3600地區，國際夥伴社是RC Suan Luang和Bangkok，而台灣的協辦社還到了基隆扶輪社，與3523地區的南港扶輪社／南雅扶輪社／天一扶輪社／樂雅扶輪社還有泰國的RC Bangkok，今年因為疫情關係，全數改為線上「視訊」與達人們見面，我一直非常重視青少年的議題，所以更覺得這是非常有意義的學習機會，以上各社所有的服務，每一位社長都親身參與，也是我這一年引以為傲的。

本年度我特別推廣「扶輪公益網」，主委PP IT Smooth邱瑞麟非常用心，至今已經舉辦了七場的公益天使座談，副主委府門社前社長李若文 PP Life，還有華陽社前社長叢毓麟 IPP ICT 紛紛到各社演講，今年增加許多許多的社友上公益網與成功媒合物資給社福團體，他們三位功不可沒。

今年年會的全部賽事，已在 1 月分全數完成，六項大型賽事總共 1,600 人次參加，在各主委精心擘畫下，社友響應相當踴躍，桌球賽由龍華社主辦；麻將公益大賽則由華欣社與華真社主辦，15 個協辦社，這次把每位的報名費全都捐給三個單位，受贈單位分別是：1. 炬輪技藝發展協會——小可樂果劇團、2. 社團法人彰化喜樂小兒痲痺關懷協會、3. 嘉義縣立太埔國民中小學偏鄉關懷車，感謝籌備委員會主委華真社的創社社長趙海真 CP Haijen，及她帶領的團隊辛苦的付出，除了地區的賽事之外，這個月七分區、十分區、十三分區也辦了高爾夫球賽。

華安社 25 週年了，還記得他們創社時我也曾參加，就這樣 25 年過去了，四分之一世紀日子真不能算短，社長林濬暘 P Solution 雖然化療狀況非常好，但因為疫情關係，醫生希望他不要出入公眾場合，雖然他屢屢想偷跑，非常時期我們還是請他乖乖在家，他們週年慶辦的真好，不愧是有 25 年歷史的社。第四分區聯合例會我雖到，但趕場黃埔新社友授證，所以無法聽演講；兩個月一次的社長祕書聯席會與執祕會議都在大家努力籌備之下，如期推廣地區事務。

眷屬聯誼會的 1 月分例會，邀請了台灣原聲教育協會馬彼得校長，講題是「原聲有夢 · 讓世界聽見玉山唱歌」，這是一個致力於山區台灣原住民學童教育的非政府組織，除了創立「原聲音樂學校」補充山區學童缺乏的教育資源，原聲另設「原聲童聲合唱團」，透過合唱團的練習與表演，傳承布農族特有的合唱技巧及文化，並培養學童的自信與品格。

這個月因為西華社 PP Sheaffer 的離世，讓我對人生有些許的失望，我知道有時候生命中也必須面對與接受失望，還好我認為失望是有限的，我告訴自己千萬不可失去希望，因為希望是無限的，我一直告訴自己。如果對人有愛，就會得到更多的愛，愛其實不盡然是付出，也是一種福利，幸福並非來自我們擁有多少事物，而是來自我們有多麼享受現今所擁有的，我要求自己學習著傾聽，因為愛的首要任務是傾聽，心存感激就會覺得擁有更多。我的演講裡，常提到「卓越不是一種行為，而是一種習慣」這一期我就以這一句話作為結束，凌晨 5:56 了，大家早安，我晚安。

2月號 機會靠自己掌握

眞正成功的人生，不在於成就的大小，而在於你是否努力的實現自我。

縱使有時覺得命運不公，心身疲憊，但請堅信上天總會開啟另一扇門。

人生過半學會看淡，靜而不爭，一切隨緣。

在這個世界上，不是所有合理的和美好的事物，都能按照自己的夢想存在，面對人生的過程，必須先要有努力的目標，再加上積極的態度，以及生活的勇氣。

2月分由於傳統的過年，沒有正常的社會服務，感覺日子就減少了一半，這一期總監月報內容與篇幅也就明顯減少許多，但是年後不久，即將迎來地區年

會，所以過年期間，大夥還是全年無休的在網路上討論年會的籌備工作，真心感謝年會主委華樂社前社長黃秀敏 PP Joy 的用心擘畫，執行長逸仙社前社長周小雯 PP Marisa 配合掌控，和五個工作會的召集人華陽社前社長呂錦峯 PP Lawrence、瑞光社前社長鄭玉章 PP Angus、永康社前社長張仁龍 PP Kevin、龍門社前社長張啟明 PP Mingo、華陽社 CP Broader 夫人林梅芬 May 的創新思維，上帝眷顧讓我非常幸運的有了他們，衷心佩服這一群願意彎下腰的成熟扶輪人，他們是一群為了成就大局而願意放下身段的高手。

年會在即緊鑼密鼓，除第四工作會已經如期完工外，其他四個工作會都還在如火如荼的向前推進中。

眾所週知我們年度社長展演非常成功，三立電視台做了很完整的報導，教育電台也在這個月約了我們訪談——「藍蝶計畫之社長展演」，展演之所以成功是來自於大家的認真，尤其是主委逸仙社的 Susan 許淑燕，這個主委的工作非常繁瑣，但我很清楚交給她就可以放心，每件事若不想做總能找到藉口，若想做好就會找到方法，她就是那位凡事都會找到最佳方法的人，有她在讓人放心放手。

自從扶輪有了公益新聞金輪獎之後，十五年來明顯有了成效，益發的受到記者們的青睞，金輪獎的獎勵已成為新聞媒體年度重要盛事，除了鼓勵新聞工作者對採訪報導公益新聞的重視，對社會正能量的傳播與推廣也建立了很好的渠道，扶輪的議題經常被搬上新聞熱播，這要歸功 2006-07 年度總監蔡松棋 PDG Pyramid 首創金輪獎，我經常接受採訪；2 月分還接了民視錄影的通告，主題是討論憂鬱症，華南扶輪社連續七年舉辦憂鬱症音樂會，能這樣的持續不綴，顯示他們有著優異的傳承，今年主題是「青春不憂鬱」，雖然是 3 月 6 日的節目，但我們已經對現場播出開始宣傳，扶輪對社區服務一向不遺餘力，但以前記者與媒體對扶輪的報導興趣缺缺，現在則因為有金輪獎的設立改變許多，我經歷了扶輪從無人問津到爭相採訪的每個階段，體會到金輪獎對扶輪和社會的貢獻，所以只要金輪獎工作需要我的協助，我不會推辭而且是全力以赴。

這個月我跟第三分區經常見面，顯然他們做了許多的分區活動，從正統的聯合例會，到另一個「聽見台灣」電影記錄片的欣賞聯合例會，一再見證了第三分區的團結。我必須在此獎勵一下雙贏社，他們雖然人數不多，但卻永遠能跟上大社的腳步，困難就像是一顆石頭，把它放在頭上，它就是一顆滅頂石，而把它放在腳下，它就是一顆墊腳石，聰明的雙贏社非常瞭解要把石頭放在腳下；當然這也要感謝大氣的華南社，不離不棄的始終帶領雙贏社大步向前邁進。

做了連續兩個月的工作，我說服了南德社前社長魯逸群 PP Edmund 創社，他終於首肯肩負下創社的重任，他說為我真情所感召，還未開籌備會，就已經有了 26 位社友，不同的是，這些幾乎都是以前的扶輪社員，我非常歡迎退社社友回朝，因為過往離社一定是曾經對扶輪失望，能回來重燃對扶輪的熱情，再次參加公益行列是最棒的選擇，謝謝準 CP Edmund 邀請我參加富華扶輪社的相見歡，轉心轉念環境會跟著轉，Edmund 一直堅持做自己的太陽，如今轉念願意創社，我確信富華社一定會遇見更好的自己，期待地區一個強壯的扶輪社即將到來。

在南德社十一週年社慶活動中，看到南德社的人才濟濟，加上同分區友社的參與，整個晚上節目精彩萬分，真正成功的人生，不在於成就的大小，而在於你是否努力的實現自我，南德社這十一年可說是未曾虛度。這個月我也會幫風雲社新社友授證，風雲社經營的非常成功，社長陳芃君 P

Michelle 功不可沒，堅決的信心能使平凡人成就不平凡事，P Michelle 就是如此的用心。

本月的總監月報有好幾篇的投稿，都很值得大家閱讀欣賞，我要特別得提一下南茂社社長鄒靜雯 P Lily 的文章，她的標題是「精彩南茂有你真好」，內容寫她對於這一年任期的有感，很巧合她的生日跟國際扶輪准證給南茂是同一天，冥冥中早已註定她必須是南茂社的創社社友，今年她參與地區各項的服務，從演戲到跳舞到唱歌，無役不與從不缺席，「年輪交錯的黃金歲月」社長展演，他們第五組《星願》一劇，榮獲「最受歡迎演出獎」、「最佳男演員」、「最佳女演員」、「最佳態度」、「最佳保姆」等五項大獎，她也很珍惜擁有 75 個社長同學們的友誼，我最要提及的是，今年我請她擔任地區的「國際領袖論壇」主委，她邀請到前商周集團執行長王文靜女士，還有台新銀行文化藝術基金會鄭家鐘董事長，另外一位是作家也是文化政治評論者更是 VERSE 雜誌的創辦人張鐵志先生，論壇題目為「今年，讓我們來一場世紀之約．打開未來之鑰——變與不變的 2021，如何做個具有未來競爭力的企業領導人！」這個論壇將在 4 月 10 日舉行，論壇也結合公益，結餘將捐給「台北市失親兒福利基金會」。光看幾位與談人就知道論壇精彩可期。

還有一篇民生社社長范樓達 P Daniel 的文章，標題是「幸福有感收穫滿滿」，他 106 年加入民生社，今年當社長，原本只是捧場當屆社長，計畫一年後就要離開扶輪的，接任社長直至現在，他說正等待「點子特多的總監不知還有什麼驚人之舉，開心期待，準備就緒接招……」。呵呵！開心期待與準備接招，二百多天的洗禮有進步噢！

走筆自此，不幸的收到噩耗，台北網路社 PE Robert 於 3 月 14 日 17:10 在家中過世，我是一個很難說再見的人，生離的說再見都難，更何況是死別，腦中一片混亂，才剛要接受 PETS 訓練的……，他今年幫忙 3523 地區網站和扶輪友店的開展，太突然了，不到 50 歲的他，走的真是匆忙。「人生過半學會看淡，靜而不爭一切隨緣」印證了健康才是人生第一財富的道理。八個月來，隨著活動的眾多，接觸面的擴大，聽到的、看到的更廣，受教的、感悟的也特別多，隨文寄語地區每位社友，縱使有時覺得命運不公，心身疲憊，但請堅信上天總會開啟另一扇門，讓我們有機會實現願望，問題是願望是否始終存在，而我們又準備好迎接機會的到來了嗎？人生就是一個未知的旅程，無論您選擇了什麼，都會有風險，但也都有可能會實現，不妨大膽的掌握機會去試試吧！

3月號 千言萬語兩個字——謝謝

人生沒有完美，盡力就好。

給自己的堅持一點肯定，有需要時就說出來，大家都會協助的。

3月分當然重頭戲是地區年會，今年的地區年會呈現方式稍有不同，我們從歡迎 RIPR 晚宴到議程前的準備，以及報到、提案表決，再到開幕式與友誼之家，還有 1-4 全會，以及單雙分區的聯合例會另外眷屬聯誼會的節目，還有亮眼的晚會，在在都表現亮麗，今年的社長在年會裡有舉足輕重的表現，這是大家的年會，也是呈現各社以及社長帶領的成果，所以在閉幕式時，我以畢業態來感謝每一位社長，和正副助理總還有地區祕書長和副祕書，年會主委黃秀敏 PP Joy 和籌備會真是沒話說的強，好感恩。當然一定要非常謝謝華陽社

周震宇 Rtn. Eric 幫年會司儀主持人開訓練會。

眷聯會會長 PDG Jack Chu 夫人陳孟貞女士，是我非常推崇的一位女士，也是我學習的對象，今年她帶領的眷屬聯誼會，我完全不用操心，也要謝謝好友主委林梅芬 May 的大力協助，精彩人生，真的有她們真好。今年采風攝影班的成果也是不容小覷，原聲童聲合唱團也是眷聯會的重頭戲，相當有看頭。

今年全國扶青大會非常的成功，3521、3522、3523 的扶青社員們一級棒，年輕人的想法值得我們學習，找的主講人也都是非常受到年輕人喜愛的。青春不憂鬱講座音樂會，這一直是華南社的主軸社會服務，「青春不憂鬱 ‧Z 世代的情緒風暴」，看到張家銘 Rtn. Psyche 到處受訪關於憂鬱症，他是台灣憂鬱症防治協會理事長，他更瞭解關懷憂鬱症的重要性，我們周邊可能有很多憂鬱症的朋友，需要我們去關心他。人生沒有完美，盡力就好。給自己的堅持一點肯定，但有需要時就說出來，大家都會協助的。調查顯示高中職學生每七位有一人、大學生每五人有一人有明顯憂鬱情緒，但僅十分之一尋求幫助。

這個月我參加了森林護管員表揚，我在台上看的台下受獎的森林護管員我內心有很多的感動，全台灣的森林護管員只有 1,000 多位，每一位要管理 50 個大安森林公園那麼大的地方，而他們仍舊兢兢業業的守在自己的崗位上。

華陽社的螢火蟲助學計畫園遊會我也到了，參加每一次的活動都是一次的感動；富華社終於開了第一次的籌備會，他們確定在 6 月 16 日舉辦創社授證典禮，準創社社長魯逸群 Edmund 好用心，他其實還是非常傳統的作法，每一次的籌備會來賓都先不收費用，全部由他個人招待，每次還準備伴手禮，每位社友都去拜訪，這才是真心想要好好創社的人。

瑞光社協同第三分區共同舉辦的扶幼慈善藝術展覽義賣會，辦得非常成功，發現 3523 地區沒有辦不好的活動。到了下半年，各社還是一直有新社友的加入，揪甘心的，華安社有新社友加入、風雲社也有新社友加入、龍欣社也有呦、南光社也是讚讚讚、讓我趕場的是逸新社也有新社友，大家都超認真的。

西南區社第四十四週年了，真不容易，南港社的週年慶是我最愛去的，我封他們是一群最聽夫人話的社友，我每次都期待他們社友的表演，今年依舊沒讓來賓失望，節目非常棒，南茂社是四週年顯然年輕，整晚洋溢青春活力。

一切的歡樂背後，這個月還是有些悲傷。3 月 24 日參加了台北網路社社長當選人吳啟斌 PE Robert 的告別式，太突然的離別，都來不及告別，所以更要珍惜身邊所有的朋友。

4月號 給在服務中學習的榜樣掌聲

孩子是未來的社會的精英、國家的棟樑，能爲孩子們成長階段盡一份心力，相信也是我扶輪人樂於付出的工作。

人生必須要有挑戰精神，才可能在過程中不斷的進步。

創社是從無到有，任務過程中一定有很多的挫折與困難，但挫折絕對就是轉折，能頂起了這些挫折排除萬難奮勇向前，就是一個非常棒的學習機會。

4月分有一項針對青少年重要的學習訓練，那就是4/2-4/3兩天一夜的RYLA「想見你青年領袖營」活動。我將這個活動交給逸仙扶輪社的子社逸澤扶輪社來擔任主辦社，希望教學可以相長，在承辦完如此重要活動之後，逸澤社這個新社將會再一次蛻變，扶輪就是不斷的在做服務中學習，然後在學習中成長！我知道他們花

了很多時間籌備，基於個人領悟的經驗，我只希望能邀請到劉長灝老師與郎祖明老師擔任主講與指導老師外，其他都由該社自主籌劃，二天一夜的訓練，在我青少年時熟悉的淡水國泰教育訓練中心展開，這次有多位的扶輪社友擔任隊輔，順利完成了一個非常用心的任務、看到孩子們開心的學習，我在一旁也不由自主的跟著心花綻放，活動的成功，印證了一切辛苦與花費都是值得的，孩子是未來社會的精英、國家的棟樑，能為孩子們成長階段盡一份心力，相信也是我扶輪人樂於付出的工作。

內舉不避親，在這個繁花錦簇的月分，我也花了一點精神與時間，說服花樣年華的逸仙扶青社現任社長陳亭秀 P Zoey，來擔任 2022-23 的扶青社地區代表 DRR，當然我先是從他父親著手，希望他能幫忙勸說。P Zoey 非常優秀，姐姐也曾擔任過 DRR，爸爸是 3522 地區淡海社前社長陳新福 PP Chen，是一位長期投身青少年交換的志工，也是一位令人敬佩的扶輪先進。我一直認為，人生必須要有挑戰精神，才可能在過程中不斷的進步，P Zoey 傳承了優良的基因，是一位勇於接受挑戰的孩子，是家學淵源的扶輪新秀，我陪同她接受 DGN 的面試，英雄所見略同，當天就確定了她的職務，我也發了公文昭告 3523 地區，恭賀 P Zoey 更上層樓。

社長展演引發了很多正面的連鎖效應，第三、八、十分區的跨分區聯合例會，主講人就是大熊老師——劉長灝老師，相信今年所有的社長在接受排演的洗禮後，都非常敬佩大熊老師，我也真心感謝他，要說今年 3523 地區最彰顯的成就，我還是要首推——「社長展演」，因為它持續的引發了許多蝴蝶效應。這個月的聯合例會還有另外兩場，分別是第五分區和第三分區，第五分區明星社新進三位準社友，希望我去佩章，我樂見成長一定會到，明星社社長林仁德 P Archi 非常優秀，行事低調總是默默的做，一切我都看在眼裡，他的事我肯定支持。第三分區的聯合例會，主講人邀請了記錄電影片「看見台灣」的崔永徽導演，由於個人工作經驗，做戲的困難我太瞭解，文化產業發展需要更多的資源，謝謝她們這樣支持表演藝術工作者。

這個年度的最後一場學習，就是扶輪領袖論壇「變與不變的2021」，這是一個極為成功的論壇，主講人超級強棒，內容更是令人感動，我在致閉幕詞時，都不禁有些哽咽，發人深省、受益良多，真是一場別開生面的扶輪論壇！我將這個主辦的重責大任交給南茂社的社長鄒靜雯P Lily，南茂社雖說是一個才成立四年的新社，但在助理總監也是創社社長陳昱光 CP Parker 帶領之下，儼然已有後起之秀姿態，我瞭解這個任務過程中，一定有很多的挫折與困難，但挫折絕對就是轉折，南茂社同心協力頂起了這些挫折，排除萬難奮勇向前，一個非常棒的學習機會。三位主講人－台新文化藝術基金會董事長鄭家鐘、Verse 雜誌創辦人總監張鐵志、品味私塾總策劃王文靜、還又加了一位與談人——前外貿協會祕書長葉明水，共同討論學習面對未知且充滿挑戰的世紀，要如何帶動身邊的所有人，做到更好！南茂社此戰一舉轟動，完美成就一場超級論壇。

瑞光扶輪社是一個認真學習的社，我參加了他們與 3482 地區百華扶輪社締結友好社的典禮，這天 3482 地區總監陳景浪 DG Color 也到場，主帥親征！顯然百華社一定是地區表現優秀的扶輪社。這個月台灣總會理事長，也是 3521 前總監李翼文 PDG Color，由前國際扶輪社長黃其光 PRIP Gary 陪同，拜訪 3523 地區辦公室，最主要也是希望台灣扶輪人能夠多多瞭解總會與扶輪人的連結。

尚在籌備會的富華社，4 月分展開了第二次籌備會，富華社的主講人都是重量級人物，不是前總監就是 RI 層級的扶輪領導人，第二次籌備會就請到前 RI 理事林修銘先生 PRID Frederic 來演講，富華社的準創社社長魯逸群 Edmund 非常用心認真，眼見富華社的穩定邁步，我應該不必擔心他們的未來。

在這裡我也要謝謝美聲主廚逸新社邊中健 PP Jonathan，每次我們要做反毒快閃的練習，都直接借他的餐廳來練習，當然場地大是一個主因，因為我們除了人數多之外，最主要是現場有鋼琴，可以讓我們非常方便練唱。這年度的反毒活動我們分為三個部分，快閃是其一，另外我們要去13 個小學做反毒宣導，第一場就去了新北樹林桃子腳國小，我們是以「趕路的雁」這部以色列的影片，來做校園反毒的主場，另外我們還捐贈中正一分局偶頭和打氣娃娃以及小朋友的重機，方便各分局去做校園宣導，今年的反毒工作我們一定要做足做滿，因為杜絕毒品對下一代來說太重要了。

在 4 月分南山社與龍族社都慶祝了 10 週年慶，南山非常熱鬧的歡度了自己的日子，節目精彩歡樂氣氛洋溢，龍族社舉辦了一場有意義的跨國環保座談，創新的紀念屬於自己的節慶。而在週年慶裡；華中社有 23 年歷史，成員中社會菁英非常多，很多社友在社會都有一定的影響力，但卻仍然本分低調，他們都是我學習的榜樣。

這個月我們也完成了最後一次的執行祕書會議，按例這個會議都不會再有任務，完全是感謝執行祕書在這一年的大力協助與配合，會議在通通有獎的抽獎中歡樂度過。美麗的眷聯會雖然還有小班制的活動，但大活動此時已經收尾，象徵著 2020-21 即將結束，但我們仍不停止校園反毒工作，我們堅持要做到 6 月 30 日卸任的那一天，因為反毒是我畢生永誌的志業。

我的總監月報一直都會晚一個月出刊，主要原因是我想呈現當月最確實的活動，在 4 月號總監的話雖已經寫好完稿，但現在我卻要用最悲痛的心重做結尾，因為我們失去了一位最棒的社長，龍欣社社長李宜蓁 P Carol。她在去年 2 月 27 日確診小細胞肺癌第四期，發現時已經轉移至骨頭，這種只有 5-10% 的罹患率，且多半是在有抽菸史，加上年齡 50 歲以上出現的細胞肺癌，她並不符合其中任何一項，而且她又是位練習三鐵、勤於運動的社長，但事情偏偏就發生在她身上了。她與病魔對抗了 447 天，最後還是去到天家當天使了，此刻我無法用少少的字來形容她，因為她真的是扶輪的楷模，祝她一路好走，帶著我們大家的愛去當天使！

5月號 「反毒」是我畢生的志業

今年社長們就是一家人，75 個兄弟姊妹作夥在一起，相信這份情誼會是長長久久。

扶輪人秉持回饋社會、服務社會的宗旨，在我們家園有難時，當然會義無反顧的投入。

5 月榴花紅，暮春的季節，我們正在翹首仰盼大旱雲霓之際，卻不料剛過一半的時間，就得因疫情必須宅在家了，雖然是有第三級的警戒，許多行程受到影響，但對我來說剩下的 13 天當中，還是沒有一天停歇過。

5 月的頭一天我們就進行一場反毒快閃活動，有將近 40 位社長參加表演快閃，這個活動的訴求是希望大家正視毒品的危害。眾所週知，我一向把反毒工作當成是我畢生的志業，今年我們計畫走進小學宣導毒害，原本班表一直排到 6 月 30 日卸任那

天，奈何疫情愈發嚴峻，目前看起來得麻煩明年反毒委員會幫我們繼續完成了。不過今後無論在任何地方，我們都要無時無刻的宣導毒品的危害。此次的反毒宣導快閃活動，在信義區的香堤廣場舉辦，有大家發自內心的力量，當然是相當成功。

明知道越到年度終了，每位社長真的很忙，但我只一句「我們來辦一場反毒快閃好嗎？」他們共同的答案就只有一個「好」字，我感動的說「練歌時能來的就來，不要勉強」，其結果就集合了近 40 位，由於今年 75 位社長彼此感情的融洽，也成為讓我做事非常方便的主因，他們真情相處的像兄弟姊妹一般，有病痛大家問安、共同心疼，那天我 PO 衡陽社社長周書正 P Simon 的視頻，華陽社社長陳威光 P William 說「看到這個 video 的心情很複雜，很難找到一個合適的貼圖表達心境，我希望藉由大家共同集氣的意念，可以給予當事人無形的能量，相信在每位社長看到 video 的當下，心中的關心與祝福，都能傳達給 Simon」。這是多麼真誠感人的對白啊！龍欣社社長李宜蓁 P Carol 在 5 月 20 日離開了我們，大家的留言讓我動容，內心的悸動讓我不能自抑，感覺今年社長們就是一家人，75 個兄弟姊妹作夥在一起，相信這份情誼會是長長久久。

3523 地區今年處處是藍天，地區自行車隊穿上今年嶄新製作的 Tiffany Blue 車隊制服，我也受車隊召集人，南港社前社長鄧潤德 PP Audio 邀請，穿上制服，到了青山鎮與 3520 地區系統的車隊一起用餐，這是 3523 地區車隊辦的聯誼活動，午餐在青山鎮的休閒會館，看到許多久未見 3520 地區沒分家前的好朋友，讓人格外開心。

由台灣扶輪 12 地區共同捐贈的公共形象雕塑，因為要將揭幕儀式放入 2021 虛擬國際年會，所以提前做揭幕儀式，由於那幾天所有活動都取消，因此 12 位總監終於能合體一起出現了，這是一個訂名為「時間與空間的對話」的地標，正式揭幕儀式讓12個地區的總監能團聚在一起，又能為連結世界年會的新地標共添光彩，大家都覺得與有榮焉。這一年我們12位總監各自忙碌，勤在地區耕耘，難得有機會齊聚，國際扶輪前社長黃其光PRIP Gary，國際扶輪理事劉啟田RID Surgeon，國際扶輪前理事謝三連PRID Jackson，也都前來參加揭幕儀式，承造公司是迪士尼推手，豪門文化科技創意股份有限公司董事長簡廷在，完成了美麗的「時間與空間的對話」雕塑工程，這是由知名藝術家羅杰設計的雕塑，為紀念睽違27年，再度在台北舉辦的2021扶輪國際年會，12位地區總監一致決定在台北建立一個紀念公共形象雕塑，藉此行銷台灣創造世界能見度。而為了能表現這個創作展現城市交流的正面意義，將此次的年會藝術計畫以「永續城市」，及「扶輪打開機會行善天下」為題，以提供社會服務為宗旨，為環境、經濟、社會提供持續不斷的服務及成長，所以作品在動態表現上也是藉由扶輪社的心手相連行善天下的精神，展現循環所產生的巨大力量，藝術作品設置在台北車站旁的行旅廣場。今年我送給社友的禮物是這個雕塑的縮小版，相信大家會覺得特別有意義。

台灣國際扶輪青少年交換協會，是我最讚佩的青少年交換機制平台，他們的所有活動我都全力支持，只要通知開會我都儘量參加，因疫情使然去年與今年他們都面臨學生沒法交換，遇到無法維持營運的嚴重問題，原3520地區系統的三個地區決定全力支援，我個人也認為應該當仁不讓，因為這是一個完全回饋社友的機制，有必要而且必須維持住。

雖然「趕路的雁」校園反毒宣導活動，到目前為止只去了兩個學校，但每次看見滿滿的孩子，總是讓人特別的開心，原先擔心小學會看不懂影片，但現在的孩子真的不得了，連一年級的孩子都一樣能看懂，我驚訝孩子們的早熟，還好都是正面的回應也就放心了，看到他們懂毒品是怎麼回事，證明我選擇用趕路的雁這套互動影片沒有錯誤，只要能讓一個孩子改變想法，或是理解毒害的拒絕毒品，我都覺得這樣的付出是值得的。

第三分區是一個非常團結的分區，每個月除了其他的社區服務之外，扶輪友愛愛心物資捐贈，是他們固定的一個捐贈活動，能持續不斷的服務是需要驚人的毅力，三分區一直是模範分區。龍頭社華南社還有另一個社會服務——捐贈芒草心協會 · 助無家者物資，他們的服務真是無遠弗屆，永華社也做了一個很有意義的社會服務，捐給老人電動健步機，他們選擇捐贈在社長許禾昇 P James 的社區，希望社區長者都能身體健康，這次是結合前社長鄭景隆 PP James 的職業做的服務，他把自家的電動健步機 12 台，捐出給老人住宅，共六層樓每個樓層有兩台，雖然永華社並不是大社，但豪情壯志的社會服務從不落人後。

這個月有很多社都捐贈醫療物資或是便當，到第一線醫護人員處，西南區扶輪社社長楊長峯 P Ares 和西華扶輪社社長丁士股 P Sean，華欣社社長蔡輝彬 P Stanley 都去了惜食廚房為第一線醫護人員送便當，真是有志一同的扶輪社。西華社還同時捐贈醫療物資；南茂社也連結第九分區，贈送物資給台北市政府，真是溫情滿溢愛心不斷。

華真社很驚險的辦完了三週年慶，一個才三歲的扶輪新秀，卻志氣高昂，在海派豪氣的創社社長趙海真 CP Haijen 帶領之下，第一年就已完全進入狀況，才智過人的 CP Haijen 先凝聚社友情感，接棒的第二屆社長林香蘭 IPP TV，非常認真負責，記得他在臨要卸任時還跟我說：「DGE 我還要衝刺社員發展」，有這樣的決心，還有什麼事辦不成？第三屆蔡毓綺 P Bannie，這小女子也不得了，和前兩位充分攜手，三位一體社區服務做的嚇嚇叫，別的不說，第二屆知道新北需要一輛接送車，二話不說募款籌錢把車送出去，第三屆蔡毓綺 P Bannie 也有樣學樣，找到自己家鄉的需求，一樣送一輛車，要知道送車是何等大事丫，豈是輕易能完成，但她們就是下定決心「做」，也都達到了目標，看來在華真社只要下定決心沒有什麼做不到的。

這個月南西社有新社友授證，我當然欣喜的前去幫忙授證佩章，南西社小而美，新來一位社友劉元豪 Lev，這位社友高、瘦、帥，我穿高跟鞋都還覺得他比我高，嘆年輕就是本錢外，也祝福南西社有更多優質社友入社。富華臨時社第一次例會，邀我當主講人，我以「追求卓越領導的旅程」為題，他們歷經多次的籌備會，終於來到臨時會，臨時會後很快就要授證，瞭解他們已經準備好 6 月 16 日創社，也開始申請扶青社，所以應該會是扶輪社和扶青社一起創社，這可是前所未有過的，他們在創社之始就譜寫歷史，期待這個優質社的誕生。

5 月下旬開始了兩場視訊會議，金輪獎入圍名單評選視訊會議，名單即將會在出版協會公布，這是一項我非常推崇的扶輪社活動，促進媒體與扶輪做最好的連結，共同推動公益新聞的報導。華東社第四次籌備會議，也以視訊會議完成，他們預計 6 月 24 日舉行線上創社授證典禮。

各個扶輪社在這個疫情險峻的時刻，都發揮了很好的社會功效。我們 3523 地區也正在募集捐贈市政府篩檢試劑，和醫師公會的 N95 口罩，扶輪人秉持回饋社會、服務社會的宗旨，在我們家園有難時，當然會義無反顧的投入。最後除了向各位社友在 5 月所呈現的各項努力致敬外，也要再三叮嚀大家務必做好防疫措施，一起度過這段艱困的時刻！

6月號　也無風雨也無晴

回首一年看似不長但也不短的日子裡，我們不因風吹雨打而灰心喪志、不因陽光普照而欣喜若狂，我們以勵志的人生觀處事、以豐厚的眞性情待人，大家一起以淡定的心情、執著的精神、堅強的毅力，完成了各種不可能。

拜全體社友所賜，我個人生命歷程中增添了許多光彩，人格境界裡學習到許多點化。對我來說，跋涉這一路，有如吉光片羽、金玉珠貝般彌足珍貴！

我們約好，在疫情過後一定要好好的辦一次畢業典禮。

由於因應嚴重特殊傳染性肺炎（COVID-19）疫情加劇蔓延，因此從5月13日開始，配合中央疫情指揮中心的要求，地區就完全暫停扶輪一切實體活動，原來以為這對我來說應該等於是提前卸任了吧！那6月分的總監月報還有什

麼可以書寫的呢？沒想到各社卻都沒有停歇，自行對於 COVID-19 疫情持續做了許多的捐贈。受到大家如此執著的感召，地區也開始啟頭並向各社募集款項，以 3523 地區名義捐贈 COVID-19 快篩檢測試劑，對台北市醫師公會也捐贈許多口罩，不過並未因此停下腳步，各社不斷的還是有其他捐贈，比方龍華社捐防護衣到新光醫院醫療防護衣 100 件，碩華社捐隔離衣 1,140 件、隔離面罩 1,000 個給榮總醫院、桃園市衛生局、亞東醫院、還有瑞光社也捐護目鏡給新北市警察局。此外跨地區扶輪公益網，募集 3523 地區捐給人安基金會，共有口罩 711 盒（35,550 片）防護衣 128 件。

還有第三分區每月的扶輪友愛愛心物資捐贈也沒有中斷，華南社／雙贏社／華東社代表聯袂到「聖道兒童之家」捐贈物資。許多社依舊在惜食廚房送餐給醫護人員及獨居老人，總計這一年我們在惜食廚房配送兩萬多個便當，現金捐贈 566,345。惜食行動委員會主委健康社前社長徐永蒼 PP Peter、副主委龍欣社前社長洪秀宏 PP TED 親自到惜食廚房送蔬菜與配送便當，南茂社週一至週五，為新北市聯合醫院送上暖暖的餐盒及香濃咖啡，又給文山區的獨居老人們送上愛心餐盒，華欣社更是動作不斷，社友 Tina 所屬的慕里諾集團也加入送餐服務，社長蔡輝彬 P Stanley 帶領社友為辛苦的醫護人員送餐，前社長林新發 PP Hartz 與惜食廚房接洽提供便當及咖啡，社會服務副主委 Henry 提供自家休旅車來載送便當，祕書長也加入送餐行列，華欣社集全社之力讓此趟旅程多了滿滿的愛心。我深知這是大家希望能在疫情期間，用真誠的行動帶給社會多一些幸福感，讓因受疫情所苦的同胞，能有力量走下去。西裝王子民生社社長范樓達 P Daniel 就近提供萬芳醫院一個星期熱騰騰的梁社漢現作排骨便當。府門社在 6 月 27 日贈送枋寮醫院一座移動式正壓篩檢站。疫情雖然嚴峻，大家的愛心付出卻可都沒停歇，以上所述只是我看見的，相信還有許多我不知道的，各社就都自行做了，扶輪社友們在這場抗疫的戰爭中，親力親為的熱情展現超級感人。

回顧這一年真的沒有遺憾，我期許自己要做個有溫度、有樂趣、有溫暖、有魄力、有能量、有擔當如扶輪精神所說「溫馨」與「真誠」的總監，捫心自問我有認真做到，我以真情、真心、真誠、真實的態度完成所有的計畫。每一個訓練課程，我都竭盡可能、費盡思量選擇最棒的講師，沒有遺漏任何一個課程。所有的計畫，我都具體踏實，按步就班進行，沒有便宜行事，也由於凡事我都是如此認真執行，所以事後覺得特別開心了無遺憾！

這一年中，我與大家共同締造了許多的第一，首屆總監與社長聯合就職、舞台劇社長展演、以社長展演捐出售票所得 1,621,522 元整，給「財團法人台灣癌症臨床研究發展基金會」的藍蝶計畫、反毒公益路跑如願在台北市完成、End Polio《秦始皇》大型音樂會，讓我們的 End Polio Cash 捐款 195,534 美金，得到全台第一名，全世界第二名的殊榮、DDF- End Polio 捐出 145,000 美金，也締造了全世界第一名佳績、我們 3523 地區的基金捐款也首度跨越 100 萬美金，來到了 1,041,861 美元，這些都還是因為疫情的持續，我考量大家所面對的環境，所以並沒有要各社完成當初的承諾捐款，但數字依然往上攀升，真的令人非常感恩。

我們也首度在公眾捷運，以燈箱推廣了國際扶輪、杜絕毒品氾濫、我們到國小去做反毒宣導、捐贈中正一分局反毒犯罪預防宣導品、在信義區香堤大道表演「反毒快閃」、為平撫國人與扶輪人受疫情影響的心，首度請 16 位社長以虛擬合唱的方式，獻上「明天會更好」給大家，好多好多的創舉，綻放出一朵朵美麗又燦爛的花朵、而最後台灣 12 位地區總監，在台北火車站附近的雙子星摩天大樓前，以「時間與空間的對話」公共藝術雕塑作品，也是首度呈現給大家，為年度譜上了最終的篇章。

特別感謝今年的眷屬聯誼會會長 PDG Jack Chu 夫人 Jenny 陳孟貞女士、眷聯會主委華陽社 CP Broader 夫人林梅芬 May，與所有的委員們，把眷聯會辦得有聲有色，今年眷屬聯誼會節目既豐富又多采！

年度即將結束，扶青社的地區年會尚未舉辦，只能以視訊方式辦理，但由於首創，相信大家會留下深刻的印象，只是辛苦了小朋友籌備許久，最後只能在線上直播，不能說沒有遺憾。6 月分有富華扶輪社、華東扶輪社以及富華扶青社三社，以前所未有的聯合視訊方式，舉行了授證晚會，雖說不得不以線上視訊舉辦，卻也更凸顯出特別，可說是紅紅火火、轟轟烈烈！

屈指一算，還有 11 場國小反毒宣導沒法完成，覺得美中不足略有可惜，所幸已把預算當捐款先行捐出，期待下一屆反毒小組代為完成。

6 月 30 日晚上，我辦了 2020-21 年度精彩團隊社長線上守歲畢業典禮，這是最後一場視訊會議，將近 60 位社長上線，我們全體在線上為 P Carol 和 6 月 29 日淩晨過世的 P Simon 兩位社長默哀，一年的互動大家感情深厚，生離死別著實難以接受，但也不能不面對現實。這一場線上守歲相信大夥都意猶未盡，大家都是這樣認真的打拚到最後一天。今後雖然卸任，但我們的情感不斷，這一屆的畢業典禮沒辦成，我們約定好在疫情過後，一定要好好的辦一次畢業典禮。

此刻夏日夜風徐徐，窗外星空靜謐，走筆至此，在即將劃上句號之際，回首一年看似不長但也不短的日子裡，我們一起不因風吹雨打而灰心喪志、不因陽光普照而欣喜若狂，我們以勵志的人生觀處事、以豐厚的真性情待人，大家一起以淡定的心情、執著的精神、堅強的毅力，完成了各種不可能。而我個人得各位社長、地區職委及全體社友所賜，生命歷程中增添了許多光彩，人格境界裡學習到許多點化，對我來說，跋涉這一路，有如吉光片羽、金玉珠貝般彌足珍貴！拚搏這一年，有如飛鴻雪泥、偶留指爪不復計東西，傳承交棒、滿懷感恩之餘，我以略改蘇東坡的詩句與我的社長同學分享，「料峭春風輕拂面，微冷，山頭斜照卻相迎。回首向來初心處，歸去，也無風雨也無晴。」祝福大家！

扶輪有意義的服務

我的青少年交換主委記事

TRYEMP 前主委／ D3522 地區淡海扶輪社
陳新福 PP Chen

我已經在青少年服務委員會服務超過十五年，並且擔任過兩次主委，許多人會好奇問我，為什麼有這麼長久持續的熱情，來從事這一項服務呢？我想這是因為青少年交換（RYE，Rotary Youth Exchange），不但是扶輪六大服務中青少年服務中的一環，也是扶輪非常特別又有意義的服務，這些年來，我眼見許多年輕人，因為這個計畫眼界大開、脫胎換骨，真實的改變讓我確信這是一項特別有意義的服務。

這個計畫的運作，靠的是全世界很多熱情的扶輪社友、家庭一起投入，讓年輕人在人生成形過程的高中時光，能夠離鄉背井，跳開舒適圈，投入截然不同的文化、家庭、

社會。在衝擊下產生省思、磨合、轉變，從而蛻變成為更能獨立自主能力、更有世界觀、自我人生目標更明確的國家社會明日之棟樑。

一個交換學生成功的交換，靠的是三根穩固的支柱，在學生的交換期間，提供完全而充裕的支援照顧，那就是接待家庭、接待社、和接待學校，而接觸最為密切的接待家庭，更是其中重中之重。要接待一個外國孩子進入自己的家庭，不是一件容易的事情，這個磨合的過程，不但是孩子的學習，其實家庭也有許多地方需要學會換位思考，我們很難用台灣文化的一把尺來要求外國來的孩子，比方說我們在外國孩子抵台的歡迎訓練會中，會告訴他們接待家庭會要求門禁時間，每個家庭都會有一些不同，可能是21:00-22:30之間，然後問他們在他們自己家庭的門禁時間是幾點，結果很多孩子告訴我們，這個年紀在他們的國家，父母會尊重他們已經長大，完全沒有門禁時間，只要顧好自己安全最後有回家就好，這在呵護備至的台灣家庭文化中，可能是匪夷所思的事情吧！

雖然用十個月左右待在國外有吃有住的生活費來算，二十萬的報名費似乎不算多，但是加上機票等的費用，對於有些家庭或是孩子來說，那是一個天文數字，出國、甚至交換對於他們是嚮往但是不可及的夢想，所以我們總是會努力安排名額給清寒的孩子，希望透過這樣的交換計畫，讓他們觸摸到原本似乎不可及的天上星星，曾經有一位非常優秀的北一女學生，在申請之初我們就已告知，協會對於她要去的國家有全權安排的權利，她也很認分地接受這樣的安排，但是考量她受訓成績優越，後來協會決定送她到第一志願的德國交換，對她而言這是出乎意料的驚喜，而她也把握了這個機會，在德國也有非常優秀的表現。

要體會這個交換對於參加的學生們所造成的轉變和影響，身為委員的我們，從他們出國之前參加訓練時的上台報告，很多都是青澀、害羞、沒有自信，照著稿子一直唸不敢看台下的聽眾，到返台的歸國報告，每一位都是侃侃而談、自信十足，講到時間都不夠了，就知道這一年已經徹底的翻轉了參加的孩子，他們已經不再是飽受父母呵護的小孩子，而成長轉變登大人為獨自自主又有信心的成人了。

在協會這麼多年，從來申請的學生的轉變，就可以看出社會氛圍已經不一樣了，早期的申請學生，絕大多數都是不以升學為重點的高中，他們覺得用高中這段時間出去體驗一下，似乎對於台灣求學生活暫停一年影響不大，所以提出申請。但是近年來，有越來越多明星學校的學生也來申請，可見得社會的思維以經轉變，唯有讀書高在現在的社會已經退流行了，現在的年輕人要有競爭力，光會念書已經不夠了，能夠勝出的是有獨立思考能力、有世界觀、能接受挑戰的年輕人，而青少年交換恰恰可以磨練年輕人成為超乎他們想像的自己，帶著充足的信心追求自己的明天。

誠如我們常說的：你給我一年，我給你全世界。年輕人千萬不要錯過扶輪獨有的青少年交換服務，在扶輪羽翼的遮蔽下，去挑戰自己，磨練自己，一年回首你會發現你已經是截然不同的自己了，在這麼年輕的年紀，你就會知道自己要什麼，也會有散居世界各地的交換同學朋友，也可能在遙遠的異國會有你另外的一個家，這是多麼難得的經驗啊！

告別童年最好的禮物

2010 交換生／夏筱婷 PP Crystal

我是 Crystal 夏筱婷，2010 年到 2011 年從 3520 地區到 1680 地區，由台灣台北逸仙扶輪社派遣至法國東北 Alsace 省的交換學生。

參加交換的那一年，我 17 歲，可能比很多交換學生年長了一些，但是當我第一次拖著一個行李箱站在機場關口準備離開家人離開朋友離開台灣，感覺還是很徬徨。決定出國是因為很多大人都跟我說，出國一年會有完全不一樣的視野，對很多事情會有不一樣的看法，人生會有不一樣的改變，所以我便把這一年當作送給自己 18 歲之前最後一個童年的禮物。

記得那時後因為在預訂出發的日期前生了重病，延後了行程而沒有跟其他去法國的同伴一起出發，爸爸和弟弟也因為時間關係沒辦法陪我到機場，只有媽媽開車送我過去，一路兩個人都好沉默，機場的滷肉飯和珍珠奶茶是出國前最後一個回憶，之後隨著登機時間的接近，媽媽拿出了一封信（註：見下一篇〈才一轉身就開始思念〉），叮嚀我上飛機才能看，我點點頭，抱了她一下，揮手說完了再見之後只能馬上轉身走進海關，因為再晚一秒，眼淚就會掉下來。

那是我的第一課，之前以為把時間貢獻給朋友是幸福的，一直到眼淚掉下來的時候才發現自己錯過了多少該與家人相處的時間。

下飛機以後的世界讓我立刻忘記離開台灣的失落，法國優閒的鄉村和忙碌的台北是截然不同的，我想我大概一輩子都忘不了在法國的第一個午餐對我而言的特別，坐在寬廣的院子裡面吃著法國麵包和莎拉，三隻狗狗在腳邊跑來跑去，大家聊著天，一頓飯吃了足足兩個半小時，吃飽收完桌子以後不是回到各自的房間忙功課忙工作，而是一起去湖邊散步。

一開始的幾個月除了新鮮以外自然也是有些煎熬的，前往法國之前在台灣學的兩個月法文好像完全不夠用，看到人只能問他們說不說英文，但大部分時候得到的答案都是搖搖頭跟我說對不起，買東西不會買，問時間也不會問，有的時候想表達的事情也都沒有人聽得懂，所幸我第一個寄宿家庭的媽媽是法文老師，在發現我的日常溝通有嚴重的障礙以後，他們買了一個小白板拿著小轟弟的童書教我法文，知道我喜歡粉紅色，就把家裡幾乎所有我能見到的東西上面都貼上一張小小的粉紅色便條紙，上面寫的是法文名稱和念法。

第一個寄宿家庭有三個兒子，難得有一個女孩在家，轟媽好驕傲的逢人就說我是他們的第一個女兒。這種感覺真的很奇妙，跨過了那麼多個國家的距離，我在遙遠的歐洲好像多了一個家，多了一對爸媽還有三個兄弟。

學校生活也很精彩，台灣的數學程度讓我在上課的時候被老師當成天才，老師在台上解完題目以後會下台看看我的答案，看是不是跟他的一樣，如果他的答案和我的不一樣，老師就會很緊張的重新再算一次，以確定自己沒有算錯，甚至還會問我為什麼我的算法比較對。

因為我很愛說話，所以語言的問題在第三個月就幾乎完全消失了，每次想到自己能夠用法文跟身邊的人溝通就覺得好有成就感，從完全不會到可以聊心事，這過程中的努力是值得的，除了謝謝轟媽 Corinne 以外，還有要謝謝那個不會說英文的小轟弟 Ariel，每次看到他很努力的比手劃腳翻字典要跟我溝通，就成為了我學法文的一個動力。

經過了數個月的洗禮，回到台灣以後，發現看事情的觀點真的跟一年前的我不一樣了，常常有朋友問我說，放掉一年的課業和與家人朋友相處的時間，會不會很浪費，或許出國之前我曾經懷疑過這個問題的答案，但是現在我可以很肯定的告訴大家，我真的一點也不後悔參加交換計畫，我很榮幸我曾經是一個交換學生，而且很感激交換生涯改變了我的心態與觀念。

還有想跟即將出國的 Outbound 學生說，出國了以後請一定要努力去體會那一年不一樣的生活，或許有的時候會遇到挫折，或許有的時候會想家會難過，但是請一定要記得，在台灣，大家在等我們，等我們帶著新的自己以及滿滿的回憶，當然還有重到不行的紅色外套，完成交換開心的回來，家人在這給你我所有的支持，主委們也都是我們堅強的後盾，所有有過相同經驗的ROTEX當然也在，好多人守在後面，大家就放心往前衝吧！

最後，我要謝謝Uncle和Aunt們，真的謝謝，還有ROTEX，謝謝你們，當然還要謝謝被我禁止來分享我心得的爸爸媽媽，因為怕看到他們我會哭出來。最後祝福Inbound朋友回到自己的國家可以很驚喜的發現自己的轉變，也祝福即將出國的Outbound朋友們，有一個快樂又豐收的一年。

才一轉身就開始思念

阮虔芷 DG Tiffany

給參加 Outbound 女兒的一封信

寶貝：

離別對媽媽來說是一件好難的事情，更何況是我的寶貝要離開我，這幾天常常自己躲著哭，怕妳知道會難過，但是媽媽還是得咬著牙讓妳出去，因為很多人都跟我說，忍著這一年，孩子會得到很多，就因為「妳會得到很多」，所以……我忍。

妳是一個懂事的乖孩子，還好妳個性獨立，這一點讓我稍稍安心些，每次想到妳即將離開而心裡難過時，我就會想起Eléonore她就像是妳，以她這樣柔弱的個性，都能因為自己的前途，而來到人生地不熟的台灣，看看她，我也就能釋懷一些了，因為妳的個性絕對比她更能適應任何地方的……我相信。

妳一整晚都沒睡，我幫妳整行李，其實妳可以去睡的，但是我知道妳是怕睡著了，起不來，不能跟弟弟說再見，妳倆在門口擁抱時，妳們彼此雖然都帶著笑容，但是我明白其實妳們都很想哭……我又何嘗不是呢。

出門真的不比在家，一切要靠自己，妳比媽媽強多了，媽媽 18 歲才離開澎湖到台北，而你 17 歲就要到一個語言不通的地方，多勇敢哪！加油！媽媽會找時間去看妳！

一整晚想著要陪妳到香港，但是再想想，今晚最後一班回台灣的班機時間，還是比妳轉機到巴黎的時間早，我不願意讓妳看著我轉身進入機艙，我寧願是我難過的看著妳進關。我送妳，妳比較不難過，因為妳後面還有很長的路要走，而送機的我一定會難過，因為只能陪妳走到通關的入口，最後只能目送……再回到空曠的家。

寫到此，Eléonore 剛好給我一個 OK 的簡訊，這是我跟她的暗號，陪她坐了幾天的公車，今天她第一次單獨去上學，我還是很不放心，所以要求她安全到達學校要給我一個簡訊，看到 OK 知道是她到學校了，妳也是，到了香港要給我一個 OK，找到轉機的閘口要給我一個 OK，到了巴黎要給我一個 OK，再到轉機地方還要一個 OK，抵達終點更要一個 OK，一共要五個 OK 知道嗎？記住了嗎？乖孩子！

上飛機就睡覺吧！好長的旅程，又是第一次離開爸爸媽媽，不要想太多，想想很多 RYE 的朋友都比妳早一個月就離家了，在外處處要注意，下飛機要拿完行李，妳有電腦包和登機箱下飛機不要忘了拿，登機箱很重，請空服員幫忙抬上行李櫃。抵達法國時還有三件行李也別忘了，行李箱很好認的，但是要注意，箱子都是 23 公斤，很重的，提的時候，不要用手的力量，要用腰的力量，如果真不行，請旁邊的男旅客幫幫忙，好嗎？妳嘴巴甜，可以完成的。不要像媽媽一切都自己來，妳畢竟還是個孩子，一切小心，知道嗎？一切要小心！

這輩子，有妳和弟弟對我來說，人生已經很圓滿了，觀世音菩薩對我特別好，所以對任何事情都不會再去計較，我滿足於只要有妳們在的地方就好，但是分離對我來說是苦的，這幾天突然感覺人生好苦好苦，所以妳要好好的，不要讓我掛念，維持妳一向讓人喜愛的水準，懂嗎！

這封信，我會在妳上飛機前才給妳，如果分離也讓妳想哭，那就在飛機上大哭一場吧！這陣子我們都忍著，哭出來會好些的。還有別忘了，妳有堅強的靠山——爸爸媽媽，有任何事情，24 小時媽媽手機都開著，有任何問題，隨時打電話，我們都在妳身邊，知道嗎？寶貝！

媽媽一直以妳為榮，妳要做弟弟的榜樣，弟弟 2 月去溫哥華，妳不能跟他說掰掰，他一定會很遺憾。弟弟一直把妳當做偶像崇拜，所以妳的一言一行都會影響著他，有空經常給他寫信鼓勵他，他會聽妳的。到了法國，先給弟弟一封信好嗎？他會想妳的，他會需要妳的來信的。

千言萬語，都是媽媽的叮嚀，我只想跟妳說：「寶貝，我好高興能當妳的媽媽，我一直以妳為榮」，在外一切要小心，要努力，不要浪費這一年的時間，這一年對妳來說是非常重要的，也不要辜負了爸媽的美意。

寫這一封信，心情是很亂的，也沒有頭緒，妳也就分段看看，總之，從今天開始，妳整整 17 歲零 2 天開始，一切都得靠自己了。不過我相信妳能辦到的，媽媽對妳有信心，在這，我要對妳說一句，謝謝！我一直相信，孩子是父母的老師，我要謝謝妳，謝謝妳當了我 17 年的老師。

分離是痛苦的，相見是甜美的。我等著與我親愛的寶貝相見的日子。媽媽會加油！放心！我們都會很好，妳只要照顧好自己，加油！

愛妳的媽咪

2010/9/2 晨 08:24

捐物資做公益
環保循環新經濟

扶輪公益網主委
邱瑞麟 PP IT Smooth

自2014年10月18日「台灣扶輪公益網」正式啟用至今（2021/6/30），扶輪公益網已成功媒合4,793次、總價值約55,032,653元的物資給社福團體，平均每次媒合物資的價值是11,482元。

而3523地區在本年度，成功媒合452次、按平均價值換算後相當於提供價值超過518萬的物資給社福團體，社友們將身邊用不到的閒置物資，刊登到「台灣扶輪公益網」，即創造出幫助社福團體的驚人成果。來聽聽社福團體怎麼說：

肯愛社福協會主要是照顧憂鬱症患者，委員會拜訪肯愛時，他們說：「肯愛辦公室裡除了搬不動的房子之外，大部分東西都從扶輪公益往來的」。肯愛林組長還分享了公益網募來的物資，像是米、冬被、滑鼠……也會轉贈給被服務對象。

淨化基金會主要是幫助更生人

就學、就養、就業，陳副祕書長說：「對有問題的個案而言捐再多錢也不夠、不如給他一個他實際需要的物資來得實際。」

彰化樂說協會為特殊兒的家庭提供正向支持，營造快樂的療育環境、增強學習動機，從 2014 年的兩位小朋友、到二十多個、到現在一百多位。由於服務對像持續長大，近日成立日照中心、小作所。所需物資也在扶輪公益網上募集。陳主任說：「扶輪公益網是非常棒的平台，我們在裡面獲得非常多的幫助」

目前扶輪公益網上共有七百多家社福團體及學校會來索取物資，但社友參與還不普遍，導致社福團體需等待許久仍難以獲取所需物資，很需要更廣大的扶輪社友們參與進來。

總監阮虔芷 DG Tiffany 聽過扶輪公益網的介紹後，就帶頭響應扶輪公益網，她開始注意自身周遭的物件，打了她女兒鋼琴的主意，那是外婆送給她的，當總監的女兒知道是要送給社福團體，她就答應了！把外婆的愛與樂善好施，化做對社福團體的支持。鋼琴後來媒合到雲林的一所偏鄉學校，公益網把這件事分享在 Facebook 希望能夠拋磚引玉，果然另一位社友看到了，也捐出她閒置在家裡的的鋼琴。

今年 3523 地區在扶輪公益網的推廣上，非常用心、也特別成功，成功媒合 452 次物資，是上個年度的七倍多，也是全台灣媒合次數最多的地區。這樣的成效幫助了更多社福團體。

我們分析成功的因素，是天時、地利、人和的綜合成效。由於扶輪先進設計良善的網站 APP、加上歷屆主委及委員會的播種、推廣，正好在今年發芽、成熟，是為天時。

委員會今年非常用心與努力：⑴共到 39 社例會演講；⑵舉辦 7 場次公益天使座談；⑶發行三期公益網特刊；⑷成立 Facebook 社團，目前有一百多篇文章、八百多位成員；⑸製作並發行《公益網教學影片》……。是為地利。

有了天時、地利，還有人和：今年度總監阮虔芷 DG Tiffany 非常支持與幫忙，除了經費方面的支持外，還經常在各種場合鼓勵大家參與扶輪公益網，同時也影響到大部分社長來親手參與。非常感謝大家！

今年度大約有 4.5% 的社員參與扶輪公益網，媒合成功 452 次，如果全地區的社員都參與進來，那一年就會有一萬次的媒合成功，等於無聲無息的一年做了一萬件社區服務。邀請大家一起來參與！

惜食必須及時行動

惜食行動主委
徐永蒼 PP Peter

有幸在 2020-21 這個年度，受到阮虔芷總監 DG Tiffany 邀請擔任 3523 地區惜食行動委員會的主委。非常感謝總監給我學習的機會。

我是鄉下小孩，家裡務農種田為生，來台北工作投入的是牛排西餐業，之後自己開設牛排館。我想，總監是覺得餐飲業者跟惜食廚房比較相通，所以邀請我出任主委，當然，我倍感榮幸也很樂意接受。

在這一年比較深度的參與中，體會到扶輪人的大愛確實令人感動，我們不止出錢，還提倡親手做服務。

在 2020 年 4 到 6 月的時候，台灣的新冠肺炎疫情曾經一度緊張，前線的醫護人員因為幾乎沒有餐廳業者敢去外送便當，而面臨三餐吃泡麵的窘境，還好，惜食廚房就在這個時候發揮作用，在三個月期間為前線的醫護人員免費提供了大約 19,000 個便當，其他餐飲業者也才敢跟進，解決了各醫院醫護人員最基本的吃飯問題，讓防疫工作能夠繼續做到滴水不漏。

疫情趨緩之後，就回到我們原來為獨居老人及弱勢家庭送餐的社會服務，Tiffany 總監說得很清楚，我們的目的是探視，看看他們還有什麼需要協助的地方才更是重要，這觀點非常正確，我們在服務的過程中也確實感受到，獨居老人連說話的對象都沒有，探視確實很重要！

惜食行動主委的任期中，除了扶輪人之外，也看到很多各界的善心人士出錢出力，尤其時常參與備餐工作的志工，工作是非常繁重辛苦的，從揀菜、備料、烹飪到包裝餐盒、餐後收拾等等，這一年真的是滿滿的學習與感動。

台灣是生活比較富裕的地區，越富裕就越容易發生浪費食物、浪費資源的情形，也呼籲台灣民眾，希望大家能夠愛惜食物、愛惜資源，避免浪費，能照顧更多獨居老人以及弱勢家庭，讓社會的整體幸福度更加提升。

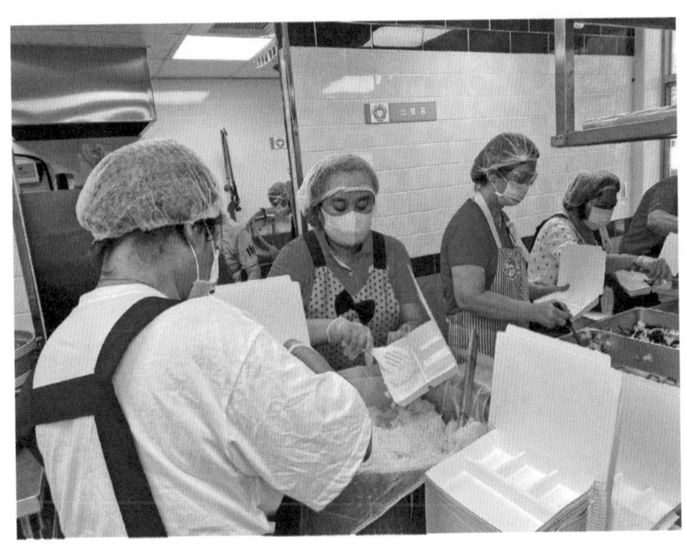

2020-21年度社長們的話……

第 1 分區

任期屆滿．繼續前行

南區扶輪社／**劉文雄 P W**

國際扶輪 2020-21 年度主題是「Rotary Opens Opportunities」、「扶輪打開機會」。

時間過的真快，社長的任期已屆滿，萬分感謝各位理監事們與各大主委所帶領團隊的努力與辛勞，以及全體社友、寶尊眷們這一年來的相挺與支持，讓本社的社務順利進行，多項的社會服務都能圓滿成功。

台北市南區扶輪社已有 52 年的歷史，在歷屆前社長的卓越領導之下已建立了深厚的基礎與優良的傳統。今年我們做了很多的社會服務：第一分區捐血活動、反毒路跑、內湖 / 木柵高工獎助金、捐贈移動式篩檢接種站、希望種子 ‧ 國內貧童 + 以樂家園認養公益合作、表揚林務局優秀森林護管員……等。一年一度的新春團拜本社以「創新、好玩、和諧」的原則下舉辦與以往不同的風格「歐洲宮廷風」。以上各個活動感謝每位前社長們、社友、寶尊眷配合參加，感謝大家。

卸下社長職位只是階段性任務的完成，我會繼續效法前社長們的奉獻精神繼續為扶輪服務。

第1分區

璀璨的一年

逸仙扶輪社／江翠敏 P Cherry

逸仙社今年 20 週年，也是很不一樣的一年。因為今年我們是總監社，我們有地表上最漂亮、最有智慧、最包容的總監阮虔芷 DG Tiffany。

我接任逸仙社第 20 屆社長，感謝所有前社長們推薦與鼓勵，社友的支持，有這學習的機會，能為大家服務。雖然我不一定能做到最好，但我一定要把他做好。

有人問說，今年逸仙社是總監社，當社長很辛苦厚？！其實開始是有點惶恐，也因個人才疏學淺，所以我事前也準備了很多功課，也經常向前社長們請益。她們無私的奉獻智慧與經驗，讓我增添無比的信心，讓我只管向前行——什麼攏毋驚！謝謝前社長們的傳授、支持、包容。也謝謝兩位祕書的協助。我更要感謝逸仙社姐妹們，的犧牲奉獻、相挺，及愛的熱忱，才能讓我順利完成今年總監社社長的任務，完成更多的扶輪公益與社會服務。Cherry 感恩在心！逸仙社累積 19 年的智慧經驗傳承，在總監 DG Tiffany 的帶領下，前社長們經年累月辛苦付出經營，和一群愛心不落人後的社友默默支持，才能使逸仙社永續傳承、屹立不搖。

回顧這一年，在社會服務我們做了捐血活動，信義健康中心－「失智友善、憶路相陪」，惜食廚房行動，反毒路跑活動。宜蘭大同鄉水資源、學童獎助金。參與地區的 GG 案婦癌防治篩檢計畫，肺癌防治篩檢計畫。地區的六大賽事，保齡球、高爾夫球、籃球、桌球、羽球、和今年第一次創新的麻將大賽。逸仙社社友更是卯足全力參與，我們也主辦了保齡球賽，交出漂亮成績。

社務運作，社友聯誼交流、每個月兩次例會，新春團拜、中秋晚會、聖誕節、迎新、旅遊、不定時的扶輪家庭日活動，高爾夫球隊，都增進社友彼此的生活交流、也培養出社友們深厚的感情。

台中北屯社友好社的聯誼交流，讓我們友誼不間斷。台中北屯社熱心地方服務、熱心公益的形象，身為友好社的我們，與有榮焉！但因應疫情，今年和泰國姐妹社、韓國姐妹社減少交誼聯誼，但在精神上的支持、鼓勵，也讓兩社的情誼更扎實。

逸仙扶青社，已成立 7 年。在今年社長 Zoey 的帶領，扶青社社員每位也表現得可圈可點。今年度我們逸仙社也輔導了一個很優質的社——逸新扶輪社，在 CP Alletti 帶領下，社員持續在增加。

當然，引進新社友、輔導新社，是擴展扶輪重要的目標。很高興今年度我們增加了 5 位優質的社友，讓我們在各項服務工作上多了一股強大的力量。

今年的逸仙是包容、學習、有愛的一年。我們發揮團隊合作、逸仙服務的精神，遍及社會各角落。

在創社社長總監阮虔芷 DG Tiffany 的睿智領導，與歷屆社長的無私奉獻、努力經營傳承，社友們的全力支持配合下，逸仙社是閃亮的、榮耀的！這是身為逸仙社社員的驕傲。

3523 地區 2020-21 年度的社長，也是很不一樣的一年。從總監、社長聯合就職、社長展演、地區活動、反毒快閃、地區年會全體社長演唱……，每位社長都全力以付。在總監 DG Tiffany 的領導、全體社長吃苦當做吃補的支持、配合，我們完成了很多不可能的任務，也凝聚了社長們的情感。也寫下光榮與輝煌的歷史紀錄，大家都於有榮焉，這是 2020-21 社長們的驕傲！

很幸運能在 2020-21 年度當社長，能認識這 75 位社長同學，永不分離的一群。因為疫情不能完成社長畢業典禮，但我們社長們約定了，等疫情穩定，一定要大家再聚完成社長畢業之旅！

第1分區

扶輪環球行——從台灣出發

逸天扶輪社／李振瀛 P Fisher

2020年7月1號我參加了3523聯合就職典禮，成為逸天扶輪社第六任社長；非常感動。現在那個典禮中使用的小蠟燭還在我的桌子上，經常照亮我的晚餐。還有一個瓷杯禮物，上面有我的名字，每天都在使用。這些都是我們總監DG Tiffany花了很多心血和努力，帶給我們的溫暖感覺。也謝謝AG Diana的帶領，深深瞭解到一群人的力量才能走得更遠、更久、更偉大。

我很幸運六年以前加入逸天扶輪社，成為創始會員。快樂的度過了幾年，跟隨前面幾位社長一起吃飯聊天，學習扶輪知識和嘗試做服務；感覺很不錯。

輪到當社長了，才發現我們面對的挑戰真不少，而且認真思考之後，我感覺到這個挑戰是全球性的，非常有趣。在過去兩、三年的時間，我也到全球各地旅行參加當地的扶輪社，做了些稍微深入的觀察。舉例來說，在德國杜賽道夫工業扶輪社，與當地的總監一起午餐，有些非常愉快而私人的溝通。後來又和我們的東京友社野田先生，去參加東京永田町的扶輪社，受到很友善而隆重的招待。

但是也可以觀察到歐洲的扶輪社，和美國的想法是不一樣的。我也記得我們全世界的社長 RIP Holger 來台灣演講，包括在德國的午餐會，他們向我說，只要照顧我們的社友，扶輪的組織自然就會成長，強調他們與美國扶輪社的想法是不一樣的。有歐洲風味！

我們這一屆扶輪社友，在我們過去幾年無心插柳的情況之下，竟然產生了非常有趣的結果。我們的社和衛星社擁有相當多的外國籍社友。有丹麥的老人照顧官員，日本的教授和健康事業主管，美國的醫生以及紐約專門做老人照顧的退休官員。這是因為我們前幾任的社長連續都在推廣一個大家喜愛的概念，就是「攜手共老、大家共好」我們把它付諸實現，意外的招募了很多國際的友人參加我們逸天社。他們都喜歡逸天社，他們都喜歡台灣！

當然連結這些國際社友的基礎，是我們提供了一個服務平台 Corn Soup，吸引他們的注意力和參與的決心。讓我們很驚訝的是這些優秀的國際朋友，加入我們的扶輪社之後，告訴我，他們以前在當地沒有人邀請他們參加扶輪社，非常有趣！

上個月 IPP King 與我向 PDG DK 分享這樣的故事，他認為這個是全世界的創新模式，在扶輪的聯誼及服務上，會有很大的貢獻。我們聽得都很高興，希望繼續向他請教。

我也在想扶輪社在各個國家裡面給人家的印象是什麼？影響力到底怎麼樣？大家重視扶輪社嗎？我們台灣的影響力可以大幅度增加嗎？

在這個全球最困難的時候，也許就是對台灣有最好機會的時候？我們可能要把資源整合起來，建立台灣扶輪社明顯的形象！我的淺見是利用我們台灣在醫療照顧，以及資訊科技，這兩項世界領先的項目上，結合起來幫助全世界，讓許多人得到扶輪社的幫忙。我們應該對整個的目標、系統工具、財務及人力資源的運用做一些調整，讓大家有感覺：「扶輪社在幫忙我們。」「Rotary can help.」

5 月中，台灣也陷入疫情風暴的時候，我們繼續吸引了希望參加服務的社友，包括大學的校長，長居海外的工學博士和家庭主婦。我想這就是最好的實證吧！

當然最讓我感動的還是，畢業的 6 月 30 日晚上我們一起守夜。我們的祕書長 DS Jenny 講了一段話，我很有回響。她說我們的總監 DG Tiffany 是很特別的，帶給大家快樂的時光，這是她以前沒有經過的經驗。對我也是一樣，我參加了演戲，擔任父親的角色，也去跳舞排演。感覺非常新鮮、快樂，希望有一點貢獻，永不分離。這就是我 2020-21 參加扶輪社的經驗。

第 1 分區

我只想低調 可是總監不允許

逸澤扶輪社／**邱琳恩 P Lynne**

你周遭是不是也曾出現相似的情境？

年輕時，女孩們聚在一起總是會半開玩笑的對未來的另一半開出洋洋灑灑的條件論。有人笑著說要嫁給高富帥，也有人喜歡濃眉大眼，當然也有人對單眼皮情有獨鍾，還會有人肯定說：我以後一定「不要」嫁給禿頭、大肚腩！可是 20 年後再聚，當年信誓旦旦說「不要」什麼的，怎麼都全中了！難道這就是所謂的「莫非定律」，怕什麼來什麼？ ^^

回顧 20-21 這一年社長生涯只能說是一次次在路途中與莫非相遇，一次次硬著頭皮走完一遭，從小不喜歡被人注視更不喜歡上台，工作中的我可以輕易游走在各國設計師品牌間，不管是開會、還是腦力激盪，都是游刃有餘。當一個設計師的圓夢家也是大家所謂的幕後功臣，我喜歡這樣默默的從旁努力，把所有可能的細節做到完美，更享受看到成果在舞台上發光發亮的成就感，但卻不習慣也不嚮往成為台上被大家關注的焦點。

但這一年，被總監半哄半騙半逼著一路走著，從幫小組整合撰寫生命故事再到小組排練與上台演出，還好正式演出時，我沒有嚇昏在大舞台上也慶幸沒有忘詞；至於個人表現或許在別人眼中差強人意，但對我而言，我又再次「被動式」逼自己與大伙們一起完成了一項不可能的任務！但我很感激這份半哄半騙的強迫（笑）所帶來的踏實感！

在忙了二個月，展演圓滿謝幕後，我終於有時間回歸社裡好好的學習做社長，在前社長群組的協助下，我們一起讓邁入第四年的逸澤扶輪社定調定案，有了共識，大家也在 RYLA（青少年領袖營）活動中見識到我們不同的做事方法，試著在轉型的扶輪中盡一分力。更努力尋找偏鄉中需要我們協助的對象，真正落實把每一分錢花在刀口上。

但忙著經營社務與帶社友出遊的同時，還帶著社友與姐妹社一起參加路跑，沒參加過任何馬拉松賽事的我，還是第一次從總統府出發，跑上封道的新生高架，一路看著圓山飯店漸漸逼近，再下高架過折返點，對於一個非運動咖的我來說，這——又是件壯舉！不過，這也是今年反毒路跑與往年不同的地方，不再只是跑河濱而是可以在市區奔跑。但你以為製作人出身的總監，做事只做前二個月嗎？那你就錯的離譜了，這個經紀約是一年，而且是在大家價碼沒談攏，就傻傻的一個口令一個動作的一一執行了！在你以為反毒就是跑趟馬拉松就結束時，總監不小心又心血來潮的要我們去信義區，宣導反毒民歌快閃……媽呀！五音不全要唱歌……而且還要去人來人往的信義區，唉、總監！你指名我當社長時，我真的只想要好好低調的做好這一任社長吶！沒想到是會如此外顯的修煉之路。

這一年，因為有你們，我把一生絕不會去做的事都做了，因為有你們，我的生活更加不同，因為有你們，哪怕因疫情困在台灣，我的日常一樣充實，生命更具意義，與你們相遇，今生之最幸。

第1分區

一起攜手種出扶輪公益森林

黃埔扶輪社／**許再森 CP Jason**

這是一個扶輪新創社，得到了地區夥伴及總監諸多關愛，一年下來社員成長率近 50%，參與及舉辦的活動超過 100 場，跟著 3523 地區大家庭走，黃埔扶輪社還有很多有趣及不可思議的故事正在發生！您，想聽聽看嗎？

從小到大，扶輪社就是我心目中公益社團的最高殿堂，如果說，手上資源有限，只有一桶水，您可能澆出一棵大樹，但跟著扶輪走，您就可以種出一片森林！所以為了這片森林，我和一群好友在今年度一起創立了台北黃埔扶輪社，老實說，除了能集中火力做很多公益，這一年，我們還都玩得很瘋狂！你能想像有一群人在台北街頭牽著一頭小山豬，走在街頭鄰里惜食送餐嗎？你能想像有一群音樂素人每週簡單訓練，就可以在半年內為愛公益上台薩克斯風演奏？你能想像有一群人僅管不諳書法，目前每週練習，計畫在來年春節為愛公益寫春聯募款嗎？為什麼我們把扶輪玩得這麼瘋狂？

因為我們的地區總監阮虔芷 DG Tiffany 更瘋狂！在今年，她所帶領的社長，要上台演戲，要上台秀舞，要街頭快閃高歌，還要出書！當我每次把新的不可能任務帶回社裡，一開始迎來的是社員心疼不捨，覺得社長，您辛苦了的表情，但在一次次愉快豐碩的成果後，每次新的任務訊息告知，換來的是社員羨慕的眼神，從他們眼神中，我可以明確感受到，他們知道能在扶輪這個大家庭是充滿歡樂的！是幸福的！

與人交往聊天，我最愛凝望著對方眼睛，對我而言，那都是一雙雙有夢想有故事的眼睛，透過交談，這些眼睛時而放光，有時暗淡，可能滄桑，或是自信！但大多時候我更是從這些眼睛看到了渴望及期待，看到了自己理當的責任。如何讓自己的社員知道，自己所屬的扶輪社是有計畫的，有質感的，是被祝福的？如何讓黃埔社員很幸福？如何讓黃埔社員扶輪公益作得更滿足？感謝地區提供了許多力量協助我們一直進步成長！老實說，一開始和我們明星總監是有距離的，但就是因為有這樣距離，讓我看得更加清楚，她大小活動充分授權但也事必躬親，她創意無限但也遵循扶輪禮儀，她強勢領導但也尊重傾聽，一年下來，心中有個念頭也開始發芽，我，也想成為這樣的人！加入扶輪，能和這樣的夥伴一起共事，何其有幸！

與人交往聊天，我最愛閱讀著您的眼睛，因為在內心深處，我也衷心冀望，您能好好看看我的眼睛，看看我眼中的您！看看我對您的感謝！看看我珍惜您的這段緣分！看看未來我們攜手公益，留下的美滿扶輪回憶！

文末，謹把扶輪公益得到的這麼多的愛及祝福，分享給我們這屆社長同學，衡陽社周書正社長 P Simon，祝福您早日康復，別忘了，我們這群 20-21 社長們仍等著你歸隊！

第1分區

關鍵的那一夜

逸新扶輪社／陳又新 CP Alletti

加入扶輪社三年多後，因緣際會之下，我面臨非常極端的選擇，那一夜，我或者選擇就此離開扶輪，或者選擇承擔起創社的責任。

我出身平凡，父親是個職業軍人、母親是個全職主婦，在那個年代，跟多數人一樣，一年吃個一兩次餐廳就算大事的家境，絕對稱不上富裕，但也不至於匱乏。家中恰巧沒什麼親戚從商，所以也不曾有過參與社團或其他人際往來的經驗，對扶輪社的認識，來自學校裡偶爾會看到的獎學金資訊，對年幼的我而言，那是一群富有善心人士才能參與的團體，與我的距離太遠，是個只能仰望的存在。

離開校園、從事律師工作後，因為花了非常多的時間在專業領域上，少有機會參加社團，因此，雖然覺得似乎需要在工作的專業領域之外，尋求更多成長與學習的機會，但也把參與社團放在較後面的順位。

直到 2016 年底，因為一位客戶的引薦，我參與了扶輪社。當時參與的扶輪社，人數較少，大約只有十多人，十多位社友中會實際參與例會的人更少於十人以下，例會並沒有特別的程序，也不一定有講者演講，比較像是社友間的聚餐，偶爾會安排出遊，讓社友間凝聚情誼。

這樣的聚會，自然較難吸引新社友加入扶輪社。雖然社友彼此間的情誼不錯，但社友人數衰退，加上社務沒有規範的缺失逐漸浮現，我也面臨了是否要離開扶輪的選擇。

就在那時候，還有意願留在扶輪體系的社友，輾轉找到了總監阮虔芷女士 DG Tiffany，希望她能給予建議或幫助。

DG Tiffany 當時對我們面臨的困境感到不捨，也很明確地讓我們知道，我們過往面臨的問題，其實不是扶輪該有的樣貌，她不希望我們懷抱著對扶輪的失望離開，如果我們還有人願意參與扶輪，她希望我們能考慮參與她正在籌備中的新社，認識真正的扶輪。但那是個如此極端的選擇，一是就此離開，一是要投入更多時間精力去參與，那一夜，不，那段時間的每一夜，我都輾轉反側，難以入眠。畢竟，我們自身並沒有做好創社的準備，而我們也沒有與其他扶輪先進或其他扶輪社間的交流作為支撐，毫無疑問地，創社是個比離開要艱難許多的決定。

但決定的作成，往往不是思考的結果，是社友期盼的眼神，是 DG

Tiffany 與輔導社逸仙扶輪社諸多先進堅定的支持，讓我鼓起勇氣，承擔起創社的責任。

創立台北逸新扶輪社後，透過參與 DG Tiffany 的諸多計畫，諸如：社長展演、地區年會舞蹈、國際領袖論壇主持、反毒路跑、反毒民歌快閃、反毒校園宣導……等等，我們開啟了與過往完全不同的扶輪體驗。

透過扶輪，我們真的體驗到友誼的建立，我們在短短的時間內，就從 75 位社長同學及各社身上得到滿滿的鼓勵與溫暖，創社典禮上的出席鼓勵、參與各項活動時總是被關懷著、被照顧著，我們不再感到邊緣與孤單。

透過扶輪，我們感受到對社會的服務、貢獻與驕傲，我們不只是吃吃喝喝，我們成為扶輪力量的一員，我們著實對社會有所貢獻。

透過扶輪，社友的人生與事業能有所成長，無論是例會的講者、地區各項活動、論壇、講習帶來的知識，又或者是透過參與扶輪活動而學到的工作方法，在在都讓我們不只投入扶輪，更有所得。

直至今日，創社這個選擇，仍然持續讓我感到莫大的責任，我無時無刻不是戒慎恐懼、如履薄冰，我的社友快樂嗎？逸新社的運作能永續、健全嗎？地區、分區交辦的任務，我們能盡力完成嗎？

但回到那一夜，承擔創社的責任，仍會是我堅定的選擇。

第2分區

社長要認真，社友才會當真

西南區扶輪社／楊長峯 P Ares

我的 20-21 的西南區扶輪社長之旅在波濤洶湧的 COVID-19 疫情下開展，而在滿滿的感動，感恩和感謝的心情下，緩緩在生命中烙印下不可磨滅的一段經歷。

回顧被選為社長當選人時，對接任一個 44 年的西南區扶輪社心中充滿惶恐，這是個擁有歷史榮耀和社友年齡層跨越 40 歲差距的社團。然而，在社長當選人訓練營（PETS）中，總監 Tiffany 的一句話「社長要認真，社友才會當真」，點醒了我對社長責任的初衷理解，讓社長任期期間有了明確目標和方向。

總監 Tiffany 在 PETS 向社長們宣告：2020-21 的 3523 地區不會追求創社數量及社員大量增長，而是希望社長能照顧現有社友需求以鞏固社的穩定發展，只有穩定的社才會有實際的社員增加，並告訴社長們「社長要認真，社友才會當真」。在 PETS 期間並安排大熊老師課程，讓本屆任期的所有社長在兩天的期間內變成一整個團隊。其中，藉由分享每個社長的生命故事決定了前所未有的 3523 地區社長展演的大型社會服務，裡面的故事有喜怒哀樂的人生縮影，並讓所有素人社長有機會站上表演舞台。在不斷的練習排演中，社長們的衝突妥協合作，也讓本屆的社長們變成一輩子的家人朋友。

在社裡的前總監 PDG DK（策略長）指導下，我們成立了西南區社的策略發展委員會，開始將社的資深前社長，現有團隊及未來可能接班的社友定期開會，從認識西南區社的歷史，建立社裡的文化和價值到未來的發展規劃，我們逐步確立了 45 及 46 屆社長當選人，47 到 49 屆的社長人選，及 50 屆社長人選，當然還有討論社的核心價值，如何凝聚老中青社友的向心力及各屆預估想做的職業交流和社會服務。

回顧我交給大熊老師的人生故事，雖然沒有登上舞台演出，但是自己在列了下列領導經驗對自己的影響：領導者的地位是需要爭取並非與生俱來的；

⑴ 權威的建立是領導者必經的過程；

⑵ 初次建立的經驗通常是交易式領導（transaction leadership），只有在歷經學習後才會產生轉型式領導（transforming leadership）；

⑶ 做爲一個管理者，要能愼思明辨單位的報告並確實身體力行的驗證結果；

⑷ 跨部門的協調需要更深入的溝通，主管要學習傾聽下屬的聲音而避免直接提出指示；

⑸ 沒有人對各種專業知識都精通，做爲管理者至少要有通才的能力以及邏輯思考模式才能做出比較正確的決策；

⑹ 錯的事情執行到底，只會讓錯誤更放大。

經過這一年的社長任期，我也透過上任前寫的自己的生命故事中，淺移默化的逐步修正社長服務態度和處理事情態度，也因為有這麼多前輩，社長朋友和社友們的提醒同行，讓我擁有這麼精彩的扶輪經歷，感謝扶輪為我打開機會而有了新的眼界及學習。

第2分區

平凡社長——英雄之旅

健康扶輪社／**吳第明 P Damon**

「1991 年我當兵退伍……」，舞台上社長公益展演的第一句台詞，道盡我長照人生故事的開端，從撰寫開始，踏上迅速翻頁尋找人生各個重要事件轉折的步履，彷彿人生再活一遍。

記憶力一直不好的我，除了收集壓箱資料、尋找電腦舊檔、拼湊出前半生模糊的記憶，也要背出劉長灝導演安排的劇本台詞。蕭敬騰的「王妃」在我六年長照協會理事長期間每年巡迴全省各長照友會演唱數十次，但我從未記住歌詞，可想而知，這次背台詞的工作對我來說有多辛苦；起初一直最被大家擔心背一句忘兩句的我，最後讓 Tiffany 總監及劉導演印象最深刻的竟是「第一個丟劇本的人」。

回想起來，宣揚正向的長照理念與翻轉各界對長照負面印象，正是我這十年以來的使命，本屆扶輪社長任內得以親自上台演繹，是我獲得的第一個禮物，才瞭解上天安排的精妙神奇。

第二份禮物是每每需要幫忙出席會議、及鼓勵公益捐贈、參與社會服務時，收到滿滿的支持，從 PDG、IPP 及 PP、社友們前一年度任期就開始幫忙努力耕耘下，本屆社員人數增幅超越我預期，從20位成長到29位，多年好友慨然熱情入社，PP 及社友們紛紛引薦新社友，甚至其他分區的助理總監也幫忙介紹新人進健康社。主辦二分區的聯合淨灘活動創下本社出席率最高的紀錄；地區聯合捐血活動，許多好友獻出人生首捐的紀錄。「花若芬芳，蜂蝶自來」，以親力不懈的方式、公僕服務的態度，學習領導與被領導，讓 16 年的社團從穩定凝聚注入青春血輪，這一年，重新認識了扶輪社、也重新認識多年的老友。

健康扶輪社是個小而美的園地，初入本社的印象是大家都很照顧我，即使習慣沉默寡言，即使只知道低頭吃飯；從參加其他友社活動中，真正認識本社社員受人尊敬之處，從本社、分區、及地區領袖們身上見識到不凡的風範，是我收到的第三件禮物。

當社長後才真正瞭解扶輪社，劉導演說的「英雄之旅」讓我心有戚戚，從原本單純餐會的扶輪概念、到社會服務、相挺支持、溫馨感動的扶輪、昇華到一輩子友誼與家人，不僅凝聚社內活力也獲得跨社的友誼。因總監阮虔芷的鮮明特質，讓本屆社長同學經歷演戲、舞蹈、快閃歌唱等跨界公益演出機會，社長變藝人是同學們空前的共同經歷，串起彼此不凡的友誼。

擔任 365 天的社長，應該能寫出一百篇連載，扶輪的一切不凡體驗從決定擔任社長起，開始步入扶輪英雄之旅，與社友一起寫下健康扶輪、精彩絕倫的人生新頁。

第2分區

Rich No. 2 的五個禮物

高峰扶輪社／**吳承鴻 P Rich**

上任之前，走訪了 PDG Gary，我們高峰的媬姆，他送了我「放空」二字，他說：你很棒，所以，更要學會放空，「扶輪讓你學習、學習讓你成長」。當時，感受到的是 PDG 的勉勵，但用了大半年，才體會三、四，學會一、二。其實，最初的第一個大問題就是「要先放空那個」？現在，我知道了。

「Rotary Opens Opportunities ——扶輪打開機會」，其實說的就是 Be Open & Open yourself，自滿的自信是會把自己封閉的；這是扶輪給的一個大大機會，是一輩子的功課，因為，自滿的自信總是春去春又回。這是我收到的 1 號禮物。

「Lead by example ——以身做則」，很難，更像是個標語，但總監 Tiffany 讓我「親眼見識」到了。Tiffany 該是個十指不沾陽春水的夢幻名字，跟「務實」應該是低度連結，我曾經問過楊士藩大哥，他說，總監是個很「專業」的「製作人」，我本以為他會說是「大明星」。次次的早到晚走，每每的事必躬親，沒有意外，這個完美讓我有了深刻的體會，什麼是「實踐主義」。更重要的是，我看到了精神、見識了方法！相較之下，我實在是太容易「放過自己」，就一個「服」字，這個 2 號禮物，收下了。

3 號禮物是「用心地做足準備」，無論是 50+ 套演講本、Tiffany 藍的社長牌、有名字的杯子，親手寫的卡片……等等等。做足準備已是少見的難得，有心、有溫度才會更有「FU」，這是一直以來，以「目標導向」為偽裝的自己，所遠遠不及的。現在的擔心的是「連一成都很難學的像」，沒關係，「慎始」為要。

「扶輪四大考驗 – 是否一切屬於真實」，一個口號中的口號，但確確實實是我的 4 號禮物。不知何時起，我開始用「是否一切屬於真實」來做標竿，用看人、事、時、地、物。不真實的「人」不放心，不真實的「事」不長久，不真實的「時間」是短期，不真實的「地」有危險，不真實的「物」不是你的。是當下的一種靈動，很好用，真心推薦。

這就是 Rich No. 2 的由來，「Be Open」，不否定過去、不以「減法」來修正自己，而是以「加法」來豐富未來的自己，如果，每年可以多一個 Rich，那將是我的美麗人生。我相信，Rich No. 2 仍然「瑕多於瑜」，所以，敬請期待 Rich_No.3。

來自同學的 5 號禮物：「我活著」。

與同學 Carol 僅是點頭之交，但她帶來的力量，卻是始料未及且恆久強大的，一切從 PETS 開始，一直都不會結束……

「我是幸運的，所以，我存在。」

「我是幸運的，所以，我在扶輪。」

「我是幸運的，所以，我應該做點什麼。」

我將協力社友一起將「台北市高峰扶輪社」打造成「服務導向的扶輪社」，公益和服務。今年 6 月在與 PE Ruby 和全體社友的努力合作下，高峰社預估可捐贈了兩座篩檢站，我們目前社友 16 人。

一切的一切，皆有安排，渺小迷茫的我，盡心而已。

我不是英雄，只是踏上了英雄之旅，大夥，旅途見！

第2分區

其實我只想演一棵樹！

永康扶輪社／**蘇真 P Isa**

擔任社長的這一年，雖不至於跌跌撞撞，但一路走來，好像一直在驚嚇中度過！

未上任前的某天得知，我們這屆的社長要上台演舞台劇，是有售票的哪種（二場演出捐贈收入扣除演出費用結餘捐贈財團法人台灣癌症臨床研究發展基金會）、是大型舞台、有專業燈光音響的那種！當下先是愣住，然後OS：「什麼？！不會吧，別開玩笑了……」心裡立馬跑出一萬個不可能成行的理由：我們社長同學有70幾人耶、怎麼可能把大家全部湊在一起啦！大家平常都忙成哪樣了，怎麼可能還有時間排練啊！我們又不是專業演員、又沒受過訓練，怎麼可能演戲啊！我們又不是知名藝人，誰要來看啊！平常致詞稿都快背不出來了，怎麼可能背台詞啊！這是舞台劇耶，不能NG重來的！……然後說服完自己後，覺得沒錯，就是這樣！這個任務是不可能的，應該沒多久就會宣佈展演取消了吧！

沒多久後，接到電話，心想，是吧，取消了對吧！「什麼？！，要我們交劇本！不會吧……」我的頭皮開始發麻，不但真的要去演戲，連劇本也要我們自己寫！這……這真的玩太大了！拜託讓我演路人甲就好了，好嗎？！

這是個社長生命故事展演，每個故事都是社長們親身的經歷。總監把我們分成六組，我的這一組總共有九位社長同學。說書人有三位，所以我們其他六位是演他們三位的故事。

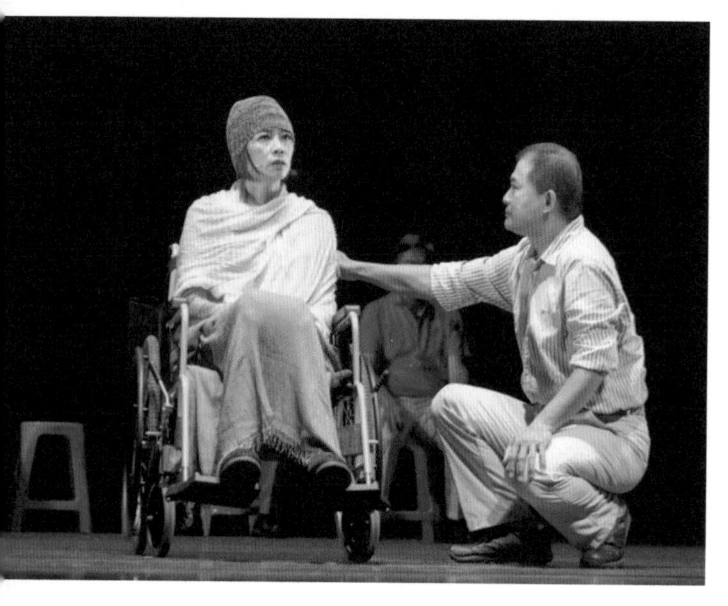

跟導演碰面的那天，大夥兒來到了會議室，心裡戰戰兢兢，拜託拜託給我一個路人甲的角色，要不演一棵樹也行！很奇怪，通常在這種時候，許的願都不會成真。我被分配到飾演 Jerry 社長的前妻 · 蘇菲。好，因為扣除說書人，我們這組只剩我一位女生，扶輪精神是不推不辭，總不能請我們這組其他男生社長飾演前妻吧？！只能硬著頭皮答應了！

拿到修訂好的劇本後，開始我的背劇本之旅！「一個朋友啊！怎樣？」、「還好吧？」、「他、他是我以前的……男朋友」、「然後……然後……我說：好」、「Jerry，我很抱歉……」「愛你的蘇菲！」……這，這，蘇菲的台詞也太多了吧！

就在我努力背台詞的某天，我又接到了電話。「Isa 社長，我們

Damon 社長的生命故事，需要有一位女生來跟他一起演。」「可是我已經演 Jerry 社長的前妻了耶……」「你們這組沒有女生了，非妳莫屬，就是妳了哦，麻煩妳了。」「噢……好吧。」「太好了，這個角色叫阿柑姨，她 92 歲！」「什麼？！ 92 歲！你再說一次！！」

就這樣，一連串的驚嚇，一連串的「什麼？！」，我一人分飾兩角：天真可愛無法抉擇的蘇菲和長者風範 92 歲的阿柑姨！

舞台劇是真槍實彈的，所有的台詞，所有的走位，所有的音樂、燈光、背景、布幕、道具，分毫不差、秒數精準到位。連每一位演員的麥克風都是有編號、不能拿錯的，因為每人的聲線不同，需預先調整測試好、鍵入電腦，以利演出時呈現最佳狀態。

經過了無數個排練的夜晚與週末，來到了上戰場的時候了。其實上台前真的是會發抖的，演出的過程中，你聽到觀眾回饋的笑聲時，就會放心不少。演完後也會有一種通體舒暢的感覺！

記得謝幕後，我從後台走出來要跟社友們打招呼並表達感謝時，沿路一直被攔截下來，「她是蘇菲嗎？！」「是蘇菲耶……」「啊！蘇菲你等一下你等一下！」「蘇菲好好笑哦！」「我要跟蘇菲拍照！」「怎樣？呵呵呵！」「蘇菲！蘇菲！」「阿柑姨！？」「所以她也是阿柑姨耶！」「很誇張耶，你怎麼一個人演兩個角色！」……還有人在我從二樓搭手扶梯下樓到一樓中庭時，對著空氣大喊：「蘇菲我愛你！」我 OS：「什麼？！誰！也太誇張了吧！」

我想這些回饋就是舞台劇的魅力吧！

感謝 Tiffany 總監製作並規劃了這個社長展演的活動，讓我們人生有不同的視野！感謝導演劉長灝老師的指導，您的親切幽默讓我們可以很自然的與您互動，您的專業讓我們這群素人可以站上舞台，體驗不一樣的人生！

感謝社友們的支持給予我服務的機會！感謝我先生這一年的愛與包容！

原本只想演一棵樹，最後不得不一人分飾兩角，除了驚嚇，也有驚喜！人生不也是這樣，但經過消化、吸收、轉化，也能成為永遠的養分！感恩所有的一切！

第 2 分區

從台下的觀眾席蹬上 T 台走貓步

南山扶輪社／**蘇逸修 P Joseph**

這是一個看秀觀眾，被推上伸展台當麻豆，走了一年貓步（catwalk）的故事。

故事主角的人設如下：蘇逸修，也就是大叔我，1974 年生，跨國法律事務所合夥人、公職補習班看板教師，近幾年為了教育念小學、初中的兒女，更親自下海拍視頻，成為時下流行的「自媒體（UP 主）」，如今在海峽兩岸都有不俗的流量和知名度。

由於斜槓到無可救藥，我經常被客戶、同仁戲稱為朝九晚九、每週工作六天的「九九六一修大叔」。那麼，忙碌如我，又怎敢擔任 2020 至 2021 年的南山日語扶輪社的社長呢？理由很簡單、也很粗暴：在一個推杯換盞、酒酣耳熱的夜宴裡，本社的前輩誇了我幾句，隨口問道：「願不願意當社長？」當時已經喝到「半彌留」狀態的我，下意識地回答「好」，「慘劇」就這麼發生了（笑）。至於，我對這個決定有沒有一絲後悔呢？本文的最後再告訴您。

一修大叔是在 2011 年，也就是南山社成立當年成為創社社員，本社的例會是隔週二的晚上 19：00 敲鐘開會。由於我是一個跨國商務律師，客戶多半是日本、台灣的上市企業，此種執業路線的特色是「必須配合客戶的需求，隨時開會、回 mail、調研」，加班到深夜是家常便飯。從而，多年以來，我幾乎不可能準時出席例會，社友對我的印象也總是「Joseph（我在扶輪社的 nick name）很忙，晚上 8 點以後才會出現」，偶爾 7 點多簽到，大家甚至會感到「驚喜」。

不過，2020 年 7 月 1 日我就任社長起，情況便不同了，受到責任心驅使，我成為每次例會最早到場 stand by 的人，例會結束再留下來結帳、善後，也是最晚離開的人。然而，那年，事務所的工作不但沒有減少，反而在新冠肺炎的影響下業務量大增，於是，我經常是在晚上 10 點離開扶輪例會的會場後，再回辦公室加班到凌晨，這種披星戴月的生活是我擔任社長那一年的真實寫照。

除了主持例會，並舉辦桌球賽、登山健行、社慶等各種社內活動之外，需要由社長親自參與的社外活動遠比我想像得更多。2020 至 2021，一修大叔出席的跨社活動至少有反毒路跑、全國高中職日語配音比賽、聯合捐血活動、日語授業校成果發表會、地區年會、二十幾個友社的社長首敲和週年慶、向數個日本友好社以視訊演講……。其中，佔去我最多時間的是

2020年8月26、27日，我和3523地區其他61位扶輪社社長，在台北市政府親子劇場共同演出的「年輪交錯的黃金歲月」公益舞台劇了。劇中，我飾演「主角的同事」與「里長」二個角色，為求盡善盡美，連續二個月，所有演員每一週都要抽出二到三個晚上或下午集合排戲。一修大叔不是一個怕苦畏難的人，然而，我的二個小孩，女兒國一、兒子才小三，正是最需要父親陪伴照顧的時候。從而，為了投入各項扶輪活動而不得不「拋家棄子」，是我擔任社長期間最難受的事情。

除了時間被極度壓榨外，擔任扶輪社長還有什麼特別的體會嗎？參加過Fashion Show的朋友肯定明白，T台下闇黑一片，觀眾之間其實看不清彼此，然而，一旦從台下步上伸展台，站的位置高了，你會發現視野豁然開朗，你不僅抓得到整個秀場的全貌，也能catch台下每一幅表情，斯時，你已不再執著於某位或某幾位觀眾的喜怒，因為你再明白不過：這場秀是為了全體粉絲而走。扶輪社的社員當上社長，正如同一個多年看秀的觀眾，從鎂光燈掃射不到的台下，蹬上T台走貓步（catwalk），在耀眼的聚光燈下，台上台下「人」的世界，從糊成一片的480P，倏地切換變成高清4K。如今，在T台上的你終於覺察，你未曾特別留意的社友，竟然默默地貢獻了那麼多心力！你也清醒了，你尊敬、欣賞的人，原來沒把你當朋友。走在T台上的扶輪社長，感受、承受著台下的各種目光，支持你的朋友、粉絲擔心你跌倒，看壞你的敵人、黑粉則擔心你不跌倒。社長該做、能做的是，不管觀眾捧不捧場、那怕稀稀落落，都要安頓好前台、後台，穩步地把這場為期一年的秀好好走完，讓每個支持我的社友得到最好的服務。因為：一修大叔既然承諾要做社長，就要做到最好。

行文至此，相信已經讓不少對「扶輪社社長」這個頭銜抱有期待的讀者，心都涼了半截（笑）。Don’t worry，當社長還是有值回票價的一面。

平心而論，要擔任扶輪社的社長，必須具備三個條件：一、人和，在社內獲得大多數社友的肯定和支持。二、事業上已取得相當的成就，否則難以扛起一個社的門面，也負擔不了遠多於一般社友的捐款和金錢支出。三、最重要的，要有一肩承擔的責任心和服務熱忱。一修大叔出社會多年，或許機緣不夠、抑或沒有適當的媒介，我總感到結交朋友很難、很慢，但2020至2021年間，拜擔任社長之賜，我一下子結識了同為3523地區、擁有上述稀缺條件的70幾位社長同學，這是何等難得的事情？一修大叔一向不拍馬屁，我必須讚揚當屆的總監DG Tiffany阮虔芷女士，因為她無以倫比的熱忱、無微不至的貼心、無孔不入的Line簡訊（笑），把七十幾條原本平行的人生，牢牢地栓在一起，害我們突然多了這麼多損友與壞同學，這筆帳，我們不但會慢慢地向DG Tiffany討、也會一筆一筆地還她。

文末，回到最初的問題：「一修大叔後不後悔接任南山社的社長？」這不是「是非題」，而是「複選題」。站在一個扶輪社員的立場，我衷心的建議：進入扶輪社，一定要當過社長，否則你永遠都是T台下的觀眾。但，從二個稚齡孩子父親的角度，倘若當初知道擔任社長要犧牲這麼多陪伴家人的時間，我必然會推辭，等到小孩上高中之後再說。Anyway，「人生沒有後悔藥」，2020至2021，這苦樂交織的一年，已滲入我的血、刻進我的骨，成為我生命中最珍貴的回憶。

第2分區

當社長是更高級的 EMBA 課程

好望角扶輪社／陳科引 P Alf

我印象最深刻就是上 PETS（社長當選人訓練研習會）的課程當中，有一個學習內容，就是要讓全員跟上。其實我也經營了好幾年的公司，也帶了不少的團隊，我的習慣就是若跟不上的員工就請他們離開，而跟的上的員工們就跟得上陪我繼續拚。雖然很容易換了好幾批的員工，而我認為十分正常，符合現在社會的規律。

其實當時成為社長當選人，去上社長必修課「PETS」（社長當選人訓練研習會）之前，我當時心理思維十分陽剛，發現什麼都想要做，相信很多人剛當上社長也有很多類似的想法。很多社長們當完他們那一屆後，有些人難過，有些人失望。其實，最大的缺點就是完全沒有考慮到社友們是否有能力可以接的上跟得上。這往往是很多社長的迷失。

沒錯，接扶輪社社長的感覺，其實很不一樣，你帶領的其實不是員工，而是有支付社費，想要做公益，相信社會可以更好的簡單的人。他們不受公司法的約束，而是那種心連心的道德使命感，將大家連在一起的感覺。

而很高興的，在 PETS 上課的當天，解決我了最大的疑惑，而讓我在今年當社長的期間十分的放鬆也可以讓整體社友們很有心的凝聚在一起。而結果是，社友們也因此很樂意的接棒傳承，讓好望角扶輪社持續走下去。

PETS 讓我上的一堂課：「一個慢動作的領導哲學」。

領導學是一門要如何帶領大家的學問，

那麼不脫隊並且妥善帶好則是很需要技巧，

而其中的奧妙，竟然是「放慢步驟」。

上課當下，我們互相模仿彼此，一個人主導，一個人當鏡子模仿對方的動作。5 分鐘內互相轉換。感覺是很容易的動作，但內藏了極度簡單且深奧的哲學，點破了我對領導思維的迷失。

如果主導的那個人越快，動作越複雜，那麼「鏡子」就很容易出錯。若主導的那個人越慢，動作越簡單，則「鏡子」就很容易跟上，且準確率高。試想我們老闆都是主導，而員工們都是要服從我們命令的「鏡子」，我們一旦放慢了腳步，就可以讓所有的員工，學習老闆的機會越高，而且越來越有安全感。

再進階一點，隨著鏡子模仿的能力變強，越有信心時，主導者用更複雜，更快的速度來讓「鏡子」學習，鏡子毫不費力的同時，更可以用再觀察，並模仿主導著的心情，呼吸頻率，精神狀態，甚至快接近一體感。

這就是領導課我至今忘不了的慢哲學。

這毫不保留的用到在我公司上，員工離職率為 0，上班滿意度高。

後來聽到西南社楊長峯社長 P Ares 大師兄分享說，這是他們 EMBA 花了好幾百萬學習的課程，而沒想到我們今年社長運氣這麼好可以學到。

目前評估到現在，這個能力，真的是值得這麼多錢！如果領導方向錯的話，會讓相信世界更好的人更難過而離開，而領導方向正確的話，會讓世界更好的人更有安全感。更有信心的面對更重辛苦。

這不就符合我們社長們的職責任務嗎？

第2分區

原來玩扶輪，真的會上癮

瀚品扶輪社／**張宏毅 P Jerry**

曾經以為遙不可及的扶輪，就這麼懵懵懂懂地進來了。常聽人說：扶輪人就是出錢、出力、出時間，在未擔任社長之前，總是有一種在戲台下的感覺。短短四年的扶輪資歷，帶著社友們的信任，帶著感謝與回饋的心，開始了一年的社長旅程。沒想到的是，在成為社長的那一刻，一切都變了。

「社長，辛苦啦，這一屆的總監很認真啊。」「總監認真，社長當真！」字字句句都還猶然在耳，反之，扶輪先進們的鼓勵一路以來卻從沒停過。「那麼忙還有空參加扶輪？還當社長？」扶輪人，多的是社會上的菁英，而這個社會，更缺的是一份參與的心與力。這世上，沒有白念的書，沒有白走的路，只有白活的人。社長上任時宣言中的一段話：扶輪給了我們一滴水，我們就要給扶輪一條江。3523 地區給我們一片空間揮灑，我們就要期許能還給 3523 一片燦爛。我決定將這一年的任期把自己當作公僕，來盡力回饋給社會與社友們。

從還沒上任前就得完成的生命故事、社長當選人訓練研習會（PETS）、感覺無止盡的社長展演練習，一直到震撼人心的社長展演舞台劇、地區年會上台唱德國國歌、舞蹈表演、甚至是街頭的快閃活動，一連串的活動讓我忍不住覺得我當的不是社長，進入的是演藝圈啊！在每個公益活動之間，又穿插了淨灘活動、捐血活動、惜食廚房送餐、反毒路跑、扶輪公益網媒合、社內的各種公益活動，甚至是分區的公益活動支援等等的社會回饋活動，一轉眼的時間，任期就到了。

人生在世，只有走出來的驚喜，沒有等出來的光芒。只有頂天立地的傲骨， 沒有行險僥倖的嬌貴。扶輪宗旨一直都是做中學，學中做，也只有你親自參與了，才能從中學習到。等社長做到卸任時，才會猛然發現還有很多事情可以做得更好。任期之後的 IPP（甫卸任社長），更是要能把過去的經驗，不論成功或是可以再提升，都能提供給下一屆社長更多的養分。

2020-21 年度扶輪的主題是「扶輪打開機會」，謝謝扶輪給我機會，讓我站在巨人的肩膀看世界，讓我不論在思維還是視野上，都因為心打開了，自己也提升了。這一年，3523 地區 75 位扶輪社長、75 位兄弟姊妹一起所做的事，肯定是我一輩子能說嘴的事。更棒的，我多了 74 位兄弟姊妹！扶輪這個癮，不只過癮，更讓人上癮！

相信我！我是被逼的

華南扶輪社／何子翊 P Brian

加入華南扶輪社至今已超過 10 個年頭，每週出席例會吸收每位主講人的人生經驗，與社友聯誼交流讓我這些年成長又充實，常覺得與華南社優秀的社友同行為榮，以當一個幸福的新社友為樂。

總以為這樣平靜幸福的日子就如此便好。

心想接任社長在我身上是不可能發生的事，越是不想就越可能發生。這就是傳說中的焦點法則。

之後在幾位前社長的深切溝通答應下接任第 36 屆社長職務，因為再不接就開天窗啦！就這樣被逼著上場。

社內大哥們都是事業有成人生成就頂峰，反觀自己也只是一個平凡人，如何能擔此重任，而因為前幾年新社員加入較少，在臨危受命下答應接任第 36 屆社長。回家還跟老婆大人爭取好久，差點被趕出家門……

雖然入社多年，但是從未認真瞭解社務，也不瞭解擔任社長該做些什麼事。就這樣懵懂前進，摸索學習，幸虧有社祕小琴的幫忙，以及諸多社友前輩的協助，慢慢的前進摸索中。

接任前參加了幾個友社的社慶活動，不看沒事看到嚇一跳，每位社長會訂定年度主題，還能載歌載舞，十八般武藝樣樣精通，既興奮又緊張原來還能這樣玩！又學到一招了每次活動都有不同的收穫。每個社都是寶藏，學習不完。

還記得在總監號召下開始為社長展演準備。

我一開始覺得懷疑人生，

我怎麼可能站在舞台上演戲？

我的故事過於平凡有什麼值得拿到舞台上表演的，幸好在綠光劇團大熊老師的指導下開啟了一個新的挑戰。

演戲這件事看似輕鬆簡單，其實難的不得了，先是要找出自己人生中最特別的事情來演，光是劇本就寫了好久，感覺就像回憶錄一樣，從出生開始寫每一年發生的事情，從沒記憶寫到有記憶，從年少寫到壯年的現在，邊寫邊回想不知不覺走過了 48 個年頭，許多事都回憶上心頭，年少的我對於人生懵懂，青春的我血氣方剛不知死活，第一次正式的工作賺錢的不易，第一次失戀感覺世界末日，第一次迎接孩子的到來的喜悅滿足。

從回憶中走來發現生命都在美好及不美好的日子裡度過，也淬鍊出今天的成熟自在樣子。

大熊老師在這麼多歲月片段中要我們找出最令人難忘的回憶，我想這是最難的，因為發現每個時刻都很值得，也發現原來認真過的生活值得自己細細品味。

如果問我在這一年當中最令人難忘的回憶是什麼事，我會毫不猶豫的說是：「拜訪義光育幼院的捐助之旅」。

有幸在今年擔任華南扶輪社社長，因為捐助走訪許多育幼院、關愛之家發現到許許多多感人的故事，在這裡我就分享一個關於義光育幼院的故事——「育幼院門口電話亭的由來」。

創立於國民政府遷台的那個年代，當時的民生物資都是非常的匱乏，創辦人常常發現許多孩子被遺棄在垃圾堆水溝裡，而其中有一些更是肢體殘障小兒麻痺，就在這樣的時空背景下創立的這樣子的一所育幼院，收留著軍警因事故遺留的孤兒，更多是警察局送來被遺棄的嬰兒。

在這裡最多曾收容過 500 多位小兒麻痺的院童，而創辦人不惜變賣家產只為照顧這些無家可歸的孤兒，不僅照顧他們的生活起居還要為他們辦理學校教授他們的生活基本的能力。

我記得義光育幼院長曾經分享過一段話：育幼院外永遠有個電話亭，當你走投無路時，別把孩子扔在垃圾堆，請放在電話亭，打通電話，我們會把孩子接回來……留一條生路給孩子。

人間有愛，把愛留人間。

雖然這個年代已經比較少有棄嬰這件事情了，但是這樣子的義舉，電話亭一直留在育幼院的門口，或許不斷的提醒著我們，永遠留一個機會給無路可走的人你的心中是否也留著一個電話亭給身邊需要的人呢？

走過許多的育幼院及社服團體，這是最令人難忘的一件事。

最後我想說的話：

一開始抗拒這個又愛又恨的社長職務進而慢慢的接受，雖然過程中很多不如人意，也曾經一度生氣爆炸想要辭職社長職務甩鍋不幹，到後來又乖乖的忍住脾氣，耐住性子繼續幹。

當別人多麼的羨慕我們華南 80 人的大社，只有自己知道當家有多難，寶寶心裡苦但寶寶不說，未來就讓這些苦和難沉澱成為未來的養分，期待下屆社長能更快的近入狀況，該挨的子彈我都挨了，該衝刺的改革我也幹了，反正不怕死的最大……

其實還有好多事情沒做完，剛開始推動的文化，剛建立的氛圍，唉！可以體會壯志未酬身先死的心情……亂說的啦！

總之社長職務只能幹一年，想續任也不行……盡情揮灑生命的價值，全心投入，老天總會給我們一個美麗的回報。

至少我敢說：我沒有愧對這一年！哈哈哈！

第3分區

這一年，扶輪真的為我打開機會

華陽扶輪社／**陳威光 P William**

▶▶ 扶輪打開機會，把握時機改變

很榮幸在 1999 年 6 月加入華陽社成為創社社友，但也抱歉拖了這麼久才擔任第 22 屆社長來服務社友。成立 22 年的社團，經過初期的篳路藍縷，中間的成長發展，逐漸進入穩定階段，是需要轉型與創新

的時候。PETS（社長當選人訓練研習會）之後，深入思考國際扶輪的年度口號，「Rotary Opens Opportunity」（扶輪打開機會）的深層意義，定調這一年以凝聚社友及傳承發展為主軸。因此，首先就是讓例會的型態多元，每個月的第一週週六是家庭日例會，由華陽的寶眷主辦，鼓勵闔家參與，增進社友家庭間的情誼。除此之外，每個月一次「扶青之夜」例會，由扶青社主辦，讓社友們有機會接觸年輕世代所關心及感興趣的題目之外，也拉近扶青社與母社的關係。

▶▶ 想要達到目標，靈感就會出現

談到如何進行傳承發展，就需要提到 2021 台北國際年會。2020 年 5 月上任前，正在苦惱如何鼓勵大家報名 2021 在台灣舉辦的國際年會，一位前社長曾這樣的提醒我：「如果你想說服社友寶眷們參加國際年會，應該試著讓大家瞭解參加國際年會的意義……」。商業宣傳上「見證人推薦」的做法給了我靈感。感謝總監阮虔芷 Tiffany 的協助，我得以訪問到 4 位參加過 1994 年「乾杯在台北」國際年會的扶輪前輩，並以錄影的方式，記錄他們對台灣第一次舉辦扶輪國際年會的回憶與看法。這些影片產生了一定的效果，促成華陽社在國際年會的報名人數超過 130%。而錄影專訪扶輪前輩的作法，也帶給我另一個靈感： 如果要為華陽社的歷程做一個紀錄，最直接的方式不就是對歷任社長們進行專訪嗎？在前社長與夫人們的支持下，我完成了另外 18 場的專訪，除了達到紀錄歷史的目的，也對華陽社未來的發展建立基礎。除此之外，為了有系統地宣傳本社及招募合適的新社友，也催生了華陽社的官網。

▶▶ 過程重於結果，過去創造未來

除了在華陽社社務營運做了新的嘗試與改變，這一年在總監 Tiffany 的帶領下，我參與了地區 75 社聯合就職典禮儀式，社長展演募款、反毒路跑與快閃、地區年會晚會社長表演等，還學會唱德國國歌。這些都是人生難得的體驗，而印象最深刻的是社長展演。

「有人會願意花錢買票，看我們這些素人表演，然後內容是有關我們的生命故事嗎？」回想第一次聽到社長們需要參加 2020 年 8 月的「年輪交錯的黃金歲月」慈善表演時，心中難免會有些忐忑不安。我與 12 位社長們分在同一組，而第一次聽到他們分享生命故事時，我受到震撼，這些酸甜苦辣、悲歡離合的故事是很感人的，只是要如何表現出來。我們很幸運有專業的劉長灝老師教導我們表演技巧，「演員是留著眼淚演別人的故事。這一次，你們是留著自己的眼淚，演出自己的故事」。劉老師這句話影響了我們，引導我們進入情境，讓我們的表演練習，如倒吃甘蔗漸入佳境。由於我們這一組是 13 位成員、13 個生命故事連結在一起；而每一段故事都由當事人獨白，另外 4 到 12 位團員以變化隊形的方式展現，因此團隊的默契與搭配很重要。在 2 個多月的排演過程中，我們更瞭解對方，互相提醒與鼓勵，每次排演的出席率都是數一數二。當 8 月 27 日表演第二天結束謝幕的時候，除了覺得完成一件不可思議的任務之外，與 12 位社長們所建立的革命情感，更覺得彌足珍貴！我相信我們這 13 位社長在卸任之後，一定會有更多的聯誼與歡樂，也會一起參與更多的社會公益。

▶▶ 一生一次機會，創造無限可能

我從來沒有想過自己會在飯店大廳表演。華陽社擔任 3523 地區年會第四全會開幕合唱表演。在表演前，為了讓社友寶眷壯膽，我靈機一動當天於圓山飯店大廳安排快閃演出，讓參與的社友及寶眷們留下難忘的經驗及回憶。

「如果上任第一天，就以等待安全下莊的心態做社長，那就可惜了這個一生只有一次的機會」一位扶輪前輩曾經這樣的對我說。擔任社長這一年，不論在地區或是社內，我經歷了許多人生的第一次。參與扶輪 22 年，我可以很高興的說，今年是最忙碌的一年，但也是最有意義與值得回憶的一年！扶輪給我許多機會，創造人生不同的可能性。

第3分區

扶輪故事還在上演中

瑞光扶輪社／郭芳志 P Kent

今年地區年會四全大會結束，社長們依序上台領畢業熊，總監一席話讓我好感動，想起一年來的種種，我居然一直掉淚。

當了瑞光社的創社社友，這幾年來看到好多的社友退社了，直覺這回可能閃不掉了，排年資也是輪到我了，於是毅然決定當第 9 屆社長，在扶輪這幾年一直抱持著學習的態度，當社長應該可以學得更多吧。

很開心的當 PE（社長當選人），直到去年 1 月分跟總監當面會談後感動不已，但內心其實是恐懼的。

我本來就是一個不太會表達自己的人，居然說要我上台演戲，天啊！我有肢體障礙ㄟ，PETS（社長當選人訓練研習會）居然是在村卻上課，我超開心的，太熟悉的環境了，又看到第三分區的同學們，跟正副助理總監和副祕書，大家都很好相處，就安心許多，後來開始短暫的編劇人生，到底要寫什麼令人傷腦筋，我的人生很平淡，只是運氣不錯，但只有對姊姊的恩情是我沒法回報的。好吧！就選姐姐的故事來演戲吧！很胖的大熊老師很嚴肅，但也有好玩的一面。

接社長好有趣，居然有聯合首敲，咚了 76 聲每個聲音都不一樣，首敲的那一天社友們很給力的推薦五位社友入社，只是背了好多天的講稿說的 2266 慘不忍睹，所幸兩個月的排戲培養了一個堅強的團隊，大家變得好熱絡！覺得當這屆社長真好，總監好認真，我們更須加倍付出。

9 月，計畫了許久的南投親愛國小校舍油漆之旅，社友們在星空下唱歌跳舞真是很棒的回憶，1 月分帶育幼院小朋友去動物園玩。雖然當天一直下雨，大家仍然玩得很盡興，小朋友的感受呢？說真的我也不知，結果對我來說不太及格。

農曆大年初一，社裡團拜，大家都很開心，喝酒吃飯聊天，沒錢發紅包只好買刮刮樂送大家，手氣不錯每位社友都有中耶！真是好彩頭。

下半年開始，總監又給了一個難題，要在年會當舞者，大家又開始認真學跳舞。這次有經驗了，臉皮夠厚，不要想太多好好學就對了。還去社長同學那裡學唱歌，社友們都覺得我們瘋了喔！由於同學們之前演戲時建立了深厚的友誼基礎，大家都只快樂地吃水果跟甜點，並沒有認真學，但也無所謂啦，反正德文國歌那麼難，現在頭腦還一直迴繞最後一句「法克拉還要拉長音喔！」中。

3 月開始了瑞光年度公益大事，在國父紀念館的扶幼藝術畫展，好在在社友的努力下，這次賣的還不錯，不然我就要去賣血換錢做公益了。

年會晚宴，擔心圓山飯店飯的菜色不好，社友興趣不高，只好拜託社友們報名，總監就跟花蝴蝶一樣在舞台走秀，她好厲害，每件衣服都配的很好看，儘管她跳舞時好像很害羞，但還是好看，晚宴活動安排的細節也很棒呦！總算今年的錢沒白繳了。第二天四全結束，社長們要上台領畢業熊，其實大家已經喝 HI 了，有一種要畢業的感覺，上台領熊後，總監的一席話，居然讓我一直掉眼淚，回想這一年來的經歷，我百感交集內心感動不已。

4 月跟 3482 地區的百華社締結友好社，對社來說是一件大事。那天好像喝呆了，居然答應百華社創社社長要去他們的聖誕舞會跳國標舞。完蛋了，每次都自己挖坑後又在舔傷口，這一年真的太精彩了，而我的扶輪故事還在上演中。

第3分區

扶輪人生——社長篇

雙贏扶輪社／**劉金鳳 P Fanny**

對的路，走下去就對了！

小沙彌：「師父，怎麼樣心裡才能舒服呢？」

師父：「舒，是舍和予兩字組成的，捨得和能給心裡就舒服了！」

以上是我在還未上任前讀到的雞湯文字……但現在問到我的社長感言是——**「哇！每週往返蘭嶼到台北真的很遠啦！」**

遠歸遠，既然答應接社長，還是乖乖的來來又去去了！就算是才上任沒幾天就在往返途中被車撞飛抬進醫院，住個幾天後出來繼續拚下去！（還好蘭嶼太陽大，多年曬下來骨頭的鈣質足夠沒大礙！）

迎來第一個大活動是為防治乳癌募款的「社長展演」，為了不要被買票進場的觀眾覺得落差太大，總監 Tiffany 請來了大熊老師來訓練我們，大熊老師排練用的棍子像魔杖一樣，點一點就把社長同學們的潛能都激發出來，成功的演出讓過程中的笑和淚成

為滋養出大家情誼的養分。

展演結束後馬不停蹄的接著籌辦社內「一起聽聽看」關懷聽障家庭的社會服務計畫，這是社友 Wing Wing 以自身的經驗發起的活動，場勘、開會等等細節很多……第一次辦的過程中有挫折，有意見不一樣的時侯，但是跌跌撞撞的完成後，我們更相信只要是走在對的方向，就算是繞遠路，傻傻的走下去，總一定會有到時侯！感謝雙贏社每一位社友的付出和對我的包容與支持。

社長任內一年下來，做了很多事情，和同學們共同參與的事還來不及回憶，新的活動又接踵而來……，在當下很想抱怨總監，叫不會演戲的我們演戲，叫不會德文的我們唱德國國歌，叫不會跳舞的我們跳舞，叫不會唱歌的我們去快閃唱民歌……真的是把我們社長當做藝人在訓練啊！但是和大家一起經歷這些之後，我是真心感動總監的用心良苦，造就了我們這一屆革命般的情誼。

一連串的服務和活動，很忙很累，卻也很過癮，因為我在付出中得到快樂和肯定，我十分感恩和珍惜這樣的福氣，雖然不可能每件事都盡如人意，但是全力以赴後，就不需要有遺憾，對的路，走下去就是了！

We are one 20-21 有你們真好 ！

人生旅程

華東扶輪社／**張東權 CP Tony**

因在上海投資的工廠被當地地方政府徵收，而且自己又將邁入七十高齡，所以就告老返鄉過退休生活。朋友的因緣而接觸益成扶輪社，當時只有三人，CP Yamaha、PP Charlie、PP Aaron，而前兩者是舊識，所以藉著扶輪之緣可以重新交流，就不推辭地加入益成社，並且把一些朋友也介紹入社。

108 年 4 月 2 日入社，當時 CP Yamaha 當代理社長，要我當 19-20 年度的社長當選人。扶輪資歷淺的我趕緊找尋青商會的老友，例如，林承添 Highway，彭建銘 LED 是南欣社 PP，杜樹生 Life 是西門社的 PP 等，向他們請教扶輪的常識與經驗。

為了正式交接上海的廠房與土地，並關閉公司清算業務，必須常回上海辦理手續，所以到 108 年底，必須經常往返上海台北兩地。因為已經身為扶輪人了，在上海時也與上海的虹橋扶輪社、浦西扶輪社、古北扶輪社，甚至蘇州的文華扶輪社，昆山扶輪社都有交流，認識更多的扶輪友人。有位虹橋社友還告訴我，她要返台生活時會加入我們益成社。

也組團到日本大阪拜訪姊妹社門真扶輪社，並且擔任翻譯員。門真市剛好是我在日本的松下產業學習石材加工時工廠的所在地，所以很多門真社友很快的跟我談得來。這次的拜訪讓我體悟到扶輪的宗旨，透過結合具有服務之理想之各種事業及專業人士，以世界性之聯誼，增進國際之瞭解親善與和平。

109 年 1 月 5 日從上海回到台北時，就作好接任社長的心理準備，除了參加本社的例會，也盡可能跟認識的其他社交往，並參加地區團隊訓練研習會議（DTTS）。最令人終身難忘的就是 3 月 14 日、15 日兩天的社長當選人訓練研習會（PETS），當天我帶著老婆於早上七點就趕到敦化國中搭接駁車前往宜蘭村却飯店。從 14 日早上 9 點 40 分開始到當晚 21:05 為止課程滿滿的，課程結束後由 AG 帶到 RF 觀景台一邊小酌一邊秉燭夜談到睏累才終止；第二天也是九點半開始舉行四場分組討論，14:30 閉幕式開始到 17:05 大會圓滿結束。在這兩天的訓練研習中，讓我感觸最深的兩件事：

第一，是我與華中社 P Vincent 謝昀祐、南茂社 P Lily 鄒靜雯、雙贏社 P Fanny 劉金鳳、三友社 P Cindy 郭婷婷、南德社 P Leo 廖清祺、南山社 P Joseph 蘇逸修等七人編為第五組。我們七人參加「生命故事展演」，劇本是 P Lily 的生命故事，在劉長灝老師的指導下，我們在舞台表演得滿順的。我因此理解到，「雖然是別人的故事，但自己只要在扮演角色上努力去演，沒有體會不到的。」

第二，我太太邱慧英沒有參加過任何社團，但這次跟我一起來宜蘭，主辦單位安排眷屬聯誼的行程她都參加。在回台北的路上她告訴我她能肯定這次的研習與聯誼，所以她會支持我未來當社長的。從那天以來，她常陪我出席我社的例會，地區主辦的活動：如反毒路跑、淨灘、捐血等。

在 PETS 認識了許多同期的社長，也認識了第九分區的助理總監陳昱光 AG Parker，副助理總監魯逸群 DAG Edmund，地區副祕書林經國 DDS Kenny 等，這更讓我感覺到扶輪的路很寬廣，必須走出去，會得到更多的友誼與經驗。所以除了跟九分區的其他六社交流來往以外，因為參加社長展演而與五分區的五個社的社長共同演出生命故事。

因為排演大部分在風雲社社長陳芃君 P Michelle 的家，更認識 P Michelle 的媽媽邱綉惠 PP Sharon ——今年度扶輪雜誌委員會主委兼生命故事展演募款主委。邱女士對待我們這些參演的人非常親切，並且為我們準備豐盛的餐飲，真讓人體會扶輪人的親善友誼。雖然我在社內推動的不順利，而且還不得不提早「退學」，但在僅僅的兩年的扶輪歷程中體會到友誼與服務的真諦。七十高齡的我雖遭遇風風雨雨的追襲，但畢竟在人生的道路上，不可以半途而廢，一定要抱著開朗心態繼續走下去。所以才跟著其他社友往前尋找扶輪的真實價值，並且透過服務的機會來追求理想的境界。雖然目前在坎坷的小徑上掙扎，但相信在我的生命境遇裡，會走到寬廣平順的大道，能體會到扶輪人的親善與愉快的氛圍。

第4分區

繼續行走．留下餘光

松山扶輪社／**蘇麗文 P Gloria**

時光荏苒，這一年很快過去了，從去年在宜蘭兩天的 PETS 社長當選人訓練研習會，聆聽吳靜吉教授演講，深深被感動，他對生命的珍貴，留下真實的人生，太棒了。還有大熊老師，我對與他導演的生命故事，非常的敬佩，他是那麼會編導，讓我們社長們很快進入情況，兩個月的時間，大家都投入戲裡，而且有六段真實人生的社長故事，呈現出來「年輪交錯的黃金歲月」大家都好認真的演出，我們都是素人，能夠連續兩天在親子劇場表演，戰戰兢兢的完成，真是不可思議。

剛好去年因疫情停課兩個月，我感覺醫護人員真是辛苦了，所以創作一首曲子，「感謝有你」表示對醫護人員的支持，剛錄好音，到總監家，在討論表演細節，大熊老師說要音樂背景，恰好可以用上，冥冥之中的安排感覺非常榮幸。還有 11 月 1 日的反毒公益路跑竟然從總統府出發，這對扶輪來說真是創舉，留下扶輪人最大的榮耀；總監還安排在文化大學推廣中心，邀請名主持人華陽社周震宇先生和廣播名人王介安老師演講，現場滿滿的聽眾，大家收穫非常多。真是讚嘆！

我們這一年社長同學感情特別得好，因為有許多互動，各社有週年慶，同學們大家盡力撥空參加，在這段時間裡，不僅拉近 75 位社長的感情，也讓彼此更瞭解更相挺。

我們全家是在 1994 年從華府回到台灣，我與先生都在美國讀書，許多朋友都覺得很可惜，為什麼不在華府！因為先生希望在大學教書，但都在等，才決定返國，先生很快在台灣找到教書的學校，我也在大學教唱歌，組織合唱團，每個星期十個、八個團體在跑，所以每天都很忙碌，還一二年都帶合唱團出國訪問，慰問僑胞。

1998 年，一位學生介紹我參加扶輪社，去聽演講，我就愛上了扶輪社，因為當時是每個星期例會一次，都有請專家以及知名人士來分享，這真是太好了，就在這二十幾年來，我聽 1000 多場的演講，真的吸收到不少的知識，生命更豐富了，我也很榮幸認識了許多社長和總監們，不少扶輪貴人相挺，我也經常到 3480 地區各社分享音樂與生活，所以，這一生如果不參加扶輪社，真的太可惜了。這裡有太多的人才，可以教學相長。

本來並沒有考慮當社長的，但經不住大家的鼓勵而接任，我當社長時，剛好我先生可以退休了，我先生是全力的支持我，所以一人當選兩人服務，松山的前社長們以及社友都一直很支持我，真是感動。我們在石碇鄉公所捐贈急難家庭 15 萬元，職業參訪是我們社友台中的達航科技有限公司，每次的職業參訪大家都收穫滿滿，還可順便郊遊，真是一舉兩得。

我們也用 DDF 全球獎助金，在社教館舉辦了一場音樂會，有國樂表演，合唱團，獨唱等，雖然疫情來襲，但是聽眾戴著口罩聆聽，竟然還有兩三百人，真是不錯的公益活動。這一年真的有很多的回憶，再次感謝總監 DG Tiffany 為大家的付出，有您真好。同時感謝松山前社長，社友，寶尊眷們支持，本人在 2020-21 社長任期總算完成了！在此要特別感謝在過去的一年裡，我們的理監事全力無私的付出，支持與鼓勵，使我能夠順利完成多項對內，對外的任務使命，真的好感恩。

生活是一種經歷，也是一種體驗。任何經歷卻是一種累積，累積得越多，人就越成熟，經歷得越多，生命就越有寬度，珍惜每一次春暖花開，若人生如花，淡者相；但願此生，都如一朵淡雅的蓮，婉約細緻，從容綻放，釋懷每一次的冰風熔雪，在靜好的歲月裡與快樂同行，用微笑伴隨著每一個春夏秋冬。

張忠謀先生說：「在一個講究包裝的社會裡，我們常禁不住羨慕別人光鮮華麗的外表而對自己的欠缺耿耿於懷。」就他多年的觀察，他發現沒有一個人的生命是完整無缺的，每一個人的生命多少都缺了一些什麼東西。有人夫妻恩愛，月入數十萬，卻遇到嚴重的不孕症，有人看似好命能幹多財，感情路上卻是坎坷難行，有人家財萬貫，遇是子孫不肖，有人看似好命，可是一輩子腦袋空空，不學無術。每個人的生命，卻被上蒼劃上了一道缺口貼了一個標籤，你不想它，它卻如影隨形跟著你，以前他也痛恨人生中的缺失，但現在他卻能寬心接受，生活自如，因為體認到生命中的缺口，彷若我們背上的一根刺，時時提醒著我們要謙卑，要懂得憐恤他人。若沒有苦難，我們不知不覺會驕傲，沒有滄桑我們更不會以同理心去安慰不幸的人。我也相信，人生不要太圓滿，有個缺口讓福氣流向別人是很美的一件事情，你不需擁有全部的東西，若你樣樣俱全，你怎麼去管別人吃什麼東西呢？我也體會到每一個生命都有缺陷，所以我不會再與別人作無謂的比較，反而更珍惜自己所擁有的一切。每個人都有每個人的故事。只要努力，每個人都可以成功的，「花若盛開蝴蝶自來」的道理，自我要求管理才是最重要的。

我是星雲的弟子，大師作詞：「夜深人靜，常想到底什麼是幸福？心上無事是幸；身上無病是福。」人一輩子，忙到最後，會發現，真正的幸福和逍遙，不是擁有富貴權勢，而是身體沒病，心裡沒事。俗話說：無病一身輕。生過一場大病的人都有體會。活得累的人，心裡裝著不喜歡的事；更累的人，是今天裝了好多不該裝的事；無可救藥的人，裝了好多不該裝的事。人往往在貪慾中失去幸福，在忙碌中失去健康，在懷疑中失去信任，在計畫中失去友情。人不爭，一身輕鬆，事不比，一路暢通，心不求，一生平靜。一輩子很短，眨眼就過完，別和小人計較；別和家人生氣；別和自己過不去；別讓心情不美麗。活一天，就開心一天，過一天，就舒服一天，幸福不難，難在自己的心不定。願我們都平安健康，幸福圍繞在身邊，簡單的生活，願實現自己的夢想。祝福各位同學：健康幸福，永遠愛著大家。

第4分區

你慘了

民生扶輪社／**范樓達 P Daniel**

突然接到不在規劃中的任務，原本刻意缺席，東閃西閃，閃不過助理總監林星煌 Printer 說話，民生社再沒有 PE（社長當選人），我就不幹了，連 PETS（社長當選人訓練研習會）總監都來不及準備個人專屬陶製杯，就知道急迫性，

慘的是有前社長說，你 A 害，知道 2020-21 總監是誰嗎？你慘了！

參加 PETS 回來，要規劃社內結婚週年紀念品，總監的陶製杯給了我一個靈感，傳訊息請教總監，很快得到回應，也完成了製作，社友到目前為止都喜歡不已，還上傳使用的照片，表示沒有放在儲藏室，在忙著種種的社裡公益計畫。家人還是不接受擔任社長的事實，有協調，有爭吵，過著好一段相敬如冰的日子，但還是要認真面對，一一化解。接著是上任的第一站，社長展演，又是一齣驚濤駭浪，公司重要展演也重要，唉！兩難，還好展演結束，家人都說還不錯，從此開始正常的社長旅程。長者卡拉 OK，安康社區慰勞活動，主辦捐血活動，四分區捐血活動，還有萬人總統府反毒公益路跑，除了社友，家人也出席參與，讓我的驚喜指數破表，故事還沒結束。

傳說中的總監出招了，第一招社長展演（參加），第二招《秦始皇》公演，看到短片訓練就（落跑），第三招練年會歌唱（參加），第四招練年會快閃舞蹈（參加），第五招信義區反毒快閃（參加），每一場總監總是事必躬親，出席督陣，看到總監的用心，社長們全面投入參與，原來「慘」字用在對的方向是絕對正向的，所以先前聽到的謠傳「不攻自破」。

原本不敢跟總監保證新社友數量，本來打算是零流失，但在 1 月分破功，一位社友家庭因素，申請退社，也只能接受。自己連絡節目主委更積極的找優質主講人，活絡社內氣氛，前社長們開始引薦新社友，社友平均年齡也快速的年輕化了，前社們也正面認同，民生社更有活力，希望如同創社社長做的社歌，民生社要做 Rotary（扶輪社）的明星。

在 x 井的一場鴻門宴，出門前千叮嚀，萬囑咐，死都不能低頭，入社才 3 年，不熟稔扶輪禮儀事，不宜接社長當選人重任，唉，最後還是接了。從懵懵懂懂的上任，到現今的駕輕就熟，由先前的沉重步伐，現在是踏著輕盈的腳步，迎接每週的例會。感謝 2020-21 總監領導的團隊，讓社長同學們收穫滿滿，若要問我這屆的社長任期，幸福或不幸福，大聲告訴您是真幸福，幸福指數百分百。至於信不信，你可以一一詢問同學們，答案會是今年的主打歌曲——我相「信」。慶幸當初的勇於承擔（當時前社長們拐我的說詞）。

民生有愛，扶輪有情，同學有義，團隊有氣，滿滿的感謝，在這段旅程感謝大家做伴，互相合作，相互打氣加油，完成所有任務，在自己的回憶寫下繽紛精彩萬分的一頁，突然又想到總監說的，別偷懶要堅持到 6 月 30 日，趕快背熟民歌歌詞，否則睡覺會夢到總監罵人了……其實不會啦，總監有演過觀世音菩薩——「有愛心，又慈祥」。

第 4 分區

扶輪精神——進來學習、出去服務

台北松青扶輪社／**黃巧雯 P Heaven**

台北松青扶輪社是一群五十歲左右的社會菁英所組成，社員職業多元、經歷各有不同。在前幾任社長們用心經營之下，松青社在外界的知名度、好感度也都大有提升。而今年則是需要進行盤整的年度，讓全社的理念更加一致、共識更加扎實，同時加上受到疫情的影響，今年我擔任社長面臨了非常不同的挑戰！

之前聽扶輪前輩們說：扶輪就像一所學校，進來學習，出去服務。今年我對這樣的說法體會更加深刻，而且扶輪不是紙上談兵的學習，而是扎扎實實的從實務中學習。就像今年松青社的每個過程都是我學習的養分，我看待每一件事情的發生與經驗，都是老天給出最美好的禮物！非常感恩！

當完社長特別感動、也更加喜歡扶輪。因為扶輪就是一個「平台」、一個多元的平台。在這裡歷練不同職務是一個學習的平台；大夥可以為了一件社區公益事件，討論到深夜、共同的親手做服務，是一個公益的平台；地區跟社裡有許多聯誼活動，如高爾夫球賽、桌球比賽、羽球比賽、麻將比賽……，是一個聯誼、交朋友的平台。能夠在這樣一個多元平台的松青社擔任社長、學習領導，真的是特別感動、也更加喜歡扶輪。

今年松青社在全體社員的共同努力下，獲得了總監服務特優獎、及RI總社社長獎的殊榮，不僅為2020-21劃下完美句點，更見證了松青社的社員們，在各種挑戰下都正面思考、努力向前行。

摘整今年大家共同完成的事物：

地區活動：

社長聯合展演／反毒公益路跑／根除小兒痲痺慈善音樂劇／麻將公益賽／國際論壇／高爾夫球聯誼賽／保齡球聯誼賽／籃球聯誼賽／羽毛球聯誼賽／桌球聯誼賽／扶輪公益網捐助／ RYLA青年領袖營／眷屬聯誼講座

分區贊助活動：

長者盃歌唱比賽／松山社及民生社聯合捐血活動

社內自辦活動：

松青有心樂齡長青／線上香園義賣／三重小作所物資配送

其中松青社自辦的「松青有心樂齡長青」、「香園義賣」兩項社區服務已持續多年，在此跟大家分享這兩項服務的意義：

「失智」是大都不可逆的症狀，需要的是有更多的活動讓老人家參與，自 2012 年起，松青扶輪社每年與松山健康中心合作，贊助並共同辦理「松青有心樂齡長青」，幫助松山區及周圍的失智老人延緩失智現象。

位於新竹的「香園紀念教養院」，照顧一百多位 18 歲至 55 歲之智能障礙、自閉症及多重障礙者，所需經費龐大。松青社在 2014-15 年度 PP Jim 擔任社長期間，開始協助建立「咕咕雞農場」，透過院生參與養雞的過程，是一種療癒、也是一項職業訓練，蛋雞生產的優質雞蛋及其衍生食品，也爲香園挹注長期經費。

香園紀念教養院每年舉辦園遊會，透過園遊會募款，松青社也年年參加。今年因疫情沒舉辦園遊會，松青社則透過社內舉辦線上義賣活動，來支持香園紀念教養院，爲社會盡一份心力。

最後，我要特別感謝總監 DG Tiffany，她不但教育我們懂得扶輪禮儀及倫理，更在這一年提出更多創舉帶動每位社長實際參與公益活動：社長展演、反毒公益快閃、「明天會更好」線上合唱……等等，在一次一次的凝聚活動過程中、讓我們彼此建立起像兄弟姐妹般的深厚情誼！

除此之外當我遇到挫折、挑戰時，或是有所成就，她總是私底下的鼓勵我、經常關心我，讓我這一年的社長之旅，能放手去實踐！

還有更要感謝松青社所有的社友與寶尊眷們，總是包容與支持社務的推展，分擔我的喜怒哀樂……

2020-21 年度劃下完美句點，歸功於大家的參與及配合

Heaven 再次感謝！！

第4分區

365天的責任倏忽即逝

政愛扶輪社／**蘇志宏 P Alan**

光陰似箭，歲月如白駒過隙般，依稀記得去年才剛參加完 PETS 社長當選人訓練研習會後準備開始接任一年的社長。現如今，已經是到了撰寫臨別卸任感言的時刻，內心雖有雀躍，但也是臨別依依的 Fu。

感謝 3523 地區總監阮虔芷 DG Tiffany、地區祕書長張琦真 DS Jenny、第四分區助理總監林星煌 AG Printer，以及所有 3523 地區的扶輪先進前輩們帶給大家精彩充實的 2020-21 年度！因為有了大家的悉心規劃，全力以赴的執行，讓我們許多的地區活動，如：藍蝶計畫社長展演、根除小兒麻痺 End Polio、萬人反毒路跑……等等，可謂是無比精彩，能夠成為 3523 地區的一分子，讓我感覺與有榮焉！

we are one20-21 精彩人生，有你真好！

更要感謝創社以來，最照顧最提攜政愛社的大保姆國策顧問 PDG Tony，一直疼惜照顧著政愛社的每一位社友，讓大家備感溫馨，還要感謝創社社長 CP Stela 四年前創立了政愛社，讓大家有機會藉由聚會聯誼、服務公益聚集一堂，而璞玉總不會被埋沒，鑽石總會發光，由於 Stela 對扶輪的熱誠，在今年也讓成為地區總監提名人，成為了 DGND Stela。政愛社的社友們也會因為這份殊榮更加團結更加努力，第二屆社長 PP Deya 活力十足、熱情滿滿，地區活動不遺餘力，萬能反毒路跑主委交出了一張漂亮的成績單，上萬人在 A 級賽道上面恣意馳騁，實在是難得的經驗！這也不是一般人能夠辦得到的，所以明年的第四分區 AG 是當之無愧！

感謝 IPP Jordan 在去年艱難的疫情當中，依然堅守崗位，交出漂亮的成績單，成為千顆星星的社長，著實不容易令人佩服！接下來還要感謝的是我們的最強棒崑洲集團的黃美靜 PE Jean，愛心滿滿，正能量滿滿，召集萬人反毒路跑公益活動，配合防疫捐贈輔大醫院防護衣，許多匿名的公益捐贈，為善不欲人知，堪為後輩表率。相信政愛社在她的帶領之下，一定會更團結更茁壯更加發光發熱！

2020-21 年度政愛社全體社友們共同完成了許許多多聯誼及公益的活動，每一次的例會精采絕倫。兩天一夜的苗栗偏鄉小學公益活動，再次見證政愛扶少團的熱情活力、規劃以及執行能力完全不需要我們這些大人們操心，全程散播歡樂散播愛心，讓偏鄉小學生們感受到滿滿的熱情。還有扶少團成員們在惜食廚房的表現，總是令人刮目相看做的永遠比想到的多，洗菜打便當整理廚房到外出送餐，全方位的付出。還有扶少團的公益漢堡車活動，社友 Frank 貳樓餐飲集團的鼎力相助，在活動地點大直美麗華也交出了漂亮的成績單！扶少團員們親力親為，將親手做的漢堡義賣給經過的路人，偌大的叫賣聲還有精彩的國標舞表演都是最大的亮點！讓我們感覺到施比受更有福！

還記得第一次的爐邊會烏來老街之旅，佔據路邊的卡拉 OK，社友及路人大唱著年度歌曲《我相信》熱情洋溢，一整天的歡笑聲，使得大家因為扶輪更為凝聚團結。

政愛玉山第二團，在 Sophia 淑芬的連哄帶騙威脅利誘之中終於成團，在攻頂的那一霎那看到大家的淚水與汗水彷彿一切就值得了，辛苦了一陣子但是成就可以說嘴一輩子，這就是每一位在心中最大的收穫。

保母杯聯合高爾夫球、地區年會保齡球邀請賽、地區年會籃球邀請賽、地區年會羽毛球邀請賽都是讓大家回憶滿滿！

政愛扶輪社不只有公益聯誼，還有顧到大家的健康，由 DG N. D. Stela 的尊眷發起的艋舺龍山寺萬人肝篩檢活動，人山人海破了肝篩檢的紀錄，全球獎助金愛你肺盡心思活動、第四分區聯合捐血活動、崑洲集團捐血活動……

接下來我要大大的感謝我們的節目主委 Sophia，政愛社的演講絕對都是精彩絕倫，由 Sophia 邀請來的主講人也一定都是上上之選！趙怡副校長、才子蔡詩萍、相公王子亦、主播周玉琴、賢伉儷薇姐張郎、總裁柯耀宗、奧美謝馨慧……還要感謝社友昭浪學長以及心綿學姊，費盡心思，幫我們邀請了我們社裡創社以來朝思暮想的主講人，唱了 4 年他的創作歌，《老同學》的音樂才子陳子鴻，還有淑芬 Sophia 邀請的梁修身導演，以上主講人實力堅強，個個強棒，每次的例會都是收穫滿滿！！

由於篇幅的關係沒有辦法一一致謝每一位社友，我只能感謝大家默默在背後支持著我，我們共同完成了充滿挑戰的疫情年，含淚耕耘終將微笑收穫，我們擁有了回憶滿滿充滿愛心與感恩的一年。

最後祝福

大家身體健康，心想事成，事事如意，家業事業都得意！

在疫情肆虐下學習成長

府門扶輪社／**陳隆昌 P Bolt**

時光流轉、歲月匆匆，一年的社長任期在新冠肺炎疫情肆虐中結束了

在家庭及公司之外，扶輪社提供了另一種生活方式及體驗，確實是一個值得進來學習出去服務的團體。

一年來努力向前社長們及社友們學習，希望能充分滿足社友的期待。Bolt 才疏學淺，因此非常珍惜這個難得的機會多方充實學習，從社友進階到社長，學習的層面更廣當然收獲也最多。

特別感謝社裡的理監事、各委員會正副主委暨委員一路相挺，使得本社的社務及各項服務活動得以順利展開，豐富而精彩。RCC 設定目標，府門扶輪社百分百依計畫執行。

府門今年的社會服務活動，首先非常感謝 2020 年各位前社長們及社友的熱情捐款，以 26 萬元贊助安德烈協會年菜食物箱及偏鄉學童文藝獎學金，還有五分區聯合捐血活動，淨灘活動，贊助地區憂鬱症音樂會、根除小兒麻痺秦王夜宴慈善音樂會、反毒路跑等等活動。

國際共同事業部分，由我們府門扶輪社與東京王子姐妹社聯合辦理，針對地球暖化及如何珍惜水資源、節約能源等，用一己之力來保護我們唯一的一個地球，耗資百萬編印繪本，分送台灣及東京幼兒園作為輔助教材，從下一代札根做起，杜絕資源浪費，不分國界、種族共同保護地球。

另外與日本姐妹社湖南社共同執行「安德烈基金會協辦食物箱計畫」，為弱勢或疾病家庭提供適當食物，協助其渡過難關。

非常感謝安得烈基金會執行長羅紹和將軍協助及祕書長李若文 Life 努力推動扶輪公益網實物捐贈，讓府門社社友的愛心能夠落實並在地區綻放燦爛的成績。更要謝謝所有社友和寶眷的支持與參與，讓府門今年的社會服務得以順利展開，有了你們的陪伴，我們的步伐才會走的如此穩健輕快，日子才會過的如此充實。

今年這一年的社長經驗跟往年不同，由於新冠肺炎疫情帶給我們許多生活上的不便跟困擾，但也讓我們思考如何調整生活步調，體驗新的生活方式。經營扶輪社也是相同，感恩大家鼎力協助及前社長前輩們的鼓勵指導，讓這原本是艱困的一年變得如此精彩多元，各項計畫在最後也終能圓滿順暢的達標，Blot 內心充滿感激。

Blot 及翠娟以無限感恩的心，祝福全體社友及寶眷能經營出屬於自己的美好生活，開創更亮麗的人生。日子永遠平安幸福！生活充滿快樂感恩！

一輩子的光榮與驕傲

中區扶輪社／蔡百祥 P Tony

1999 年 6 月 19 日，承蒙 KD 社友引薦，我進入台北中區社這個大家庭，成為創社社員，做為扶輪人的宗旨就是「進來學習出去服務」。四年前，受到前社長及社友疼惜鼓勵我擔任本社第 22 屆的社長，內心感到榮幸與惶恐。幸好，本社在歷任前社長的用心努力經營下已奠定優良的傳統，全體社友同心協力，Tony 全力以赴，讓本社榮耀繼續傳承是基本職責。2020-2021 年度 RI 的主題「扶輪打開機會」這一年中，團隊一直秉持服務的熱誠，積極參與地區並推動各項社服活動。

這一年來，3523 地區在幸福快樂美麗氣質高雅總監 DG Tiffany 的帶領下，地區各社之間互動一片祥和，追隨著她的腳步，學習和參與事物，認識許多各行各業專長高手，這些感動是不在這個位置上體會不到的，更加豐富我的人生，Tony 一輩子都會為此感到光榮與驕傲！

感謝第 22 屆理、監事會及全體社友寶眷熱情參與及支持，我們完成許多活動。

社務行政：7 月參與地區總監暨社長聯合首敲就職典禮、總監公式訪問、參加地區主辦 2020-21 年度全部的訓練研習會、社長祕書聯誼會。感謝連續 3 年擔任節目主委的 Henry，今年安排許多優質主講人，讓社友吸取不同領域的知識，提高每次例會出席率。

社員服務：9/27 依本社傳統舉辦扶輪之夜暨中秋晚會，鼓勵社友邀請潛在社友參加，播放精彩活動剪影，由社友分享加入扶輪心得，進而認識扶輪，鼓勵社友參加地區各種研習會，增加扶輪知識。本年度增加新社友兩人，流失兩人，維持平盤。「基於社員有聯誼，更有力量服務」，本年度地區年會第四工作會共舉辦六項聯誼賽，本社主辦「高爾夫聯誼賽」，由 PP Home 擔任主委，發揮過去豐富的經驗，讓本次活動獲得各界好評，更可貴是當天本社 PP Health「一桿進洞」，開地區年會首例，為活動「錦上添花」。另籃球、保齡球、羽毛球、桌球、麻將等賽事，我們也參與協辦，並組隊參加，增加與友社的聯誼，促進親善友誼。

公共關係：主辦第一、四、五分區聯合例會、9/7 組團訪問母社府門扶輪社、1/20 府門社回訪、12/4 組團訪問南區社、10/27 中區組團訪風雲社、1/6 風雲社回訪，4 月分逸仙、南陽、中區、明星四社聯合例會，並積極參加地區及分區各友社授證典禮，增進聯誼。姊妹社部分，因疫情關係，與澳門中區社無法互訪，謹以視訊會議相互問候，但兩社情感仍然永固；桃園中區社部分，7 月組團參加第一、四、五聯合例會、12 月兩社聯合舉辦聖誕晚會、3/17 桃園中區社組團回訪、4/27 組團參加授證 25 週年；與嘉義中區社「以球會友」，12 月邀請嘉義中區至台中參加本社外地賽，嘉義中區也兩次北上球敘，部分球友也積極參加聯誼。另外本屆高爾夫月例賽也首創和府門社共同聯誼，增進彼此感情。

服務計畫：8 月「年輪交錯的黃金歲月」社長聯合展演，以 75 位社長個人生命的經歷，展現團隊精神，把所有收入捐給乳癌防治基金會。9/6 桃園中區共同社區服務「2021 大手牽小手幸福健走」心燈愛緣兒農園活動，中區、西華、華中社聯合社區服務「為愛而腎，腎臟病防治篩檢」

（9/6 林口、11/7 三重二場）一日志工活動，9/19 中區＆風雲共同社區服務八里愛心教養院捐贈儀式，10 月第五分區聯合淨灘活動，11 月「台北國際扶輪世界年會萬人反毒公益路跑」活動、「泰始皇音樂劇演出」為根除小兒麻痺慈善音樂劇活動，與桃園中區社共同職業參訪愛心蛋農場、第五分區聯合社區服務 · 捐血活動、惜食廚房參訪捐贈儀式，4 月新光三越香堤大道廣場「反毒快閃」活動。5 月分地區捐贈給台北市與新北市使用的篩檢試劑 1000 劑，感謝捐款的五位社友，感恩！

扶輪基金：特別感謝主委 PP Twainstar，今年帶頭捐款 US$10,000 元累積捐款 US$63,695 元，並連續 5 年每年捐贈 NT$200,000 元贊助中華扶輪教育基金會博士生獎學金，深感敬佩；另有 AG Tank、PP Health 也累積至巨額捐獻，PE Brandon、Peter Pan 捐贈保羅哈理斯，永久基金 Tony，感謝社友的熱心支持。

扶輪家庭與登山：寶眷是台北中區社最重要的後盾，今年兩位主委密切合作，每次活動參加人數都爆滿 7/29 陽明山橫嶺古道、9/27 扶輪之夜，爐邊會暨中秋扶輪家庭聯誼晚會、11/29 內湖白石森活休閒農場、12/19 與桃園中區聯合聖誕晚會、2/19 新春職業楷模表揚暨爐邊會、3/7 登山例會扶輪家庭慶生北投溫泉博物館登山、4/24 扶輪家庭暨慶祝母親節兩天一夜，宜蘭里山之道生態導覽、林美石磐步道落羽松漫步之三星四秀……等，這一年真是精彩，感謝社友與寶眷熱情參加，更感謝所有的爐主的力挺。

最後感謝！內人淑麗的支持和包容，帶領寶眷們參加地區每項寶尊眷聯誼會活動，有您們真好。也感恩本屆祕書長 Lin-Kuo 的協助，糾察長、財務長的精算，使得今年還會有餘額給下一屆社長，另要感謝 AG Tank、CP、各位 PP 的指導，Tony 今年得以完成任務。2021 年 7 月 1 日起，相信在第 23 屆社長 P Brandon 年輕有為帶領下，可以讓台北中區社發展更旺盛。

第5分區

燈亮．燈暗

明星扶輪社／林仁德 P Archi

（燈亮，音樂收）

「……世間生命高深莫測，連我們神仙也無可奈何啊！……我們不是有神仙符咒，難道這個符咒改變不了什麼？」、「守護活著的人，讓他們好好活著」……。

一年前的現在，自己代表台北明星社去參與「年輪交錯的黃金歲月」社長展演，在那懵懵懂懂的情況下粉墨登場，也正式展開了社長生涯。然而，社長要懂什麼？做什麼？要如何扮演一位稱職的社長？其實在當下沒有人可以明確地告知自己，就連旁人喊一聲「社長」，自己都不曉得社友是在喊我本人，哈哈！現在回想起來，當時每位社長應該都是這樣開始的吧！

台北明星扶輪社是小而美的社團組織，接任社長時雖人數不多，但社友們出席率卻很高，小社的經營不同於大社，社友們在人善質精的氛圍下造就了成員間職業互助的好文化，社內的創社社長 CP、前社長 PP 以及甫卸任社長 IPP 也沒有絲毫的老大心態與架子，尤其我們的執行祕書更是具有相當豐富經驗的好幫手，如此這樣相挺的氣氛是我喜愛明星扶輪社最重要的因素，也是擔任社長時願意全力以赴的背後的支柱。

在這一年當中，我深知增加社員數是當下對明星社而言最重要的目標，但在引薦優秀社友的同時也必須讓社友們感受到扶輪的本質與加入扶輪的初衷，想起了美麗又有智慧的 DG Tiffany 阮虔芷總監常說：進到了扶輪社就要好好做社會服務。沒錯，社會服務確實可以凝聚大家的共識及向心力，我們小社或許沒有人力及經驗可以去擘劃大型的服務計畫，但我盡一切可能來集結社友們的心力及物力，共同參與響應 3523 地區、第五分區及友社的活動與服務計畫，從中社友們還是可以得到很棒的體驗與參與。

（燈暗，音樂起）

轉眼間，一年的社長任期也過了，雖然在任期的後段遇上了惱人的新冠病毒，政府的三級警戒管制讓我們很多活動都暫停了下來，社友間的互動僅能透過手機的問候及視訊系統的連結來慰藉彼此，但扶輪的精神還是永無止盡地傳播下去，我在此刻也終於領悟到，燈暗了，社長下任走下舞台並不是任務的結束，而是另一階段的延續！音樂起，代表著新任社長與社友們要開展新頁，我們這一棒更加優秀，而自己必須要擔起承先起後的潤滑劑支持新社長並全力來服務社友，疫情終究會過去的，這社長經驗將是我人生中難忘的時刻。

第5分區

勇於嘗試，意想不到的收穫

風雲扶輪社／陳芃君 P Michelle

2016 那一年，我參與了台北風雲扶輪社從無到有的創立過程，本來認為我會有很長的一段時間，以社友的身分在扶輪學習、成長，並結交原本應該沒有機會認識的各界菁英。沒想到，很快就得到了社友們的信任，接下風雲社第五屆（2020-21）社長一職。隨著同年度總監阮虔芷 DG Tiffany 的來訪，看著她帶來滿滿一本的計畫與資料，我就知道這將會是精彩又充實的一年。

然而，2019 年年初因為身體狀況，我稍微動搖了決心，不知是否要維持接下社長職務的這個決定。幸運的是，治療過程中我有家人持續的照顧，有扶輪前輩的關心，還不吝提供各種醫療資訊，讓我恢復信心接下社長這個任務。我的家人們雖然很擔心我的身體，但仍然理解我不想因為推辭職務造成社內困擾的想法，從而支持我的決定，真的很謝謝他們。

國際扶輪 2020-21 的年度

主題是「扶輪打開機會」，而總監 Tiffany 也確實準備了很多機會之門，在多場研習會、地區與社內活動之間，我們一群社長同學嘗試了演舞台劇、跳舞、唱歌、錄音、民歌快閃，甚至在疫情中還遠端錄製歌唱影片，將原本不可能涉獵的行業都體驗了一遍。這屆社長同學們都開玩笑說我們是業餘藝人團，紛紛要總監快快簽下我們的經紀約。而現在，還要憑藉我不具備的寫作能力，嘗試作為作家，陪總監以最後一個出書計畫，為這一年劃下一個值得紀念的句點。

回想起去年藍蝶計畫的公益舞台劇，從分組後一開始的劇本磨合排練，跟著同組社長們帶著靦腆對台詞，再透過一次次排練前的共同用餐與聊天，我們漸漸開始熟悉、互相鼓勵，協助彼此背台詞、練走位（一起瑟瑟發抖面對，一開始排練態度就會變得很嚴肅的大熊老師）。甚至到後來友情升溫到出包時可以互相取笑，演到傷感片段時會一起落淚，彷彿將劇中一家人的情感帶到了戲外，讓我們凝聚起了共患難的堅強友情。

社區服務計畫是扶輪最重要的其中一個任務，我希望可以在我的任內陪著風雲社成員走進各個社福團體，學習從主事者與志工的角度來觀察需要幫助的人們有著什麼樣的真正需求。甫上任的那個月我就與社友們參訪了花蓮壽豐鄉的揚帆協會並捐贈了教材，聽到了協會祕書長分享她當初是如何把對子女的愛轉化為對弱勢家庭孩童們的大愛。後來，每每在她傳來的照片上看到這些教材仍在持續的為小朋友帶來快樂與知識，我都感到慶幸，而看老師帶他們一起閱讀故事書，我想他們臉上的笑容是對我們最好的反饋。

幾年前認識了八里愛心教養院，所以藉著 9 月的社服，一起和風雲社社友們與眷屬們到八里關懷教養院院所，但我自己卻收穫了更多計畫外的感動。那一次我們看到了在幾年前曾是被關懷者的院生，現在成為服務別人的角色，以自己的力量回饋社會並幫助更多需要的人。我發現人生總在不經意的拐角處，帶來意想不到的感動。

11月，我們在桃園青年體驗園區舉辦了兩天一夜的家庭活動，一群大朋友小朋友攀爬高低空設施，其實有點懼高的我憑著一股要鼓勵小朋友的衝勁，答應爬上了十米高的柱子。過程中，腦中只有大家給我的加油聲和一定要上到頂端平台的念頭（雖然教練用安全繩協助了我一大半，哈哈哈）。但是我體會到了能夠「人生，無所畏懼」，是因為有人一路鼓勵和支持你往目標前進，所以我不孤單，所以我不再害怕。

回顧這一年不論是參與地區運動賽事、路跑活動、到惜食廚房打菜、送餐盒、親送物資並參訪社服團體、為白沙灣淨灘和捲起袖子捐血等等，每一場活動，風雲社社友們與眷屬們都全力到場支持。雖然從2021年的5月開始，因為疫情變化打亂了原本的規劃，在這個特殊時期大家只能利用網路視訊例會關心彼此近況。曾經我們覺得透過網路會缺少見面時的溫度，但在此時期，能夠看到大家各自安好，可以一起上線聊天就令人很滿足了。

很慶幸二年前的我，沒有以看似最合理的理由放棄接任2020-21年度社長這個職務，不論表現或結果是不是最好的，這一年我自己的成長與收穫是無法取代的。從開始接觸扶輪到承擔、完成社長職務，面對機會，我選擇了嘗試，而今天的我，很榮幸的說，這些嘗試給了我一生受用的經驗與難忘的成果。

第6分區

念你的名

南門扶輪社／**吳桂靖 P Romeson**

一年三百六十五個日子，很長，可以讓自己由雙掌去接住那華麗的初啼，開始一個全新的初航；也可以很短，讓你沒有足夠的時間去體驗那一個過程。一個需要學習多少東西，才能免於自己的無知？一個需要保持怎樣的榮譽心，才能免於自己的無行？參與南門扶輪，轉眼已廿載，今年是個騰飛雋永的卅週年，接受了社友們的託付，希望能作到讓他人榮耀，讓自己善職，一個質樸的祈禱。

以前常告訴同仁們，請你們努力：
在 40 歲～ 50 歲讓人家看得到你；
在 50 歲～ 60 歲讓人家尊敬你；
在 60 歲～ 70 歲讓人家記得你；
在 70 歲～ 80 歲讓人家懷念你。

讓我們能夠彼此互相細細的領悟著你我，那麼就將碰撞出更多的互敬、互愛，也能讓這世界的生命更美好。

扶輪人需要彼此的Fellowships，進而對社區有更多的Community devoted而為國家社會貢獻我們更多的愛。我們可以服務幼童，讓我們的臉龐寫在他們閃亮的瞳孔中，我們需要服務弱老，讓我們的臉龐也寫在他們最後的凝望裡。陪同著社會的生老病死，幼吾幼以及人之幼；老吾老以及人之老，我們能夠扮演的是一個怎樣的角色呢？今年的南門，我們從關懷社區、關懷慢飛天使到敬老活潑樂齡，及憨兒的終老托顧。是我們社服的主軸，我們作的不多，但是從彼此的眼裡，我們看到了愛與關懷的眼神，這一切就值得了；讓我們更能貼近別人的痛苦，體諒別人的憂傷。

讓扶輪人的愛，那惟一不竭及擁有的愛，能夠有能力去照亮受苦的靈魂。讓我們的雙手，不要永遠浸潤在甜美的花汁中，不要讓人家只凝望到我們的高峰，請我們要常低俯去牽索人生的平常。

讓我們社友之間能更融和，讓我們能共同的牽手，一起為社會及我們所愛這片土地上的人們，作更多的付出。離題了，但是確實有些感慨，我們曾一起走過，我們一起走過的路，因為有你我彼此的足跡，它將成為美麗。數算著已剩不多的饅頭；是的，快退下社長的職務了，心裡是愉悅的，畢竟一年來，內心總有著一股無形的壓力。總監要交的心得，只有在這防疫的假期裡，輕輕的訴說。

親愛的社友們，祈望我們有一天能夠讓某一個人，在世界的某一個角落裡，懷念著你的名，念著你的名。

敬所有愛充滿你心的扶輪人，念你。

所有的相遇都是最好的安排

大都會扶輪社／**葉哲宏 P Jonathan**

加入台北大都會扶輪社超過十年的時間，這裡就像是我人生第二個家庭，從我單身到結婚到有三個小孩，每個社友如同亦師亦友陪伴著我一起成長跟同樂。雖然早在好幾年前就有預定要擔任社長一職，但因為家裡有新的成員誕生加上忙於事業的發展只能請社裡另外安排人選，這幾年受限於我們是英文社的關係加上部分的社員流出 19-20 年社長一職是由創社社長 CP Phil 回鍋再次擔任社長。在 2020 年初時 CP Phil 特別來請我務必要擔任 20-21 年的社長，當下我回覆我自認沒有時間跟精神接任的而且擔心社務無法妥善處裡，但是 CP Phil 很清楚地告訴我：「我跟所有前任社長們及社友都會全力支持你」並且希望我能擔任社長其中一個目的是把新舊社友串接起來並把社延續下來。回家後跟家人討論和加上我父親是一位 50 年的扶輪人，他提醒了我 2020-21 年很重要，因為世界扶輪年會在台灣而大都會是英文社更應該要全力參與且提供服務，就要我全力去做吧！

人生總是充滿了驚喜，當我決定接任社長同時也是我事業上挑戰的開始，因為 2020 年 3 月全世界面對到新冠肺炎病毒肆虐，因此也造成事業上需要改變策略及方向，所以在參加 PETS 之前我又特地找了 CP Phil 告知我無法勝任 CP Phil 再次告訴我，真的沒有其他替代人選了，真的有需要，他會全力幫忙，請我不要擔心。

參加 PETS 社長當選人訓練研習會，是我第一次深入認識 2020-21 的地區團隊，包含總監 DG Tiffany 對於整年的願景規劃及藍圖，也見識到整個社長團隊的活力熱情，同時也再次點燃我很久前加入扶輪的熱情。最令我感動的就是我們其中一位社長同學，竟然分享她罹患了癌症，但還堅持要把它完成，她把社長當成她生命中最後的功課，聽到她的分享當下我眼淚也默默地流下來，這令我心中激起一股堅持的念頭，要把這屆社長好好的做完。可是在順利參加完了 PETS 後沒多久，我又面對到另一個挑戰開始，是我最親的家人突然身體不適，需要長時間住院治療，雖然我當下又質疑了，我自己是否有能力勝任社長這個位子，但因有 PETS 的經歷我還是堅持承擔下來了！

時間過得真快，社長的任期不知不覺中就結束了，在過去一年要感謝的人、事、物真的太多了。感謝台灣的防疫使我們順利完成了身為扶輪人最重要的角色，就是落實社區服務，延續過往每年大都會社，支持的兒童癌症基金會——金絲帶小勇士才藝徵選暨獎助學金頒獎，今年特別感謝有地區獎助金的支持，在活動中看到這些小朋友們，雖然跟病魔在奮鬥，但仍然保有純真、開朗、積極、正面態度，令同樣身為父親的我非常感動，可以盡一點點力幫助到他們，同時也感謝珍惜自己所擁有的一切。

感謝我的家人對我的支持及諒解讓我可以抽身參加社裡跟分區的許多相關活動。還要感謝願意給機會的 CP Phil，還有我的祕書長 S Ansel 陪我參與了許多分區及地區的活動，讓我不會孤單及社友 Nancy 和 Sophia 幫忙找了許多精彩的英文主講人來，還有所有的主委團隊們跟前社長們的付出及相互支援，讓我們過去一切如流水般自然的進行。還有感謝在背後因為有執祕 Hebe 的專業及努力讓所有事情都能順利完成。當然除了我們自己社之外，還要感謝分區助理總監 AG Gary、副助理總監 DAD Calier 及分區祕書長 DDS Anthony 和所有第六分區社長祕書同學們的相互支持及鼓勵，讓我們一起享受樂於服務。

過去一年有幾件遺憾的事，其中最遺憾的就是我們一位前社友往生到天堂了，我相信雖然他的身體不在了，但是他跟我們大都會扶輪社所有過往一切美好的記憶是永存的。加上因為疫情的關係，我們無法跟日本神宮姊妹社互訪交流，也因疫情，國際扶輪世界年會在台灣改成線上舉辦。雖然疫情影響了許多人的生活也打亂了很多的計畫，但我認為疫情是給人們一個提醒，讓我們看清人生中什麼是最重要的，同時也看到了扶輪社幫助社會的力量。

真心覺得有扶輪真好，也感謝老天安排讓我在 2020-21 年遇到了最棒最有創意的總監 DG Tiffany 與團隊帶領著我們一起服務。

第6分區

一切都是最美好的安排

南方扶輪社／**潘素珠 P Pan**

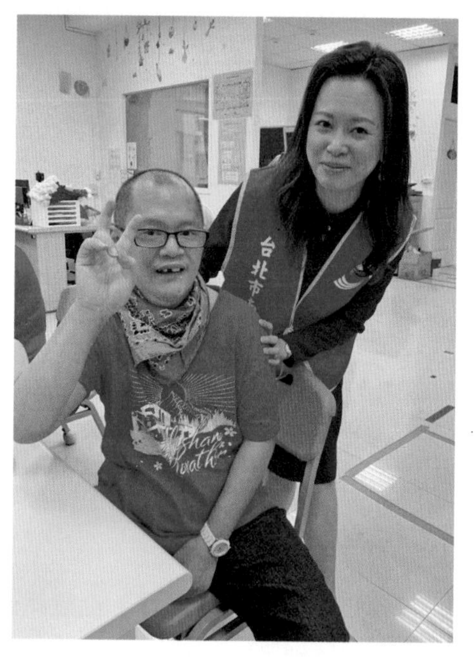

當我接到 IPP Sunny 邀請我擔任第 8 屆社長時，第一個反應是……您在開玩笑嗎？！雖然，我也是創社社友，但放眼望去，論社經地位和財力，都還排不到我，怎麼可能先輪到我啦！而且南方社是男女合社，我怎麼敢帶領這些大老闆推動社務？混亂的思緒和緊張情緒一擁而上！但 IPP Sunny 一貫的沉穩，慢條斯理細細分享他當年的運作方式，強調會成為我後盾，全力協助我，並鼓勵我接任。並強調在他的人生歷練中印證，當你接任某項任務，且盡心做好，老天爺就會幫你完成，且帶給你意想不到的收獲。就這樣！臨危受命的我帶著忐忑不安的心接下這神聖的任務。

什麼是 DGE、IDS、AG、DAG……啊！我的媽呀！一時搞不出清這些扶輪職稱，讓我每次活動或餐敘時，猛低頭偷看名片，除了要記人名還不能兜錯稱謂，害得我不敢亂打招呼，很怕叫錯了！參加 PETS 社長當選人訓練研習會時，更是在大量交換名片時，不時背誦，尤其同是第六分區的社長，這時才搞清楚「族譜」，明白彼此的兄弟姐妹社！在這場研習會，才真正感受到國際扶輪是如此有規模的教育與傳承。在這二天一夜的課程，除了 72 社準社長要上課，各社的輔導委員也都全程陪讀，且各階段活動安排完整，著實讓七年扶輪年資的我大開眼界，猶如剛進入扶輪社一樣。其實，平時的例會都有安排扶輪知識課程，但說坦白的，不親自走過一輪，很難體驗各項細節。

啊！什麼？接任社長，還要演戲？！要交自傳？！社長研習會結束的功課是要寫自己的生命故事，這是我們這一屆總監 DG Tiffany 的 Idea，她希望結合這屆社長的生命故事，編撰成舞台劇上台表演，而且是要售票的……當我跟孩子說到這，孩子很直白的回我說：蛤！還要買票，誰會去看啊？！我……不敢反駁，因為我也有這疑問！（哈哈哈！）但，總監不是開玩笑的！她特地邀請綠光劇團的大熊老師看完所有社長的生命故事，截取每人部分的內容合編六篇故事。參與的社長依組別定時排練，大熊老師場場教導……。我們不但要背稿子，還要調整肢體、動作與聲音，有如舞台劇的演員。社長同學們在多次的排練，培養了默契與建立革命情感，上場的那一天，緊張得大家有如孩子般的在後台彼此加油打氣！沒想到，來觀看的社友、來賓們反應熱烈！甚至在那場演出後，叫不出我們這屆社長社名和名字的社友或先進，都先喊出我們戲中的角色或名字！真是意外的「笑果」！但這樣的創舉，真的帶來很好的效益，因為這場社長展演募款 162 萬捐贈乳癌基金會。

首敲（上任第一次敲鐘開會）這一天我緊張不已！除了坐上 Head Table（主持會議桌）要依扶輪禮儀依序稱呼每位來賓外，更重要的是要募完當屆所有公益與活動的預算，而且 2021 年的國際年會在台灣（已因新冠肺炎疫情取消），預定有世界各地扶輪人來台參加這場盛會。為推動這場盛事，我要趁首敲例會邀請全社共襄盛舉！這天在糾察長一一唱名來賓與社友IOU名單中暗地心算是否能來到提交給地區報表的預算數字外，還在思考如何達成這任務。會議尾聲，除了向每桌到場來賓敬酒致謝外，我和祕書長 Bruce 兵分二路一一邀請每位社友踴躍報名國際年會，其中二位社友Vivian和Jasmine看到我們賣力的邀請，也主動幫我邀請其它社友，當天就達成近七成的報名人數，讓我感動不已！例會結束後，我與祕書長請執祕統計當日 IOU 數字，已達成年度預算數字，讓我心中滿滿的感激！頓時間喚起當年訂婚宴客結束算禮金，看有沒有虧本的感覺。

我加入扶輪緣自參加一場扶輪慈善音樂會，看到在這可以將公益做大，所以讓原本每月有固定 4 項捐款的我決定加入。業務工作的我，有位客戶的女兒罹患蕾特氏症，讓我認識這基因缺陷的罕見疾病，原本客戶在幼兒園工作，為了照顧這終身無法自理的孩子，只能辭去工作全心扶養。因為我家中有位腦麻的大伯，深知照顧者的辛苦，更何況蕾特氏症的病友無法用言語表達，終身要包尿布……，讓我更心疼這樣的家庭。我擔任社長職務前是服務計畫主委，心想何不如請蕾特氏病友協會的理事長來例會演講，讓大家認識並評估是否成為公益受照顧的單位。很感謝 IPP Sunny 的推動和社友們的支持，在 2019-20 年度開始對協會捐贈，且是擴大到聯合第六分區一起捐款。捐贈儀式當天，很多社友出席深入瞭解現場病友的家庭都為之動容，且不斷的為他們加油打氣！這畫面，就是我加入扶輪的起心動念啊！感謝在我擔任社長的這一年，服務計畫主委 Danny 繼續支持，且更用心瞭解協會的需求，將捐款更妥善的運用。

一切都是最好的安排！因為公益，加入扶輪，因此串起身邊可以幫助的朋友；因為擔任社長，帶動社友共同完成年度任務，且創造滿滿的聯誼歡樂回憶；而且，這一年在創意＋公益，事事求是，做事力求完美的 Tiffany 總監帶領下，我們透過社長展演和《秦始皇》史詩音樂劇，募款捐贈乳癌基金會和根除小兒麻痺（捐款是全球第一名）、在東區快閃反毒宣導，就連任職尾聲的地區年會晚會表演，總監也不忘安排社長群上台跳舞，讓我們這屆在完成地區任務的同時，記錄許多美好的畫面。如此精彩的一年，都是我始料未及的，讓我相信，當你接下任務，且盡心做好，將有意外的收穫！一切都是最好的安排！

第6分區

爸爸又亂花錢了

南光扶輪社／李宗璜 P Brian

原本我是被安排在 22-23 年度當社長，但是我的好友因為身體不適而情商我先擔任社長，幸好這兩年工作也忙到一個段落，我個性本來也就比較隨緣隨性，相信老天都會有最好的安排。

今年在總監 Tiffany 的帶領下果然不出大家所料，任務活動創新空前—聯合首敲、社長展演、《秦始皇》公益表演，每一項都是創新、都是驚喜！讓我覺得自己很幸運是在這個年度擔任社長！

因為南光社員人數之前只有 23 位，社員普遍在 40 歲左右，都還在為事業工作打拚，照顧兒女的階段，所以出席率偏低。我苦思如何能改善這種情況，所以這個年度除了每月兩次例會之外，我特別增加每月一次假日的親子聯誼活動，希望能多一點親子互動之外，也希望社友們可以邀請好朋友一起來參加，進而成為我們的新社友。

這年度我帶著社友、寶尊眷，我們的王子公主們一起攀岩、騎馬、烤肉、保齡球、野炊、卡拉 OK、做蛋糕等等活動，果然團隊還是要靠活動，這年度以來不只加強了社友們的凝聚力，新社員也增加了 7 位到 30 位，我們大人，小朋友們都玩得很開心！很盡興！

另外有件趣事想跟大家分享，有一天我在台中打高爾夫球，晚上打電話回家關心寶貝們，這時候大女兒漾漾還在努力的寫功課，她很可愛地說，爸爸你又在打球了，真好，我以後也要參加《幸福》扶輪社。

「漾漾，其實我們扶輪不只聯誼打球，也是有在做公益啦！」

而小女兒薰薰才七歲，那顆小小的心就在擔心我們家的財務狀況，深怕我把錢花光沒辦法幫她們繳學費，因為我是我們家最會花錢的，除了平常愛買衣服手錶之外，她可能常常看到我們聯誼活動時，都是我在買單。

有次她考完月考後，薰薰帶動作地兩只小手摸著她自己的頭，看起來很憂心地跟我說，爸爸！同學在問我考得好不好的時候，我心裡都在想爸爸在扶輪社是不是又亂花錢了！我聽了之後不禁莞爾一笑地跟她說，小妹，爸爸是社長只是先付錢，社還是會給爸爸的，而且在扶輪社有些捐款是做公益，是幫助人的，俗話說施比受有福，而且不管是在扶輪還是在朋友之間偶爾花點小錢可以讓朋友開心，自己也開心不是挺好的嗎！

不過我真的很高興我的寶貝們應該是看到爸爸參加扶輪社有多麼地開心，可以有這些好朋友，我的寶貝女兒漾漾、薰薰，等你們長大後也一起參加《幸福》扶輪社好嗎？愛你們的爸爸！

第6分區

我以南英為榮

南英扶輪社／**李政興 P Elvis**

2016 年台北南英扶輪社草創之初，我曾經問過南英社創社社長曾政寧 CP Adam，既然在半年前就已經拒絕加入扶輪，最後為什麼還要加入扶輪並且接受創社的挑戰？當時 CP Adam 對我說道：「扶輪是一個公平對待的平台，在扶輪沒人會問你，你的身家有多少？亦沒人會問你，你一個月的收入有多少？一旦你加入扶輪，你就是扶輪的一分子，大家在這個平台上是兄弟、是姊妹，不會看你捐了多少錢？只會看你做了多少扶輪應該要做的事。」在當時，這段話我並不是很能理解，因為我對於扶輪的印象，只停留在「社團不就是吃吃喝喝，做公益只是為了替公司與個人節稅，那都是有錢、有閒的大老闆、以及需要人脈的人在參加」的刻板印象。

我是南英創社社友，但並不是 CP Adam 當初的那一席話打動我，而是我有不得不加入的理由；之後在社內，第一、二屆擔任節目主委暨理事、第三屆擔任財務長暨當然理事、第四屆擔任副社長暨當然理事，在參與社務的過程中，CP Adam 不斷地跟我溝通，「南英是新創社，很多扶輪事務我們不懂，但只要有心與抱著服務社友的熱誠必能成事」，自始至終我一直秉持的這個理念，服從當屆社長的領導，並貢獻我微薄的力量；加入扶輪的第二年起，因 CP Adam 的因素，我以 Rtn. 的身分進入地區服務，期間參與地區年會、社長當選人訓練研習會、地區團隊訓練研討會、地區訓練講習會、扶輪基金工作坊、管理地區網站、研習會議電子化……等等相關的籌備工作，因此也讓我結交許多扶輪先進，從中學習到很多扶輪相關知識；更在 2017-18 年度 3523 地區「一人一樹、創區造林」服務計劃內擔任執行長的角色，協助 CP Adam 將年度最重要的服務計劃付諸實現，也因此與許多扶輪先進與林務局相關人員結下革命般的情感；這一切始終都是我預料不到的事，也終於體會到當初 CP Adam 跟我說的話「只要有心、必能成事」的道理。

接任 2020-21 年度南英社第五屆社長更是一件始料未及的事；因第二個小孩還小，原計劃於南英第十一屆接任社長，因某種原因提前到第六屆，原本還有兩年的時間（第四屆直接跳過祕書長擔任副社長），足以充分與老婆溝通，準備第六屆擔任社長，但事與願違在毫無心理準備的情況下，因某種原因倉促接任第五屆社長。

回顧 2020-21 年度，南英社正面臨創社以來最嚴峻的挑戰，社員流失已碰觸維持社正常運作之社員基本人數的底線（30 人），加上 2019-20 年度下半年，新冠肺炎衝擊台灣，頓時讓我不知所措，但非常幸運的是有 CP Adam、PP Kathy、PP Anthony 及 IPP Becky 等優秀的前社長們鼎立的協助，加上社友們也全力相挺與支持，讓我在社長任內能順利地推展社務並達成年度設定的目標。

從南英社每年固定社會服務——偏鄉學童音樂營，在酷熱的炎夏社友及寶尊眷們一同在台東偏鄉的活動中心與原住名學童享受著美妙的音樂，共度美好的夜晚；仁家老人養護中心物資捐贈，讓長者們能在寒冬中享受溫暖的被套；到第六分區聯合社會服務：東勢里愛心敬老活動、兒童癌症基金會金絲帶小勇士、歲末關懷獨居老人送物資、偏鄉享食計畫、點亮夢想 · 讓愛轉動，每一項社會服務，在在都令人有滿滿的感動。

最令我難忘的是 2021 年 1 月分強烈寒流來襲時，南英社與義築小團共同舉辦的南英社第五屆特色社會服務，兩天內南英社共出動了 60 人次以上的人力，驅車至金山海邊為弱勢孩童修繕房屋，過程中大家親力親為，清除與搬運像山一樣的垃圾、充當小幫手協助專業技師，一點一滴將原本無法遮風避雨的房子（正確的說它不是房子，它只是有蓋子並堆滿雜物的空地），變成一家四口可以安居樂業的房子，雖簡陋卻五臟俱全，看到受服者最小的 5 歲女兒在床上快樂的翻滾，頓時我熱淚滿盈、內心澎拜，這種感覺只能意會而無法言傳，我相信當時在場所有的社友，也跟我同樣的感受；第二天完工的時候，義築小團的團長施大哥對全體社友說「非常感謝南英的貢獻，南英解決整個社會服務最難的部分（我猜應該是清理與搬運滿山滿谷且非常噁心的廢棄物，以及主動協助任何需要協助的地方）」；最令人高興的是經過這次社會服務，不僅改變了普羅大眾對於扶輪社的看法，社友彼此的感情更上一層樓，應證了服務是深化聯誼最好的方式，與親手做服務才是社會服務的真諦，我想這些收穫不是捐錢、拍照就可以達到的（順便一提：與義築共同舉辦的社會服務，南英社並不需要捐款）。

最後，我要感謝所有的南英社友，謝謝你們讓我有機會為大家服務，讓我明白「進來扶輪學領導」與「進來學習、出去服務」的道理，過程很辛苦卻甘之如飴；更謝謝這一路幫助我的扶輪先進們，我在各位的身上看到扶輪的價值，也深刻的體會到自己的不足，這一切的一切盡在不言中。

我以南英為榮、更期待南英以我為榮！

第6分區

傳承與超越

南星扶輪社／王琇娟 CP Teresa

我很開心在 2020-2021 年度擔任社長。因為在 COVID-19 新冠病毒肆虐下危機改變成轉機，主要歸功於總監 DG Tiffany 的領導，讓社長們在四大考驗中，完成了不可能的任務，完善了多項的社會服務。這也是此年度主題「扶輪打開機會」的真意！

我的扶輪生涯 15 年，擔任過西南區社第四十二屆社長，主題是（成為勵志領導者）真的是進來學習出去服務，確因友好情誼、扶輪同心；連結世界、創立南星扶輪社。

南星創立至今已經進入第二個年頭，在成長的歷程中有困難、有挫折，但我們皆一一克服，挺立茁壯，這都要謝謝母社西南區社 PDGDK、大媬母南門社 PDG Joy 及各位 PP、社友們的努力、傳承，及大家不斷的支持與鼓勵，才能一起分享成果。

大家都知道扶輪是結合全球事業及專業的領導人士的一種組織，提供博愛的服務，在職業方面，鼓勵崇高的道德標準，並幫助建立世界的親善與和平。而對我而言，卻是註定進入此行列，在我的人生生涯裡，所有貴人中能出現三位保羅，是不容易的。第一位是扶輪創始人保羅．哈里斯，沒有他就沒有扶輪的起源；第二位是我的合氣道恩師保羅．李清楠，他是3490 地區創區總監，是他讓我認識、認同、肯定扶輪；第三位是保羅．楊蓮君，是西南區社創社社長，是我學習的大家庭。雖然他們三位都已經不在人世，但精神卻能永傳，影響著我們。

而今年度讓我最感欣慰，確是總監 DG Tiffany 的首創社長們的聯合首敲，也就是說聯合就職典禮、社長展演為癌症基金會募款、在總統府前開跑的國際扶輪年會反毒公益路跑等，每一項都有參與。並且為惜食廚房送餐，更在疫情期間到亞東醫院為抗疫醫護英雄們送餐打氣、加油！每項社會服務都力挺到底，親力親為；也在幼華中學成立了扶少團為扶輪培育人才這就是我們在做的扶輪精神，更是我們的使命！

最後，我真心希望我們能一起展望世界，團結人們的力量，採取行動，在自身社區及全球各地創造持恆的改變，讓我們以「服務改善人生」這是我的願景。

以上是我的心得報告，誠摯的感謝總監 DG Tiffany 的支持與愛護，為扶輪做了無私的奉獻與楷模！向總監 DG Tiffany 致敬！

第7分區

那一年，我們一起玩的扶輪

南海扶輪社／蔡圻 P Chigo

上電視接受專訪、做社會服務上新聞、進劇場演舞台劇、在街頭唱歌快閃、搖滾熱舞辦活動、跟同學嘻笑打鬧（即使都要年過半百……），走的就是藝人路線。卻只要一句話就能有貴人出手相助，因為我們在做正的事。遵循傳統、創新改變，本來就是違和、衝突的事，但是因為不停的衝擊，才能有燦爛的火花。

加入扶輪 10 年，幾乎擔任過所有職務，在左閃右躲的考慮下，決定擔任祕書，準備三年後接任 2020-21 年度社長，正在開心任內沒什麼大事時，驚聞國際年會在台北，當年總監是……眼前一片漆黑，好吧！回到家，老婆淡定的告訴我，小兒要考會考，就在任內，就在漆黑中落下了晴天霹靂，好像看到了什麼？

既然事情那麼多，就好好規劃準備！正在覺得雛形

出現時，有人跑得更快，總監 Tiffany 直接召見；那是一場有趣的對談，看著厚厚的資料夾，「聽說」詳實記載南海社的一切，完全能感受到用心還有壓力！對於不愛讀書的我——來吧！看不懂，用問答比較快，全場幾乎有問必答，除了高高層的事。

回想起來，好像只看過那麼一次總監的無奈，直接翻到最後一頁，告訴我，你把這一頁看完就好！好喔！到現在還是不知道那頁寫什麼，因為還是沒看。在那之後，總監她老人家教會我一件事，言多必失、有失必有得！因為公布地區職委員名單，居然有我！執祕很激動的問我，沒有人社長任內又接地區職務？忙得過來嗎？突然想到父親從小交代的：毒與賭不可碰！可以限制自己跟孩子，但是想多做一些一個人做不來的。我相信，可以的！會有人幫忙的！——應該就是看到這個！

拿筆比拿鋤頭還重，打字比打蚊子還慢！上任前第一個工作居然要寫自己的生命故事，準備舞台劇劇本，在努力了三天後，我放棄了！根本寫不下去，有太多事情觸動而哭不停！只好默默地跟總監道歉，繼續往前走！因為舞台劇的演出，結識更多其他分區同學，也跟著一起走入山區、走進校園做更多社會服務，看到更多需要幫助的人！結合大家的力量，做了癌症防治，讓全球獎助金留在台灣，幫助同在這片土地上的家人朋友；頓時才知道自己其實是幸福的，真的是當了社長才懂扶輪！

當 COVID 19 爆發時，心裡在想，繼續繼續不要停，最好連社長都當不成，暫停社務；現在卸任卻急著：事情還沒做完，時間不夠用，怎麼辦？又要寫這篇稿子，要從藝人轉型為作家，可能還要舉行簽書會……經紀約還沒談好耶！？我相信，會有人幫忙的！

家庭、事業、扶輪；進來學習、出去服務；這些都是老生常談！很多事情，可以不用那麼死板，再過幾天，就能當個安靜的前社長，這可是比當社長還難的工作喔！這一年，時間很擠壓，活動不算少，但是很快樂！以後，我能驕傲的說「那一年，我們一起玩的扶輪」跟你們都不一樣！

第 7 分區

奇幻之旅

新世代扶輪社／**劉喬佳 P Michelle**

沒想到一轉眼就到了要寫社長感言的時刻。這一年是個奇幻旅程。

這一年的時間過得又快又慢，還記得五年前社裡詢問意願，那時就知道社長是一個很大的考驗，要辦活動，要在眾人面前說話，要當個組織社內鼓舞大家的角色，可能還有更多意想不到的重擔。但當時心想，反正還有五年，這麼久以後的事情，先答應了再說，到時候也許就已經準備好可以接受挑戰了。殊不知，社長這件事情，永遠都沒有準備好的時刻。

總監 DG Tiffany 是個非常認真有目標又努力達成的人，還記得他來拜訪各個社長的時候，前一任總監的公訪之旅都還未啟動，DG Tiffany 認真做了手冊給各個社長，內容非常豐富，有很多關於扶輪的介紹以及禮儀，還有整年度的目標想法，每一本都是為了不同社的社長客製化的。老實說，那時候的我，真的對於扶輪社沒有太多概念，還好有這麼認真的總監，這麼及早做好準備，心裡覺得很踏實又戰戰兢兢，反正還有一兩年嘛，那時候的自己心裡想。

沒想到時間真的這麼快就到了，上任前疫情期間，社長訓練研習會到底要不要舉辦，真的是個困難的決定。很開心，最後還是辦了，能夠上一些更瞭解扶輪的課程，更大的收穫是這些課程也讓我在無形之中慢慢培養和其他社長的熟稔，那是我們第一次接觸演戲，那時候要當場自編自導自演就已經是很大的考驗了，沒想到上任後地區的第一件大事，就是要把這整套更正式更完整的搬上台。還記得從排練開始，一週一次兩次三次，就花了非常多時間，後來玩真的，又是治裝，又是拍攝，彩排走位售票，大場地的上台演出，在在都考驗著社長們藝人天分，尤其我們這組的成員，生活都太忙碌也抱著玩樂的心情，很多進度都很令人擔心，無論是忘詞或是笑場，常常都讓我覺得可能上台會變成搞笑歡樂劇或者尷尬默劇。沒想到，就是因為這樣的不足，後來的訓練，反而讓彼此培養了革命情感，兩個分區的「演員」還常相約聚餐和喝酒友誼賽（拚酒），這種交情真的很難能可貴，我想這會是一輩子的友誼。

還記得上任前一個月，要計畫社長就職典禮，我選了一個很棒的戶外場地，但就是擔心天氣，以及最讓我擔心的上台致詞，還記得短短幾分鐘的致詞，我花了幾天時間撰寫，還反覆練習了整個下午，幾乎都是要參加聯考似的滾瓜爛熟，一度還想要臨陣脫逃，想說不當社長了可不可以，但還是硬著頭皮通過了這個考驗，當天來了兩百多位的賓客，賓主盡歡，我還記得致詞結束後我對自己的微笑，以及眾人的喝采；在接下來的一年，我最擔心的致詞，儘管還是會緊張，但我給自己的功課，好像真的有慢慢成長了。

整年度也努力地辦了很多活動，社內旅遊，寶眷活動，節慶派對以及公益活動等等。真的很感謝同分區的大家以及總監共襄盛舉家扶中心園遊會，我想最好的回饋，就是今年明年後年大家說好要一直辦下去。社長或者各個領導人，真的不是個容易的工作，活動的規劃籌備已經需要花很多心思，有時候還需要拜託社友朋友參加活動，但有幸整年的活動都很受到大家的捧場以及支持。其中印象最深刻的活動是跨地區的萬聖節晚會，活動主軸是扮裝以及派對，讓更多人認識扶輪社也是個有活力年輕的社團，我們有三個不同地區的年輕社一起主辦，我們找了花博裡的大帳篷當活動場地，音響、燈光、食物、酒水、表演團體等全部都是分開發包，甚至連賣票系統都是拜託金流朋友幫忙，當時很手忙腳亂地處理各個雜事，把所有項目拼湊起來，又要賣出至少 300 張票才不會虧錢，當時覺得這是個吃力不討好的事情，但現在回頭望去，也為自己覺得驕傲，每一個活動，每一步的前進，都訓練出更好的自己。

一年的時間，沒想到，就到這裡了，可以圓滿交接的現在；收穫很多，要感謝的人很多，感謝陪著我同步，一起成長的大家。而其中，我也要謝謝那時的自己：謝謝妳接受這個挑戰，從困難以及未知中訓練自己，一路走到了這裡！

第7分區

花若盛開蝴蝶自來 南鷹精彩天自安排

南鷹扶輪社／彭鼎堯 P Ace

2021 扶輪世界國際年會原訂在台灣舉辦，原本是非常榮耀的盛典，能讓世界聚焦台灣，有幸在這一年擔任社長，剛好從事活動業相關的我，本應是大展身手的一年，但古有明訓：人生如逆旅，時常經風雨。2021 新冠肺炎延燒全球，根據統計，海景第一排的觀光旅遊業重創 -97%，第二排的活動展覽業則是 -92%，在這險峻的環境下，我承接了社長一職。

在每月公司燒近百萬元情況下，還得付出額外心力協助社務，安排每次精彩演講致詞、場地及接踵而來的地區活動，我常跟人說：齊家治國平天下，自己都顧不了自己，怎還能去服務別人呢？但回想起，2019 年國際扶輪尼泊爾醫療人道救援專案，當時南鷹不但是主辦社，也是地區參與最多人數的社，共有 15+2 寶尊眷，在現場物資匱乏且險峻的環境，近萬人希望我們可以幫助他們，大多人都是跋山涉水近十小時才到野戰醫院，我們只能幫不到一半的人，這情景在腦海中浮現，給了我很大的勇氣，繼續走下去。

阮總監是位資深藝人，安排的活動當然是跟演藝相關，接到指示要社長演自己的生命故事，我們第七分區，團結一致，考慮出每個人都演的話，其實效果很有限，無法表達出每個人豐富精彩的人生歷程，決定投票選出大加蚋社長——小豪，以他的生命腳本「膜王崛起」，讓七分區的所有社長一起演出他的精彩人生，讓我也對這群同學更是尊敬有加，每位社長都是願意付出且成就他人的優秀同學。

在排演小豪的腳本時，才發現他的生命故事非常勵志，扶輪真是人才濟濟，讓我更有撐過疫情繼續服務的決心，有道是：能耐天磨方鐵漢。在排演過程中，都是屬於磨合的階段，才瞭解總監的用心，讓我們很迅速的培養默契，大幅降低溝通成本，因每位社長都是事業有成才華洋溢的忙碌分子，時間都相當寶貴，讓新世代社長蜜雪兒在日後主辦新北市家扶歲末感恩聯歡園遊會，第七分區的社長們，迅速地配合完成此事，中間只開過一次正式會議，精準有效率地做公益回饋社會。

附圖為百萬粉絲插畫家人二老師，社長們一起付出所有資源，我公司剛好是他經紀公司，我們就運用各自的資源，來協助冠名宣傳，社長同學們無需過多的溝通，即能意會。

本來以為當社長都是要幫助他人，反倒是受人幫助居多，感謝創社長 Catherine 很有耐心的在引導我如何處理社務，也跟眾社友們凝聚了共識，無論在肺炎或是有任何不利的條件或環境下，有意願就會有方法！在新冠

肺炎肆虐下，全球扶輪社員下修人數，故我們展開了以社員發展為主的策略，讓社友們清楚知道，任何組織的發展，就是內部團隊的建立與制度的健全，讓社友先相信願景，再引導社友看見願景。

創社社長訂下目標60位，現在已經累積至52位，新進社友高達18位，有4位待審中，看來在卸任前，是可以完成並交棒給下一位社長。

每次例會能量很高，精準有效率，我們讓社友清楚認知四大考驗，再加上南鷹的精神：1. 會議有紀律、2. 學習有成長、3. 公益有管道。

社員發展突飛猛進，但社內卻維護相當高質感的秩序與團結，因為來南鷹的社友都必須承諾且簽字，不得做任何銷售及談論政治議題，讓氛圍輕鬆卻不隨便，高質感而不平凡，原本在創社社長和第二、三屆社長帶領下就有很棒的質感，在眾先進的支持下，更是達到前所未有的巔峰。

最後，說一句我常在社長致詞時的開場白：

天下之大，公益爲先，江湖兒女，暫放一邊。

第8分區

珍惜服務的機會

華麗扶輪社／鍾聿禔 P Katy

「服務越多，收穫越多，快樂越多」是扶輪的至理名言，「進來學習、出去服務」更是扶輪的基本精神！非常非常感謝 CP Jenny 和華麗家人的信賴，給了 Katy 擔任第 26 屆社長的機會，服務大家的這一段期間，讓我有了更多元的收獲、學習和成長。

2020-21 年主題是 Rotary Opens Opportunities（扶輪打開機會），要求扶輪人創造機會來加強其領導能力，幫助將服務理念付諸實踐，並改善有需要者的生活。今年扶輪世界年會原定於台灣舉行，卻因疫情無法如期進行，雖有遺憾，但如同 2020-2021 年度主題「扶輪打開機會」讓所有扶輪人更加珍惜所有的服務機會，更努力地將扶輪人的愛心與熱情散佈到台灣每一個角落。

二十六歲的華麗社，秉持國際扶輪七大焦點領域，推動多項社區服務計畫，並以實際行動響應地區「扶輪公益網」、「萬人反毒公益路跑」，「根除小兒麻痺社長展演」「公益麻將大賽」等活動，分區的聯合多項服務計畫，以及華麗社年度美畫榮星歡螢回家社區之美、贊助明道國小扯鈴、溜冰隊訓練經費、罕見疾病協會捐款、與觀音線協會合辦關懷安康社區獨居老人活動、贊助華麗的扶少團五常國中年度寫生比賽活動經費、捐贈快篩劑和 N95 口罩提供新冠肺炎醫療救助……等等，期盼多方連結扶輪資源，成就扶輪志業。

感謝社員發展主委 CP Jenny，為華麗社推薦眾多優秀社友，讓華麗社永遠興盛。

感謝我的社訓練師 PP Vivian 從我 2020 年 11 月中旬接任社長以來，用心指導，讓我受益良多。此外 Vivian 每年都代表華麗社主持地區重要會議，獲得扶輪最有智慧及最美麗的主持人封號，我們都與有榮焉！

感謝服務計畫主委 Emma 用心規劃華麗社年度服務計畫，並帶領全體社友完美達成年度使命。

感謝 PP Ping，除了特別辛苦擔任了 7 年的國際扶輪年會財務長外，本年度也是華麗社的扶輪基金主委，率先捐款毫不手軟，更鼓勵社友們共襄盛舉。

感謝財務長 Colleen，她真是專業認真又負責，把我們今年度的財務處理的迅速又準確。

感謝我的祕書長 Kate，大家都知道她的工作時間很難掌握，不過 Kate 都盡最大努力出席扶輪社所有的活動。

感謝我的接班人 Echo，她勇敢、堅毅、和負責的態度接下了華麗 27 屆社長的使命，確信會帶領我們實踐扶輪理念，完成扶輪年度任務。

感謝 PP Anny，在 3523 地區的付出和貢獻，也給社友諸多指導，讓我們進退有據。

感謝PP Mei，在華麗社最需要達到社友法定人數的時候回來情義相挺。

感謝今年度新血 Evvie，Connie 的加入，提供更多的知識和專業讓我們成長。

感謝執祕 Sophia 和 Apple，擔任地區和社友聯繫橋樑，會議執行企劃讓每次的例會和活動更加圓滿成功。

承蒙大家厚愛和支持今年 Katy 的社長任務才得以順利圓滿，感謝再感謝！

最後，祝大家身體健康，事業順利，家庭幸福美滿，疫情快過，重回自在生活！

第8分區

扶輪打開機會

華欣扶輪社／蔡輝彬 P Stanley

其實在接任社長職務之前，我就已經是「台北市童軍行善會」理事長，頂著過去在學校家長會的光環，一路承襲許多社團公益活動的頭銜，也做了相當多的「愛心關懷」系列的活動，在愛心公益這條路上，不曾間斷過。加入扶輪，也是希望能夠透過一個較具規模的組織，可以更扎實的散佈愛心、

更確實的落實到「資源分配」的可貴。因為一路看到太多社會陰暗角落，那些無法想像的「弱勢」族群分配不到社會愛心關懷的資源，很難想像在都會生活富裕的我們，位處偏鄉的這些人，我不用「可憐」形容他們，但確實急需社會人士伸出援手。我想參加扶輪社，不是彰顯自己的社會地位，我想表達這個社團可以集結更大資源與力量來幫忙更多需要幫忙的人。

「扶輪公益網」雖然成立不久，但是意義非凡，也默默做出許多善舉，是我參與扶輪，除了各類型的愛心公益活動之外，看到另一個用組織資源的成功案例。

我要感謝本屆總監阮虔芷 DG Tiffany，原本眾多疑慮及期待，想看這位「女總監」能有什麼作為？（在性別仍有見解差異）的大男人主義思想裡，這是一項挑戰，也是期待的突破，更需要改變思維的大改革時代，我們都躬逢其盛，參與今年社長任務的活動團隊。首度創辦「社長展演」讓我們經歷人生首次的舞台經驗，透過在演出過程中的交誼，我們開始認識、交流、互動，伴隨我們一路走來，大家由自負到自卑到自信，我們更自愛、珍惜這難得的機會教育，哪怕是你也已經五、六十歲了，都不敢說今年所經歷過的這些創舉，在你過去歲月裡，是毫無可能發生及接觸的經驗。

我們付出的時間，我們認識、結交了幾十位社長同學，這些各行各業的菁英，在未來十年我們都不見得有機會認識，卻因為扶輪大家庭的結合，我們認識了、互動了、交流了，感情深厚了，互相支援活動有默契了，不需要遊說，只要說明用意大家有志一同做了那種豪情的相挺，感覺真棒，甚至超越了公司企劃經營的繁複手續，自動自發、互相支援。在任期結束時，回想過往、回味無窮，一生不虛此行，我以身為「扶輪人」為傲。現在開始傳承社長的同時，也不斷傳遞這種「正面能量」沒有想像中困難

「進來學習、出去服務」不管你是公司董事長、集團CEO、家中大老爺少奶奶，當你踏入「扶輪」就歸零吧，從新做起，感受學習的樂趣，面對困難的改革，喜怒哀樂的各種心情，會讓我們審視人生的定義。「扶輪打開機會」也為我自己開創人生第二春，相信公益這條路不是只有付出，因為現在的我有滿滿的感受與感恩。

第8分區

精彩人生不虛此行

華樂扶輪社／**鄔麗麗 P Lillian**

進入扶輪十三年，擔任社長一直都不在我的人生規劃內，雖然一再聽前輩們說沒當社長不算是扶輪人，我卻不以為意；直到多倫多國際年會上，社友找了我最崇拜的2020-21總監提名人阮虔芷女士對我威脅利誘，我才接下這個任務，因為我曾承諾過，如果Tiffany接總監我就接社長。

原以為只有2021國際年會在台北的挑戰，殊不知總監早就費心製作「葵花寶典」送給還只是社長提名人的我們開始學習、預做準備，隨之而來又交下了一份整人的作業「製作個人成長年表——生命故事」。天呀！年近七十的我還真不知此生是如何虛度過來的，從每天對著電腦發呆到慢慢回顧一路走過的點點滴滴，然後越寫越多並重新檢視我的人生，原來我也曾經精彩過，餘生也還可以做更多有意義的事。

劉長灝（大熊老師）將大家的生命故事串成感人的樂章，為婦癌募款的重頭戲社長展演——「年輪交錯的黃金歲月」舞台劇開啟了社長任期的序幕；因多次在一起的排練，社長同學的革命情感早已建立，在日後各社辦理社會服務及各項活動時，真的是要錢有錢、要人有人，每次的活動都極為順利圓滿成功。

我們華樂扶輪社一向對地區事務不遺餘力；前社長蕭翠華為本屆第八分區助理總監、黃秀敏為地區年會主委……等，因此今年的華樂社在地區活動參與十分踴躍。台北國際年會註冊人數 41 人（註冊率 126%，社友 100%），反毒路跑報名人數 76 人（僅次於主辦社），除贊助保齡球及桌球賽外，第四工作會的六大賽事全部參與，總報名人數達 70 人，雖然華樂是個僅有 30 人的迷你部隊，卻將「女力當道」發揮得淋漓盡致。

扶輪的可貴在傳承，接任社長是學習的開始，社團是一個團隊，有賴每一位成員各司其職一同完成所要做的事，華樂人有優良的傳統，因此每任社長都能在既定的軌道上穩穩地繼續前進並展現亮麗的成績。

社區服務「我要上學去」部分有台北特奧會等路下午茶（特殊障礙）、桃園藍迪兒童之家（受虐兒）、屏東枋寮海山社區（原住民）以及華樂獎學金等一系列的服務，配合職業參訪從北到南一共參訪了直潭淨水場、中華海洋生技、中科院、台電南部展示館，衛武營，總統府、圓山密道、內洞國家公園……等處，扶輪家庭尊寶眷亦熱烈參與。

除感謝社友熱心積極出席參與各項活動外，也要特別謝謝前社長郭淑惠、黃秀敏、陳淑娟、許美珠……及社友等的大力支持捐獻扶輪基金共計US$137,150，中華扶輪教育基金共計NT$368,000，使我們得以在地區獲得極優異的成績。

個人因年歲較高，又因健康因素（坐骨神經痛、視網膜病變加上高血壓）接任社長常感力不從心，感謝社長同學們一路相陪照顧，隨時幫我找較硬的椅子讓我可以全程參與完成所有的研習會，還有社長們的團體活動包括年會開幕式、總監之夜跳舞、反毒快閃、線上合唱「明天會更好」，在大家鼓勵加油打氣下我竟然也跟著年輕朋友一起嘗試新事物，並能樂在其中。對已退休賦閒在家、平日以含飴弄孫為生活重心的我來說，這一切難以忘懷、遠比年輕時最令我懷念的金門戰鬥營還更勝一籌。

很多人羨慕今年的社長可以共同做服務並享受扶輪，說真的對即將邁入古稀之年的我來說今年超累的！但每每想到這些活動我今後已不可能再有機會去接觸，就一次又一次的全力以赴，不想留下任何遺憾。我做到了，謹以這篇感言為紀念，感謝這一路上幫助我的扶輪友人，並竭誠歡迎有緣的讀者加入華樂。

第8分區

Rotary complete me

台北網路扶輪社／江宗翰 P Jon

與扶輪社的結緣，要歸功於我已經認識超過五十年的同窗——丁賢偉醫師。

年紀半百之後才參加扶輪社，尤其社友的平均年齡不超過 40 歲的台北網路扶輪社，會不會有代溝或是格格不入的尷尬？完全不會！因為我一直保有一顆赤子之心，完全可以與年輕社友打成一片。

之所以會參加扶輪社是因為走過大半生，深深覺得自己在很多方面都受到上天的眷顧，取之於社會、用之於社會，我有能力與時間、更有意願回饋社會，個人的力量很渺小也較難有管道接觸到需要幫助的弱勢團體，透過扶輪大家庭，結合大家的資源與力量，集思廣益，腦力激盪，討論並且發想：他們需要什麼？我們可以做什麼？在我參加台北網路扶輪社這幾年，我們社認養了北投區的陽明養護中心，贊助南投縣的國小棒球隊，執行綠色方舟計畫為桃園復興鄉的山地部落學童課後輔導盡一份心力⋯⋯。

我在學生時代從不曾擔任過班長或是其他幹部（我不是老師眼中所謂的好學生、乖寶寶），因此在當選為台北網路扶輪社社長一職之後，雖然我外表看起來很老神在在，但是內心其實很惶恐、很忐忑不安。幸好有PETS（社長當選人訓練研習會）兩天一夜緊湊的學習課程，讓我對「社長」這兩個字有更深層的瞭解與體會。75 位社長同梯有 75 種不同性格與特質，在 DG Tiffany 總監的帶領下，進行了一場為期一年的奇幻之旅，從旅程的第一站——社長展演開始，這一年裡的路跑活動、民歌快閃活動、直到 6 月底的卸任，因疫情的關係而首創的線上卸任，旅程中的每一站都是精彩萬分、收穫滿滿。我們看似只是在付出，其實我們在付出的同時，收穫更多。

參加台北網路扶輪社，我多了十幾二十個弟弟妹妹。在我擔任社長這一年來參與分區各個大大小小的活動，在扶輪大家庭裡，我又多了百餘位兄弟姐妹。扶輪兄弟姐妹們來自不同領域，有著不同人生經歷，我們都是彼此的老師與學生，我們都在學習，也都在學習中成長。

這一年來的社長之路，要感謝的人非常非常多，感謝 3523 地區總監 DG Tiffany 的領導，感謝第八分區友社情義相挺，感謝台北網路社社友們無保留的支持與包容，最最最要感謝的人是原下屆社長當選人 Robert Wu。兄弟，感謝你一直很挺我，我們也始終合作無間，但是你太不夠意思了，揮揮衣袖就這麼瀟灑地走了！你放心，你主導的綠色方舟計畫，我們所有台北網路扶輪社的社友一定會全力繼續執行，但是我以後見到你的時候，一定要跟你好好把這筆帳算一算！

如果你問我，這一年擔任社長的感想是什麼？我會說：嗯，這一年擔任社長感覺很充實，很辛苦，很喜悅，很心酸……有太多太多的心情與感覺，很難用短短幾句話來形容。但是，有一點可以很確定的告訴大家，加入扶輪社讓我的人生更完整、更有成就感。

（註：ROTARY 這個組織已經被世界所公認，所以這個英文單字前

面通常不加定冠詞 THE。就像聯合國（UNION NATIONS）、北大西洋組織（NATO）一樣，前面都不加 THE。）

第8分區

浪人與扶輪的邂逅

新北投扶輪社／王乃毅 P Nick

一頭散亂的短髮，留著鬍渣，穿著短褲夾角拖鞋，曬得跟外勞一樣的膚色，這大概就是最真實的我吧，住在海邊的人都很有自己的生活格調，還有生活信仰，而對於一些權力鬥爭，金錢的比較，往往沒有什麼太大的興趣，更不用說加入人人眼中覺得是上流社會的「扶輪社」了，但這個故事的結局是我已經擔任完扶輪社的社長了。

我想人生就是選擇與緣分，有時候緣分來了，你不見得會選擇，而有時候你選擇了卻不見得有緣分，好像都是如此，既然來了，我當然也能自己選擇我們要做什麼樣的扶輪人，我不是什麼大企業家，也沒有強勁的背景，我只是一個靠自己雙手努力活著的台灣人，我一直認為我可能沒辦法對這樣一個高級社團付出太多，我來還有可能是被幫助的那個人，不過確實，我學到很多，也得到很多無法取代的體驗和經驗，但是回首看看這一年，好像也完成了一些任務，對這個世界有了微薄的貢獻。

新北投扶輪社也是我所隸屬的社團，我們是一群年輕人加上幾個很有心的前輩組成的扶輪社，其實認真地深入新北投地區，以及台北新北市的角落，城市中還是有很多被遺忘的族群，他們是需要被幫助的，就像北投區的兩間小學目前是我們贊助的對象，我們提供他們一些有心向學的且經濟有需要被幫忙的優等生，免費到芝麻街美語學習的機會，今年度贊助了17位小朋友，而這個服務希望有新北投扶輪社在的一天，就會持續開辦，其實一直到有一次的成果展，小朋友的爸媽來到社內跟我們分享，有一位父親什麼都沒說只重複的說：「真的很感謝你們」，我才突然有一種：「原來我也可以有所付出的感受」，接著我們聽到了學校的需求，什麼？！現在台北居然還有小學沒有冷氣，我們很希望可以幫忙，於是也透過大家的力量，還有我們的褓姆，周水美女士無私的付出，我們籌到了20幾萬，幫忙建設了低年級教室的冷氣，講到這裡，應該有發現，雖然我們沒有很多經費，但是可以透過扶輪找到很多的資源，來協助需要的對象，我們需要的是更多的發現，更多的想法，還有願意付出時間來整合的人，我想我找到我在這裡的定位了。

而接任社長之後，我認為很多事情可以從很微小開始，我們到了宜蘭海邊帶大家去享受我最愛的衝浪，並且潔淨了沙灘，這應該是規模最小的淨灘，但是服務就是這樣隨手可做，然後我們騎腳踏車到八里的教養院，累得半死，為了陪小朋友們跳舞吃布丁，並且幫助他們清潔生活環境，因為他們行動不便，我想這樣微小的社會服務還會持續不斷下去，光是我們目前所屬地區就有75個扶輪社，對台灣的服務與幫助我想是無法估計的，突然發現，我錯了，扶輪社不是什麼高級社團，也不是上流社會，而是不管你成就如何，但是你願意付出時間跟金錢的普通人，而是不管你工作有多忙，也願意撥出空擋做一些社會服務的有心人，我想，接下來有更多的事情需要你我來努力，我發現原來透過這裡的力量，才真的能夠去完成很多理想的生活環境，譬如衝浪人最重視的自然生態，這些議題不再只是空想或是網路上筆戰，而是轉化為行動，帶著資源去實行他。

第 8 分區

付出越多，收穫越大

華真扶輪社／**蔡毓綺 P Bannie**

2018 年加入台北市華真扶輪社，認識許多事業有成及各領域精英的扶輪前輩們，看到他們無私的付出為社會服務令我感動，特別在 2019 年 10 月參與了尼泊爾的國際義診回來讓我有了深深的省思，原來電影中的貧窮世界是存在的，在台灣的我們是多麼幸福啊！所以自尼泊爾義診回來後我就全心投入扶輪公益，希望自己善用這個平台盡自己最大的努力及能力幫助需要幫助的人，豐富自己下半場人生，讓生命更有意義。

一個機緣下知道瑞芳金瓜石偏鄉地區需要一台接送車，也很順利的在短短三個月就完成了募款捐了一部車，於是啟發了我偏鄉關懷車 10 年捐贈計畫。2020-21 年擔任社長的這一年，第二部車當然要選擇我生長的地方——嘉義，所以我開始尋找嘉義偏鄉的確定需求以及可以管理的單位。輾轉透過了梅山國小校長引薦認識了太平村村長，再由文昌國小賴校長介紹大埔國中小林校長，就這樣與大埔國中小結下了善緣。

當時第一次來到大埔國中小學校，說不出的一種親切與感動，或許因為我也是嘉義長大的孩子吧，有機會再回到家鄉貢獻一點心力是一件很棒的事，這也是我的父親當年想做的事，只是 30 年後由我來替他完成，特別在我擔任社長的這一年有著更特殊的意義以及表達對父親的思念。

擔任 2020-21 年度社長，對我而言最硬的兩件事情就是社長展演以及完成嘉義偏鄉關懷車的募款捐贈計畫，特別是社長展演對我而言更是莫大的挑戰，但現在反觀卻是收穫最多的，透過每一場排練的過程，我們用心感動每一位同學的生命故事，以及重新檢視了自己的生命歷程，回顧自己每一階段有著不同的感觸，進而調整了自己未來人生的腳步，但最大的收獲是與每一位同學革命情感的情誼，相信這是前所未有的，讓我非常慶幸能在這年擔任社長一職。

回顧擔任社長這一年，挑戰了很多自己的不可能，從臨危授命答應接任華真第三任社長，當時在受到疫情的影響，公司的業績幾乎掉了快一半，以及扶輪資歷只有三年的我而言，真是莫大的挑戰啊！答應接了才知道這屆社長要演戲募款，天啊！不能直接捐款就好嗎？讓我一度後悔了，但既然承諾了就要承擔，其實心裡還想著：「說不定疫情會取消呢？」直到總監公式訪問後才感受到總監做事的決心與魄力，任何困難也阻擾不了她，至此我才開始真正坦然面對這個挑戰，或許經過這磨練挑戰後，其他無論是擔任地區職務或是公益服務活動都是相對駕輕就熟了，卸任前反毒宣導唱歌快閃活動也是新的嘗試體驗，總之這一年全力以赴，也收穫滿滿，因為我始終相信付出越多，收穫最多的一定是自己。

第9分區

扶輪相伴，我從不孤單

華安扶輪社／**林濬暘 P Solution**

進入扶輪 10 年了，扶輪伴隨我經過的人生中許多的重要階段，初為人父，事業成長，外派，自行創業，有高山，有低谷，扶輪讓我在生活與生命中的重要時刻都不孤單。我熱愛扶輪，也享受服務，我喜歡扶輪的四大考驗，也喜歡扶輪互相幫助，自我要求，專注服務的精神。擔任 2020-2021 的社長，讓我有幸經歷了扶輪生命中的另一個階段。

記得擔任社當的時候，總監來拜訪我們每一個社當同學。我穿了一身西裝，準備了飲料點心，還告訴祕書，等等有大明星要來。沒想到，即便不化妝也很美的總監來了，簡單的牛仔褲，素色的上衣。我們在會議室一聊兩個多小時，從創業故事，家庭，我們共同工作過的北京，一直到我們對扶輪的熱愛，與希望做的服務。我知道，在 Tiffany 總監的帶領下，3523 地區將會充滿溫暖，樸實無華，且，毫不枯燥。

2020 年，迎來了 COVID 19，大家處在極度的不安當中，但我卻享受不用出差，可以踏踏實實待在台灣的日子，那讓我可以安心履行我的社長職務。從我們地區 7 月 1 日大家集體首敲那天開始，我就設定了目標，我要找更好的例會地點，找更好的主講人，並要增加我們的社友數量，要全心全意的讓華安社兩個連續舉辦近十年的自立失家少年生命體驗營，還有以關愛親長為目的徵圖比賽活動，做更好，讓更多年輕的實業家跟創業家，更多的參與扶輪。我期待以扶輪凝聚更多的活力！！

我在華安社以社長身分第一次敲鐘的當天下午，確診了乳癌，經歷了開刀，化療，與放療。整個治療的過程，從第一天當社長開始，也好像剛剛好跟著我的即將卸任而一起結束。我週五早上參加例會，下午到醫院住院，扶輪的溫暖，熱鬧，讓我幾乎不在意治療的不適，雖然我有點遺憾，今年沒能跟社長同學們一起展演，一起跳舞，一起常常相聚，但我每次看到大家時所受到的熱情，就好像我從來沒有缺席過一樣！

華安的創社社長 CP Charles，每次在例會，總是給我很大的溫暖，要我不要勉強來例會，要我多休息，到處誇我精神可嘉，華安的社長當選人 PE Tina，甫卸任的社長 IPP Jill，和祕書 Sam，自動補位，幫我出席分區活動，每次我化療完，第二天前社長 PP Amy 一定一早到市場去，然後回家燉一鍋雞湯帶來。其實他們不知道，我十年來，常常因為人在北京無法到例會，有多麼的想念，我每次到例會，就有更大的力量面對新的一天，我是一個盲目的樂觀主義者，因為我有扶輪！扶輪陪伴走過高山低谷，讓我從不孤單，勇往直前。

第9分區

用心，別人看見了就會來幫助你

華中扶輪社／謝昀祐 P Vincent

從來沒有想過會擔任社長，一個原因是自己資歷尚淺、另一個原因是當初加入扶輪的初衷就是每週可以去聽個演講、順便結交一些酒肉朋友這樣，所以從來沒有很嚴肅地看待自己有一天將會領導一個社團！

七年前剛加入華中扶輪社，我根本連跟大家打招呼都很不自然，甚至車子停在停車場要上去例會前，還想了一下：算了，我不知道要跟誰講話……然後就開車走了。那時候的自己，沒有找到在社裡面的定位；幸好每一任的社長們，都對我有無比的熱情與耐性。有一年我擔任聯誼主委的職位，那一年的歷練，除了逼自己一定要出席以外，也讓我慢慢有信心面對大家、認識大家，更有趣的是，才知道原來自己還會主持、說笑話！慢慢地，我找到了舒適的位置。

可能我與其他社長最大的不同點，是我從開始擔任社長之後，才跟大家真正熟起來的；以前總有一大堆的理由不去參與，現在自己是社長了，一點理由都沒有，不過也才開始發現社裡面的生態、每個人的喜好、經歷、故事、環境等等。開始知道很多事的道理在哪裡了，所以也能欣然接受一些慣例及傳統。

我自己是一個喜歡挑戰的人，可能是因為在大家庭長大，除了希望能突破現況外，也很尊重傳統。即使是我在擔任社長前的半年，甚至是即將上任的時候，我還是一直在推翻自己的計畫，希望能更不一樣、更吸引人，所以，我都是邊做邊改，更誇張的還有這個月還在想下個月能怎麼改。真的是關關難過關關過，不過，都是自己給自己的關卡。因為先前我並沒有擔任過祕書長、社服主委這兩項比較重要的職務，為了怕許多事務在籌備與執行上有問題，所以我自己有一個非正式的顧問組織，裡面有年輕的社友、有熱心的前社長、有熱情的寶眷夫人們。我都是在聯誼的時候徵詢他們的意見、慢慢組織起來；可以說，我走的完全不是傳統的、組織的、系統的方式，而是用自己的心去體會大家想要什麼、不要什麼，喜歡什麼、討厭什麼，再來最後的定案。

在我接掌社長前，其實社裡面一直都有些爭執、意見不合的地方，雖然這個是每一個社都會有的，但是我看見了之後，就把今年的主軸訂在安定、團結社裡面的氣氛。希望能穩定下來了，後面幾屆或許才能大步邁出去，這是我的想法。我辦了許多場以前都沒有辦過的活動，或是用不同的方式呈現出來，希望用一場場的活動來凝聚大家的向心力。幸運地，讓我們又能往下走了。

常聽到有社友說：年輕的社長果然就是不一樣！其實我覺得，是因為自己很用心在經營。這一整年，我很負責任地說，我無時無刻在想著如何服務我的扶輪社，因為我希望不負期望，我希望社友們的認同。「用心，別人看見了就會來幫助你。」這就是我這一年的寫照。社長這一年的經驗刻骨銘心，因為酸甜苦辣太多了，走這一遭，尤其是跟 Tiffany 總監的這一年，看到、學到、知道、用到、愛到，非常值得！我現在不會知道這一年的歷練對未來會有什麼幫助，但我知道自己跟去年的自己比起來，更像扶輪人，也更瞭解扶輪人了。

第 9 分區

打開一扇不可思議的大門

南德扶輪社／**廖清祺 P Leo**

感謝褓母 PDG Tony 、CP CK 及歷屆社長的用心耕耘，才能創造出這麼優質的南德社。非常感謝南德家人的信賴，讓我擔任南德社第十一屆社長為大家服務，當承諾擔任社長的當下就已經為自己打開一扇不可思議的門，這是一趟驚奇之旅，不但成長滿滿、收獲更是滿滿。

社區服務協助與關懷需要幫助

的人一直是南德的核心價值之一，今年，我們贊助國際單親兒童文教基金會持續幫助那些單親媽媽、六龜基督教山地育幼院的孩子；我們也完成了台東公東高工清寒學生木工國手培植計畫、贊助台北特教（啟智）學校經濟弱勢學生一學年營養午餐、北安救難大隊山難搜救設備以及 1919 食物銀行一萬個食物包……。

南德人也參與了地區的服務計畫，贊助「萬人反毒公益路跑」、「End Polio 慈善音樂劇」、「台灣扶輪公益網」、「惜食廚房」、「婦癌及肺癌篩檢防治計畫」，還有扶輪基金捐獻總金額 3523 地區第一名、中華扶輪基金捐款累積達八百萬…，這些都是南德人的驕傲。

今年 RI 社長主題「扶輪打開機會」，我們也沒忘記要為年輕人打開機會，因為我們知道只要給他們機會，他們就會變得更茁壯、更傑出，所以今年我們創立了南德扶青社。

我們相信，每一個服務行為都會激勵和改變我們，所以幫助需要幫助的人為他們創造機會，其實也是為我們自己創造機會，服務越多、收穫越多、快樂也越多。

在此要特別感謝褓母 PDG Tony 、第十一屆理監事會與服務團隊、PE Echo，還有南德的所有社友寶尊眷、九分區的同學，謝謝你們！我們一起完成了精彩又豐富的一年。

第9分區

付出帶來豐盛富足

華茂扶輪社／**沈剛 P Steve**

感謝 Tiffany 總監的帶領並給我這個機會去回想過去一年的社長之路，讓我自己有一個總結與感想，若只能用一句話來形容的話，就是「給出付出帶來豐盛富足」！

因為自身的業務工作相當地忙碌，每天要面對個人績效、團隊績效、諸多公司內部會議……等等。所以五年前加入扶輪社時單純只是想要多交朋友、增廣見聞，從未想過自己有一天能夠擔任社長這樣重大的責任與職務。但感謝華茂社的 CP Michael 當時的一通電話大膽啟用與對我的看重，讓我在 20-21 這個年度有機會擔任扶輪社社長，開啟我這一年的「豐盛富足之旅」。

這一年我學習並體會到原來透過不斷地付出與服務，真能讓我的生命更加豐盛富足！透過北海岸淨灘行動、地區惜食廚房送餐行動、地區捐血行動、支持永安國中偏鄉教育、地區反毒路跑……等等行動，讓我感受透過親手做服務的意義非凡，這是過去單純捐款所無法感受到的感動。

最後再次感謝知名電視電影製作人阮虔芷 Tiffany 總監，把我們每一位社長都像打造明星一樣，給我們許多的舞台和磨練表演的機會：

讓我從不會演戲到登上台北市政府大舞台公演！

讓我從不會跳舞到在地區年會表演媽媽咪呀快閃舞！

也為了支持台灣走過疫情，讓我從不會唱歌到錄製〈明天會更好〉MV ！

看到好多社長同學這一年的鍛練下來大概都被磨成戲精、舞棍、歌王歌后了吧！

最後我終於能夠體會，為什麼有扶輪前輩說過，越忙碌越沒有時間越要參加扶輪社。因為透過參加扶輪社，甚至接任社長，會強迫自己鍛鍊出時間管理的能力、資源運用與共享的能力、想辦法解決問題的能力、溝通協調的能力、活動企劃與執行的能力、表達與演說的能力……等等，以前從沒有想過在如此有限的時間裡盡然能夠裝備自己那麼多能力、做那麼多事、影響照顧那麼多人，真的好值得！

最後最感謝就是我「華茂社」每一位社友過去一年的支持，還有我生命中最重要的伴侶我的太太悅悌相挺，若非如此，絕對無法完成這麼多的任務，幫助這麼多的人，度過這麼美好的一年，謝謝你們！！謝謝扶輪！！

感謝讚美主，一切榮耀都歸神！

第9分區

親愛的，對不起，我去辦案了！

南茂扶輪社／鄒靜雯 P Lily

▶▶ 誰是凶手？

到底是為什麼加入扶輪進了南茂……還莫名的當上社長，誰是罪魁禍首？事發至今，只好拿出我柯南的精神，發現——凶手不只一個！！！

▶▶ 冥冥之中的註定

2016 年的某一天，在朋友的介紹下，認識了一位陳董（陳昱光 CP Parker），聽他滔滔不絕跟我們說要準備創扶輪社，就半信半疑的參加他的創社籌備會，原本只是當作應酬罷了，沒想到被這位要創社的陳董（CP Parker）一直盧、感覺不加入扶輪就會終身遺憾……就這樣，在 2017 年 4 月 8 日授證典禮那天，成了台北南茂社的創社社友！後來發現南茂 RI 登記的日子，跟我的生日 3 月 17 日竟是同一天！這似乎冥冥之中早已註定，生於香港、卻在台灣落腳的我，來扶輪，就是會成為南茂的一分子。

剛入社沒幾天，來了通電話:「Lily，我Parker，可以邀請妳當『2017-18年度社員委員會主委』嗎？」當時在開車，也沒很專心聽……就隨口答應了！後來聽了其他社友說，這是社的5大主委，很重要！我連哪5大都不懂，也就這樣接了這項任務。

過了一段平靜的日子，某天例會結束，創社社長CP Parker詢問我是否願意接任第四屆社長，我馬上理性的婉拒，他說別拒絕那麼快，因為那年是世界年會在台北，總監也剛好是女性（阮虔芷DG Tiffany），所以他認為心目中的最佳人選就是我，請我回去想想再回答他。

我回去怎麼想都覺得不可能！這輩子從來都沒想過要當扶輪社社長，並且我家大叔（我先生）也不可能允許，就這樣創社社長CP Parker來來回回遊說N次！如果，這是命中注定，那我就該接下這任務嗎？我行嗎？一場懷疑人生的戲碼，就這樣在我內心不斷演出，直到某天突然腦袋當機回答CP Parker：「好吧！」這段煎熬的日子才暫時落幕！

聽說？他說！

就這樣在創社第二年，開始踏上接班路程，擔任副社長VP，當時總監DG Tiffany來例會主講，CP Parker很興奮的告訴總監說，我是她那一屆的社長，當時，只覺得總監好高、好美、好有氣質、有點嚴肅又不失親切，沒多久就被徵召入伍到「2020-21社長群組」，心想：「總監也太早規劃了吧！這麼快就開始安排拜訪行程！」果不其然、馬上就安排到我公司拜訪，總監及祕書長張堉真DS Jenny，拿著厚厚一本資料夾，來詳談2020-21年度總監的種種想法，還請我們看了二場不錯的電影，慢慢開始培養不錯的感情。

在那二年，南茂流傳著二首歌，一首是「聽說聽說」、一首是「她說」，因為被大叔（我先生）耳聞我要接社長，雖然一直對他打模糊仗，但每次聚會他就跟大家打探：「聽說 Lily 要當社長？」大家就說那是你聽說啦！到底是誰說的？大叔就開始指著社友：「是他說、她也有說！」大家都顧左右而言他，再三否認，只好把各種猜疑投射在歌曲之中，社友也都知道我先生的個性，在我社長當選人感言時提到，在接下來的任期請社友多幫我陪伴大叔運動、打球、吃飯等等，上任後，除了第一次例會沒讓他出現（因為那天要寫歡喜捐款 IOU 單），其他時間都讓他盡情出席，通常只要寶尊眷開心，社友們就可以安枕無憂了！

▶▶ 藝人出道般的大修煉

大家都知道，總監在我們還沒上任就要我們開始做作業——寫自己的生命故事，這過程真的是煎熬，好多內心過不去的事情，一一翻箱倒櫃而出，有時甚至眼眶模糊到字體猶如馬賽克拼貼，故事一度中斷無法入筆！好不容易寫完，還得如實演出，這根本就是在傷口上灑鹽，痛苦指數百分百！那陣子的眼淚應該是我這輩子流量最大了！還好連續二場的演出獲得滿堂彩，我們「星願」組的社長同學們，榮獲「最受歡迎演出獎」、「最佳男演員」、「最佳女演員」、「最佳態度」、「最佳保姆」五項大獎！從來沒想過，我這輩子有機會上台演出、接受電視媒體「台灣亮起來」採訪，並且獲得「最佳女演員」，真的很感動！謝謝參與的社長同學，還有導演大熊老師（綠光劇團導演）的鞭策指導（不騙你，導演真的是拿著棍子在排練）；最感動的，透過這場生命故事，可以擁有 74 個社社長同學們的友誼，這應該只有在總監 Tiffany 這一屆才有可能做到吧！

除了「乳癌防治的藍蝶計畫」——「年輪交錯的黃金歲月」社長展演，今年總監也很努力做了很多很棒很有意義的事，我們參與協辦「雲嘉地區肺癌高危險群防治活動」——「愛你肺盡心思」。還有「反毒公益路跑」，今年爭取到一級賽事，在總統府前廣場跑向新生高架，及後續推動反毒宣導在校園「趕路的雁」、信義 A8 廣場前的反毒快閃表演，同學們都玩嗨了呢！

我今年最大的突破，就是跳舞，在一場消除全世界小兒麻痺「End Polio 慈善音樂劇．《秦始皇》」，要上台跳超級難的安可曲舞蹈，總監說舞蹈會為我們改比較簡單一點，結果……完！全！沒！改！只好硬著頭皮上場跳二部曲，沒想到，開始與舞蹈結下不解之緣，從我們自己社慶的「IOU 舞團」，到母社南德社邀請我們的舞蹈表演，地區年會的晚會快閃舞，接著各社同學們紛紛邀約，經過這一年的操練，社長們各個不只能言善道、還能載歌載舞，都是藝人等級，卸任後應該可以準備簽約出道了。

▶▶ 扶輪傳愛零距離

當然我們社內今年也做了不少感動的事，雖然我們平均年齡只有 39 歲，但創社到現在短短不到四年的時間，「中華扶輪獎助金」捐獻今年已累計達 200 萬！

還有還有，「扶輪傳愛零距離」－「PaGamO 偏遠弱勢兒少閱讀素養助學計畫」，這是與台大葉丙成教授、黃國珍老師，一起為偏鄉的教育努力，讓新屋鄉永安國中的學生們，可以平衡偏鄉教育學習上的落差，並且在拜訪當中看見孩子們的需要，我們也捐贈營養晚餐給學校，讓學生們能安心在學校好好吃飯、好好用功。校長說，我們每贊助一位孩子學習，就是在幫助他整個家庭！（每次聽校長說話，都會忍不住眼眶泛淚）

不只扶幼、也濟弱扶貧，我們認真參與惜食送餐服務，關懷弱勢族群與獨居老人，讓他們可以收到我們暖呼呼的愛心便當，並且每次送餐完，社友們還可以藉此小聚一番，真是所謂助人為快樂之本！（大誤！）

▶▶ 沒有想法，就是最好的想法

今年還有擔任一項重大任務——擔任國際領袖論壇的主委！當初，只是臨時要拿一樣東西送到總監家，沒想到被總監留下來喝下午茶，閒聊中談到論壇，說著說著，總監竟出其不意丟一顆大球給我：「Lily，就由妳來主辦吧！」我貿貿然地答應了，回到家才回過神來……我怎麼會說好？！被大家知道後，也都感到不可思議，當社長都已經忙得不可開交，還突然接下地區的職務，都為我感到相當的憂心。好，既然答應，就做吧！開始努力找了身邊所有能動用的資源，TEDX Taipei 策展人許毓仁 Jason、商周創辦人金惟純、活學總監周文海、台新文化藝術基金會董事長鄭家鐘、前商周執行長現任品味私塾總策劃王文靜、經濟日報主任游志龍、前外貿協會祕書長葉明水，以及南茂社社友 Paula 吳佳玹（口袋行銷總監）等，到處請益。從設定主題、大綱、尋找主講人、參加人數設定、尋覓合適的場地、團隊組織、公益捐贈的對象、與主講人文案定調、主視覺設定、活動流程策劃、編列預算、宣傳募款、廣告招商、與編輯組討論細節、開籌備會議。光是選定主講人、就花了超過半年的時間！後來、連當助理總監的 CP Parker 也看不下去，忍不住出手帶著我到處拜碼頭、打通關！隨著年後應該要準備論壇的各項事項，但在這短短剩下不到 7 週時間，幾乎不斷電的活動……從社慶的練舞、2021-22 團隊相見歡、DTTS（地區團隊研習會）、南茂社慶、3/27、28 地區年會、3/27 公公突然過世、清明連假……接二連三的來襲，在地區年會結束後，只剩下 8 個工作天！開始瘋狂作業！不斷催稿、修改議程、新增主視覺的輸出、不斷校稿、不斷修改新增的名牌名單、及催生自己一直難產的致詞稿、最後頁數差一張，趕快修改自己的廣告尺寸補上，還有親自上陣寫新聞稿（還好有上過二次公共形象研習會）。

即使到了論壇當天，在台下必須乖乖坐著的我，還是不斷發現問題、不斷發訊息給團隊，協助調整。

當天最大的彩蛋，是張鐵志臨時告知必須5點離開會場搭高鐵，所以「高峰與談」少一位，最後硬著頭皮，第一次參與論壇與談，跟這幾位大咖排排坐，真的是豁出去了！

當中特別感謝這次參與大、中、小金額共37個協辦社（託總監當初社長展演的福）、及2個廣告贊助，有你們每一張的門票收入（不便宜喔！要1,000元），才能讓活動順利進行，並將結餘129,176元捐贈給「台北市失親兒基金會」，讓這場論壇更具意義與影響力。

致詞文中，我形容這是一段「修正之旅」，對於一切只有感謝，感謝總監當時的勇氣、放手支持並給予我最大的鼓勵（沒有總監就不可能產生這場革命性的論壇），感謝大家的努力、感謝所有的發生、感謝自己的不放棄。想起一位老師曾說：「遇到就是，沒有想法，只有傻傻的做、做到傻傻！」「當你沒有任何資源，你、就是資源！」「分享是付出的開始、助人是最終的到達！」。

首次在3523地區舉辦的「國際領袖論壇」活動，今年，讓我們來一場世紀之約。活動三大主題：

⑴ 打開未來之鑰

⑵ 變與不變的2021

⑶ 如何做個具有未來競爭力的企業領導人

在自由聯邦廣場國際廳400人場地，一共384人報名、345人報到，出席率高達9成，最後在總監數度哽咽的致詞中，正式落幕。

▶▶ 凶手其實是大貴人

說到這，大家知道凶手是誰了嗎？原來當初的凶手創社社長 CP Parker，其實是我人生最佳修煉的貴人！還有最大幫凶總監 DG Tiffany，經過這一年不斷電，要做好做滿到 6 月 30 日、精彩絕倫的安排，從首敲致詞緊張發抖、臉皮超薄的我，到現在已經厚如牛皮；未來，我還是會繼續跟著凶手及大幫凶，一起去搞更大的案子，到時候請不要驚訝喲！

第 10 分區

驚奇的扶輪旅程

南港扶輪社／**趙偉民 P Bill**

常常與鄰居老王在廁所裡相遇，日子久了會彼此開開玩笑，有一天老王突然邀請我和內人去參加他們扶輪社餐會（入社後才知道是授證晚會），當時想說隔壁好鄰居嘛！去吃吃飯無妨，就去了。

這是十三年前的事了，記得老王連續請了幾年，應該有三次吧！當時也沒多想，只覺得有這麼好的鄰居真是幸運，老是請我吃飯。終於有一天他向我開口了，欸！趙兄找個空檔來參加我們扶輪社例會嘛！俗話說「拿人手短，吃人嘴軟」，我怎麼好意思說不呢？因此就去了，沒多久老王又打電話來說：「趙兄，明天我和幾位社友要去拜訪你，方便嗎？」，我當然說歡迎囉！隔天來了三位社友，其中一位是社長曾國峰 Gordon，還帶著高山茶給我，一來就開門見山就表明今天我們是來正式邀請你加入扶輪社的，我當場未置可否？只回答說我會慎重考慮的，但事後還是沒加入，那罐茶葉至今還擺著不敢開呢！當時沒加入的原因主要是心裡還沒有準備好，於是就找了個藉口跟老王說：「目前擔任園區的委員沒時間參加，等我卸任後再去參加」。但有句話是這麼說的「飯可以亂吃，話不能亂說」，沒預料到一年後的某一天在停車場又碰上老王（這時已卸任委員了），他一見面就問：「要不要來我們扶輪社啊？」，這次沒有藉口了只能說好，於是就加入了南港扶輪社。（後來我才知道這位老王是南港社的開山祖師爺創社社長王東章 CP Tosho，真是有眼無珠不識泰山啊！）

入社之後的初始印象是，每週和一群穿著西裝的人見面，彼此相互寒暄，然後吃吃飯、唱唱歌、聽聽演講，好像到教會做禮拜一樣。另外就是掛在牆面上醒目的「四大考驗」旗幟以及「雖然我喜歡，不是都可以」的紅布條，這些是提醒社友要注重自我品德提升的箴言，可見扶輪對個人道德素養的重視。入社的第二年新社友通常會被安排擔任歌唱、聯誼、糾察委員的職務，也會不時被指派參加地區的訓練，感覺就像剛入伍的二等兵一樣，有事必定是弟子服其勞。但也就是這樣有參與服務及訓練的機會，才慢慢地對扶輪有些瞭解。

在 2016-17 年度到泰國舉辦高爾夫球賽的某一晚餐會，在酒酣耳熱之下我突然被拱為 17-18 屆的祕書長，自此便踏入承接社長之路。其實這些過程是南港社長久對社長培訓的一套機制，欲擔任社長必先經過社內各式各樣職務歷練（特別是五大主委），然後一路從祕書長、副社長、社長當選人到社長，要能擔任社長至少也要有七八年的時間，說起來其實不是一件容易的事，所以能圓滿成功的完成一屆社長任期，是一件既光彩又有成就的事，就好比是修完學分取到學位一樣值得驕傲。南港社成員大多是中小企業老闆，是各行各業的成功人士，長年處在高高在上的位置，很難想像會捲起袖子彎下腰來親自服務，但自從我入社以來看到每屆社長都能收起鋒芒，耐著性子，認真負責，盡心盡力的為扶輪及社友們熱誠的服務、貢獻與付出，實在不容易啊！這也是讓未來社長能踵武前賢的原因。值得一提的是常聽到別的社找不到下屆社長，但在我們社的社友趨之若鶩已經排到民國 117 年之後了。

日復一日，很快就來到接任社長的時刻，我這屆的總監是扶輪世界裡相當罕見的女性同胞阮虔芷 DG Tiffany，她是一位演藝界的大人物，集聰明、美麗、智慧、創意、自信、毅力、魅力於一身，運用多年來在演藝界的豐富知識與經驗來訓練我們。在去年的 2 月份開始就要求每一社長寫一份生命年表，讓自己檢視一下過往的人生過程，啟發每位社長思考未來人生的擘畫。在去年的 3 月分到宜蘭村却酒店舉辦兩天一夜的社長當選人訓練會（PETS），教授有關「如何領導您的扶輪社」的各項知識；受訓期間讓我印象深刻的就是舞台劇表演，隨機將社長們分成幾組，然後擷取個人精彩生命故事片段編成劇本進行表演，從中學習在團隊中領導與被領導的道理，透過頻繁的互動不一會兒時間讓彼此陌生的社長們逐漸的熟悉。在 4 月分提交「有效能扶輪社規劃指南」讓總監瞭解社裡未來一年的工作計畫（包括組織架構、財務預算、扶輪基金捐獻目標及服務計畫等幾個面向），並進行總監公式訪問會前會視訊會議，討論計畫的妥善性。這一系列的準備工作和訓練活動，都是在協助社長當選人能有效的讓組織有效能的運作。

在上任社長之前已擔任了幾屆的理監事委員，對社裡的組織運作情形及問題已有一定程度的瞭解，在 7 月 1 日正式上任後我做了幾件事，第一是「理念宣導」，讓社友明白今年度的國際扶輪 RI 總社長、地區總監及我所主張的行事理念；今年度國際扶輪總社社長卡納克 Holger Knaack 提倡「扶輪打開機會 Rotary Open Opportunities」年度主題，期許我們能與世界各地的朋友一起過著豐富、更有意義的生活；地區總監 Tiffany 提出了「We Are One Twenty Twenty-One 精彩人生，有您真好」的年度口號，她說：「領航者要帶領著社友們，給更多需要幫助的人無窮希望」；我也提出了一個「Happy ！ Health ！ Homelike ！」（簡稱 Ha ！ He ！ Ho ！）的年度口號與 RI 和地區相呼應，期許社友們在這一年當中都能用快樂！健康！自在！的心情來參加扶輪社的各項活動，發揚扶輪精神，創造精彩人生，讓自己及自己的社區更加的美好。第二是「凝聚團隊共識」，首先讓每個人知道自己今年度的角色和職責，以及長久以來經理監事會議修訂沒彙整成冊的社內行事規則，為此我特別印製了年度綱要計畫說明書、南港社章程和細則給每位社友閱讀參考，另外還特製精美紀念品獎賞出席百分之百的社友，以提升每月出席率。第三是「強化財務管理」，首先建立銀行往來財務管理網路化，讓財務長、會計人員、社長能即時查詢、檢核財務現況，再來就是解決社友的逾期應收帳款問題，聽說這是許多扶輪社頭痛的問題，我們社採取的解決方法是：1. 請社友辦理信用卡扣款（非強制性）、2. 請執祕積極催收、3. 每月公告已繳及未繳人員明細表、4. 詳細解說繳款用途，讓社友知道那些是 RI（扶輪總社）、地區和社裡的捐款費用、事務費用及慶典餐費，經過這樣的處理手法，有效改善了以往帳款回收率不佳的狀況。第四「落實工作目標」依年初擬定的計畫展開各項工作，除了配合地區各項服務活動外，我們也完成了許多公益活動，例如苗栗梅園國小角力隊贊助公益活動、宜蘭偏鄉義診愛永傳活動、文山區九九重陽敬老活動、七、十、十三分區聯合捐血活動、文山區獨居老人歲末園遊會、陽光傷友關懷慰問活動、安德烈慈善協會年菜食物箱捐款贊助活動……等。此外南港社是第十分區的龍頭社，也參與並贊助子社所舉辦的各項重點活動，例如南西社舉辦的少年 EQ 行、南北社舉辦的經典明星公益棒球賽、南東社舉辦的地區年會籃球聯誼賽。今年度在英明的總監領導之下有許多創舉，例如社長集體就職典禮、年輪交錯的黃金歲月，社長聯合展演、根除小兒麻痺音樂會……等活動，特別是社長聯合展演的活動讓不同分區的社長同學們有了良好的互動機會讓彼此更加熟識，帶動了整個 3523 地區相互聯誼活絡了起來，也因此產生了許多聯合性的公益活動舉辦行為，這真是充實有美好回憶的一年。

時間的巨輪一直不停的轉動，一轉眼時間已卸任社長職務，擔任社長這一年參與了許多地區活動，完成了一些幫助弱勢公益事項，學習了更多的扶輪知識，認識了許多良師益友，行囊收穫滿滿不虛此行。我要感謝各位扶輪先進的指導與愛護，更要感謝南港社各位兄弟及寶眷們這一年來熱情的參與和支持，祝福大家永遠「快樂！健康！自在！」、「Ha ！ He ！ Ho ！」。

第10分區

南來北往做公益，扶輪攜手一家親

南北扶輪社／**張峻維 P Eric**

加入扶輪，已邁入第八個年頭，從一位 30 出頭的青年小夥子，蛻變成為年逾 40 的中年大叔。很多人問我，Eric 你在這裡得到了什麼？我總是分享，來扶輪就做兩件事，「職業交流」和「公益社服」，然後結交一群「志同道合」的朋友。

計畫總是趕不上變化，2020 是個特別的一年，除了遇上 COVID19，很多事情面臨到不少挑戰。因為在 6 月 30 日剛卸下社祕書長一職，隔天 7 月 1 日就接任了社長，原本是兩年後的任務，就這麼臨危受命的提前報到。「做自己和別人生命中的天使」這是我的原則。

或許是天生不服輸的個性，無論任何事，我都選擇勇於面對。7/12 的地區訓練研習會，很榮幸擔任了全會的司儀，就這麼獻出了我的處女秀；9/6 的地區籃球聯誼賽，再次擔任了整場活動主持，雖然都不輕鬆，但做的甘之如飴。比起其他優秀的社長同學們，我非常平凡，能在 8/26、8/27「年輪交錯的黃金歲月」的社長展演，演出了自己的生命故事，到現在依舊記憶猶新。

11/14 是個非常重要的日子，就是我們南北社最盛大的公益社服，與中華棒球娛樂推廣協會的孫協志理事長，和台灣幼兒棒球聯盟協會的謝長亨理事長，一起共同舉辦的《2020 經典明星公益棒球賽》，而且還邀請到另外一個地區的扶輪社，大家齊心共同努力下，當天在新北市立新莊球場，湧入了近 1,500 名觀眾，一起來為身障孩童加油。

來到 2021 年，雖然疫情尚未解除，但腳步並未停下，更是馬不停蹄地走，在經歷了地區年會的勁歌熱舞，第三、八、十分區所舉辦的大型聯合例會，以及為反毒推廣的民歌快閃活動，這些都歷歷在目，讓我們所有人更加緊密的連結在一起。雖然社長任期只有一年，但感情卻是一輩子的，未來還有更多想做能做的，會一直繼續延續下去。

除此之外，最令我感動的，就是南北社的每一位家人們，這年度進來了四位新血，雖然我們人不多，但無論是參與地區活動，或是社內活動，彼此都能夠相互扶持提攜，而且都是最有活力的一群，我真的由衷感激。總監選的年度歌曲《我相信》，有段歌詞我非常喜歡：「想飛上天，和太陽肩並肩，世界等著我去改變；想作的夢，從不怕別人看見，在這裡我都能實現。大聲歡笑，讓你我肩並肩，何處不能歡樂無限；抛開煩惱，勇敢的大步向前，我就站在舞台中間。」那也是在前面提到的社長展演，我所演唱的橋段，這就是我加入扶輪這個大家庭，最深刻的體悟。

2020-21 精彩團隊，有您真好，正呼應了年度主題「扶輪打開機會」（Rotary Opens Opportunities），如果可以，也希望能帶給更多願意學習付出的朋友們，共同來合作為這社會更盡一份心力，台灣加油。

第10分區

社長一年，成就一生

南西扶輪社／**魏嘉昌 P Eddi**

每一個扶輪人，都有一個不得不加入扶輪大家庭的理由：有前社長說是朋友一拉，就進來扶輪交朋友；另一位社友說扶輪社會救助計畫非常動人心弦，要入扶輪做公益；甫卸任社長說從自己的父親身上看到為扶輪付出的背影，也希望能加入扶輪，承接父親的志業；還有友社創社社長說從父親寶眷、從扶少團、再到入社創社，跟隨父執輩的腳步，發揚扶輪精神云云。這些，都是扶輪先進與我分

享，都是我霧裡看花的扶輪！我幫扶輪社友導引西餐禮儀課程，葡萄酒證照課程和威士忌品飲，過程當中我只有困惑，是什麼理由將這群扶輪人聚在一起？直到 2019 年家母仙逝，社友不畏路遙，一路顛波到寒舍送老夫人一程，原本強忍的淚竟潰了堤！社友的兄弟情，讓我感茲念茲！原來我加入了一個如此推心置腹的大家庭！

從加入扶輪的懵懂無知，到心繫扶輪，全是因為任職社長的期間被「邀請」參加藍蝶計畫公演。從小是害羞的個性，不喜歡在公眾表現自己，卻因為于女士鼓勵我「沒有名氣，就沒有影響力」的一句話，我投入公眾頻道。在 2020-21 社長展演，也是因為總監一句「上場演不好是你們丟臉喔！」，我投入人生第一次舞台演出。從生澀、埋怨，到漸入佳境，直到落幕，卻還念念不忘；原來，我參與了總監如此大的公益計畫！原來，我與 74 社的社長創造了新的扶輪里程碑！參與這個扶輪年，我深深的感到光榮，也感到幸運，有這麼熱情的總監，這一年的經歷與收穫，真的是滿懷開心！

公益展演後迴響不斷，總是覺得應該把感動分享給更多人，志得意滿的想立馬推動社務，讓敝社反轉，讓社友積極參與云云，一切似乎都那麼美好！但讓疫情一把澆熄了所有計畫。聚會的減少，活動無限期延宕，一切的不確定性讓年度計畫一一往後推遲。這一年的扶輪發展，我是否會搞砸？但總監不滅的扶輪熱情，三餐的正能量鼓勵，我慢慢看到了另一扇窗。

一起參與公益展演的扶輪社長同學，總是呼朋引伴揪團公益活動，事業上也給予大力幫忙；總監關心社務與協助困難排除；社友支持鼓勵，從不計較的協助社務遂行。一直到卸任日子開始，我才明白扶輪先進說的一句話：不做社長，你不會懂扶輪。卸任前，我開始把友社交接給下任社長；聽取下任社長理念後，幫社上新的服務計畫開始找資源與規劃，提建議給下任社長。原來傳承亦是扶輪精神很重要的一環！現在終於明瞭扶輪先進對我的鼓勵與支持，那就是一種傳承，大家把感受到的關心，分享給我，而確實收到這精神的我，也會加倍的奉獻自己的心力，給更多的社友、準社友感受扶輪這個可愛的大家庭！

釋迦捻花，迦葉微笑；這一典故實有說而似無說，一切不可言喻的在我 2020-21 社長任內。在這扶輪社長任期，我給自己一個目標：要做一個有影響力的扶輪人，要光大扶輪精神！

第10分區

Lucky Me!

南東扶輪社／**賴建維 P Jack**

就任社長前，得知 2020-2021 年度的總監是行事風格專注完美的阮虔芷 Tiffany 時，大家都對我說：「你賺到了，這一年會過得很「硬」，你真是幸運。」看到他們臉上古怪的笑容，我懷疑他們所說的一切是否屬於真實！？

加入扶輪社六年，沒有擔任過任何職務，開心的當了 5 年的小社友，對我來說，扶輪社就是例會時和社友們交流聯誼，聽聽主講人的演講學習新知，有社服活動時就幫忙出力，我喜歡這樣簡單、愉快的扶輪生活。在確定要出任 2020-21 年度的社長時，內心是相當排斥的，因為知道自己對於要站在風尖浪頭上的職務不是很有興趣，尤其是在總監第一次來訪時提到，2020-21 年度的社長們就任後的兩個月內要上台演舞台劇做公益，對我來說這社長職務挑戰性實在非常高。所幸，在參加了非去不可的 PETS（社長當選人訓練研習會）時，安排了讓社長們互動的課程，在就任前提前熟識了許多社長，也讓我們體驗了舞台劇的形式後，讓自己不安的心平靜了下來，也開始決定與這一年的挑戰正面對決。

南東社承接了 2020-21 年度地區籃球聯誼賽的任務，這是進扶輪社後第一次參與扶輪地區性的工作，認識了許多優秀的扶輪先進，每一位都不藏私的提供許多過往辦活動的經驗，目的都是為了讓地區扶輪社友來參與活動時能有愉快的體驗，這樣的服務精神令我敬佩。同一時間我也緊鑼密鼓的在排練舞台劇，克服心理障礙，強迫自己在眾人面前，做自己不擅長的事也是一種來扶輪學習的機會，更何況像總監所說的，這一輩子可能就這一次演舞台劇的經驗，這樣的人生經歷是很值得的回味的。更重要的是透過這次的活動，在短短的兩個月內就緊緊的將這屆社長們綁在一起，產生濃厚的革命情感。最後，兩項同時間進行的任務都順利圓滿地完成，公益舞台劇捐贈了 162 萬用做乳癌防治，籃球聯誼賽也託舞台劇的福，相當多的社長們動員社友們來參加，創下最多人參加籃球聯誼賽的紀錄。

完成地區交付的任務後，開始學習如何當一位社長，專注心力在維繫社友間的情感，延續創社社長努力經營起來的社團氛圍，讓社友們覺得來參加南東社例會是愉快的，是開心的。研究社友們有興趣的主講題目、安排優秀的主講人、準備全勤獎小禮物、關心社友們的生活…等等，雖然忙碌但看到社友們臉上的笑容，可以知道他們的滿意程度是高的，所以願意在每次例會開始前兩小時就聚在一起聯誼。這一年也藉由參與地區及分區的社服活動，讓社友們體驗與瞭解社會服務的概念，希望能慢慢的找到屬於南東社專注領域的社服活動。

最後，相當感謝總監 Tiffany 為 2020-21 年度的社長們精心規劃了如同藝人一般的待遇，又唱歌又跳舞還表演舞台劇，讓我們這屆的社長們雖然忙，但玩得相當開心，能擔任 2020-21 年度的社長，十分幸運！

第11分區

我不想當社長，我不想寫感言

南華扶輪社／**陳雅慧 P Joan**

很多朋友問，「JOAN，妳在忙什麼，這一年多都找不到人！」我的回答是，我應該是在排演，如果不是應該是參加友社例會，或者是在準備大型社區服務，也可能在公益路跑，或是在參加活動路上……

還記得永華社 CP Lawyer 要接社長時曾邀請我接任祕書長，我拒絕了，因為生命中很重要的人出現，我們家迎來了 Winnie，我懷孕了。PP Chango 接任社長時也曾經邀請我接任祕書長，礙於公司剛合併，我還是婉拒了。之後，因為有調派其他分行的可能，社裡的活動，我幾乎沒什麼參與。接著奇妙的事情發生了，就在 PP Chango 任期的那個 12 月 21 日的例會，我們 Chango 社長很熱情的來分行接我參加例會，然後……我就變成了社長當選人。不得不說，老天爺給的功課一樣也少不了，你越怕的，越擔心的，越拒絕的，終究還是要面對。但要相信，這一切都是最好的安排。銀行合併後的兩三年，我一直都有被調單位的準備，但一直也沒發

生，直到我準備接任的那年……。我從來也沒想過換工作，直到我社長任內這年。

因為疫情的關係，我本來以為今年應該會默默地上任，然後默默的畢業。但是！我們有位高高的、腿長長的、3523 的第一位女總監 DG Tiffany，她不可能讓這樣的事情發生。從 3 月 PETS 訓練到 7 月 1 日聯合首敲；從 8 月底的展演，到 11 月的反毒路跑，期間還有各類球賽外加一場麻將。聽說社長過了 12 月後都會比較閒了，可是我們好像才準備完 3 月的年會；5 月初完成反毒民歌快閃，長腿姐姐已經在想來個畢業旅行，外加 3523 社長自傳，雖然畢業的鐘聲已經響起，但「我相信」，沒有實體的畢業典禮前，我們依然還有活兒要幹，總監隨時會帶給我們很多驚喜！

這一年，真的是很辛苦的一年；這一年，真的是很忙碌的一年；

這一年，真的是自我實現的一年；這一年，真的是收到最多溫暖的一年；

我要謝謝十一分區的同學們，不管做什麼，大家都是一條心，不分彼此的一起完成！

我要謝謝 20-21 的同學們，你們帶給我好多樂趣，無論是展演時互相打氣，還是相聚時忙著打屁，總是可以很容易就開心的玩鬧起來！

我要謝謝 AG Robot，謝謝您這麼挺我！只要是我提的意見您都無條件說好，而且一定挺到底！

我要謝謝總監，雖然很多活動我都不見得參與，但每次見面時，您總是給予最溫暖的笑容。

p.s. 其實一直不想寫感言，因為覺得自已做得很少，600 個字壓力大呀！但落筆時才發現，原來這一年這麼有趣，不知不覺也堆疊了這麼多回憶。

老天爺給的功課一樣也沒少，還好我當了社長，還好我演了話劇，

還好我參加了反毒民歌快閃，也在台北市路跑了，還好我把感言寫完了！^_____^

第11分區

我思，故我在
我有愛心，所以我可愛

文華扶輪社／**何琪琪 P KiKi**

國際扶輪3523地區2020-2021真是特別的一年，在總監阮虔芷DG Tiffany的帶領之下，讓這屆的社長同學們，感情更加融洽也更認識彼此。對於友社的交流，更是豐富精彩，透過總監安排的社長展演以及各項服務活動，甚至年會的節目安排，也都有我們社長同學們的身影，讓我們從一位素人，變成了鎂光燈下的焦點，感覺自己跟明星一樣，個性也從害羞到大方，我想這是總監的細心和用

心，透過這些活動，讓我們成為一位勇敢的社長，並且能夠成為帶領一個社邁向更好里程碑的一員。

當我要接任社長時，總監要我們寫生命故事，我就寫了一部分，沒想到是我自己要演女主角，因為時間的關係，我沒有交代清楚。我從小過的很苦，到台北工作時，遇到我的貴人也是我的男朋友，他幫我解決了一切困境，這時候我想，我應該可以過幸福的日子了，沒想到我卻患了癌症，第一次是肝癌 2.8 公分，一次次的檢查，經歷了實在受不了的痛：大腸鏡兩次、肝穿刺兩次，那時候是沒有麻醉的，實在太痛了，兩次的肝穿刺沒有成功，還記得那時被醫生罵說我不合作。在第三次要做的時候，醫生在我的皮膚表皮，幫我打了些麻醉藥，終於成功了，可以動手術了，差不多 8 天左右，我出院了。隔了四年，又來了一個癌，是腹部腺癌，醫生不敢告訴我，這個就嚴重了，要做化療跟電療，當然醫生不敢跟我說，只跟我的家人講，我可能沒救了，醫生說只好死馬當活馬醫了，我完全不知道，到後來放射科的醫生跟我說：我們跟它拚了，我才恍然大悟，邊做化療，也同時做電療，在醫院折騰了四個月，終於出院了，年頭開刀，年尾因副作用導致腸子阻塞，年尾又開了一次刀，將近一個月沒吃東西，只靠點滴。

我的朋友以及家庭醫生都擔心的詢問我：你確定要擔任社長嗎？我覺得：既然答應了，就要勇於承擔，使命必達，老天爺一定會保佑我完成這一年的工作和責任。我聽了他們的擔心，使我心裡開始害怕也更加緊張。在正式上任之前，我們已經接到社長生命故事展演的通知，正式上任之後，更是馬不停蹄的彩排，在這接近兩個月時間，我的睡眠品質非常差、胃口也不好，更出現記憶力變差等等症狀，血壓和體重也跟著下降，我心想，不能耽誤社長展演的時間，於是去抽血檢查，才發現我因為血壓下降而產生貧血，醫生建議我：要睡好、吃飽、不用太多煩惱，就會慢慢恢復健康。於是我調整心態，放慢腳步，對於展演，除了全力以赴，更加認真排練，透過社長同學的鼓勵和長時間接觸，也產生濃密的感情，我們互相打氣，成就這次展演的目的。我也因為這樣，更加放心，因為有這些同學，讓我的心情不再緊張，遇到事情也更能夠互相討論和詢問。

終於到了展演這一天，總監還擔心我們這組無法如期完成表演，因為在彩排時，沒有一次全員到齊，讓我這位女主角，無法面對真正的角色做出最正確的詮釋，直到最後一次總彩排，我們這組的社長同學終於到齊了。皇天不負苦心人，我們完成了兩天的社長展演，我也認真的詮釋女主角的角色，讓台下的觀眾能夠瞭解我們的演出以及感動，演出成功，再次感謝社長同學的幫忙以及文華社的支持。

文華社的社會服務活動是有目共睹的，除了地區獎助金贊助的八里愛心教養院捐贈活動，還有全球獎助金贊助的愛你「肺」盡心思 · 雲嘉地區肺癌篩檢低劑量電腦斷層掃描補助活動，為了全球獎助金的活動，我及肺癌主委也是我們社的創社社長鄭誠閔 CP Paper 及執行長黃瓊琇 PP Sarah 前往雲林及嘉義開了無數次的會議，雖然路途遙遠，但無法澆滅我們服務的熱誠以及愛心，一場記者會及兩場的健康講座活動，相當圓滿成功，也順利完成總監交代的全球獎助金任務。

在擔任社長期間，只要是地區的活動和研習會，一定配合參加，分區的活動以及邀約，我帶著社友們一起參加，這是我的責任，也是我的態度，我覺得當一天和尚敲一天鐘，我擔任社長的期間，希望做到盡善盡美，沒有遺憾。

感謝在地區總監 DG Tiffany 的帶領之下，這一年過得很精彩也很充實，就像年度口號一樣：精彩人生有您真好！也謝謝文華社創社社長鄭誠閔 CP Paper 及所有社友對我的支持及愛護，讓我在擔任社長這一年無後顧之憂，也讓文華社有更多的歷史故事被記得。

最後要說說：我第一眼看到總監，就好像看到我的姐姐一樣，再加上總監的面貌就跟觀世音菩薩一樣的慈悲，每次一起參加活動時，總監總會給我一個安心的微笑，讓我更加心安。

總監認真，社友當真，這句話說得真好。

我要說的是：精彩人生有總監真好，精彩人生有大家的支持真好！

第 11 分區

愛與善

永華扶輪社／**許禾昇 P James**

2020-21 年度是個非常特別的一年，疫情籠罩了世界，讓我們在 7 月上任時，就戰戰兢兢的完成所有的社會服務以及地區和分區所指派的任務。

2020 年 7 月 1 日，我們的地區總監 DG Tiffany 舉辦了前所未有的總監暨社長聯合就職典禮，讓所有的社長一起敲鐘，這是多大的工程，我們做到了，透過電視螢幕的轉播，我想告訴我的家人和朋友——我當上扶輪社社社長了，我可以盡情的帶領社友完成我們想完成的任務及服務。

接著是 8 月，年輪交錯的黃金歲月：社長生命故事展演，這是我人生中第一次演戲，第一次在公司請假又請假只為了彩排，我想問社長同學們：你們都不用上班嗎？怎麼可以這樣請假。但我克服了，在每一次的練習和彩排，我都能排除萬難的參與，經過大熊老師的雕塑之後，每位社長同學都是精湛的演員，我們完成了 2 天獨一無二的演出。

到了 9 月，永華社有新社友加入，值得欣喜的是，社友 YC 是因為我邀請他來看我的演出，就這樣加入了永華社，多麼奇妙，是我的演出使他感動嗎？我回想：當初我可是穿著汗衫和夾腳拖上台的阿。現在回想起來，永華社就是這麼可愛，大家都像家人一樣，在 CP Lwyer 這位爸爸的看顧下，我們每屆社長都能像哥哥姊姊一樣，照顧新社友，無論是在群組的聊天室還是活動當下。

第一季就這麼過完了，我們也參加母社南華社全國視障國台語演講比賽，我看著這些年輕人雖然看不見，但是心態卻是健康的，這也讓我有所反思，我能為社會做些什麼？透過扶輪的能量，能夠為世界盡些什麼力量？

10 月很熱鬧，我參加了地區舉辦的年會保齡球聯誼賽，看見社友攜家帶眷的來參加，我感覺這是家庭日，我也好想攜家帶眷來參加，但我目前單身啊！ 還有同分區的碩華社舉辦築愛同萌愛心園遊會，在花博公園舉辦，離我家這麼近，我當然要共襄盛舉阿。緊接著是乳癌防治社區服務計畫「年輪交錯的黃金歲月」社長展演愛心捐贈儀式，透過這樣的捐贈，讓更多女性朋友受惠，我認為非常值得。

11 月的天氣算是舒適的，我帶領永華社全體社友參加國際扶輪世界年會萬人反毒公益路跑活動，也拉著我的朋友一起參加，從總統府開始跑，跑完就帶著大家跑到早餐店吃早餐，這是永華社的傳統，也是我最喜歡的活動之一。還有十一分區聯合社會服務活動在部立雙和醫院特殊需求者機構潔牙觀摩活動，以及在華納威秀與二分區一同舉辦的的捐血活動，都在風和日麗的日子下舉行，社會服務是參與扶輪非常重要的一環，身為扶輪人，我能夠為社會盡上心力，我非常驕傲。

12月的天氣開始變涼了，必須穿上外套，有時候還會下雨，由地區獎助金捐贈永華社青少年棒壘輔導訓練營，就在大風大雨這天進行，感謝總監及十一分區各社一同派員參加，可惜的是無法到室外實體打棒球，但開心的是我們可以在室內練習場玩到欲罷不能，聽著文化大學學生的簡報，成就一支隊伍不容易啊，我也以回饋母校的精神，透過地區獎助金，成就了這項活動。

12月還有一個非常重要的日子，是永華社第五屆社慶，選在12月，是因為我覺得第四屆因為疫情的關係沒有舉辦很可惜，所以在12月這個溫馨的月分，我們一起慶祝，感謝永華社全體社友的支持，感謝永華社歷屆社長的相挺，感謝所有社長同學以及社友和貴賓的參與，我只能用我迷人的歌聲來回饋大家了。

2020年的六個月就這樣過完了，地區及分區的社長祕書聯席會、例會、理監事會議、社務行政會議、地區的各項講習會、各社的社慶和活動、職業參訪、仍持續進行，也陸續完成，我雖然期待下半年度的精彩表現，但疫情的嚴峻，也讓我這位永華小當家心裡有些不安，深怕我想做的事情還沒來得及完成。

2021年，在大家都期待新年有新希望的同時，1月分地區舉辦了麻將公益賽，好似討個喜氣的概念，大家一起打麻將聯繫感情，一起享用晚宴，當然，這些報名費是要捐贈給 3 個單位，包含小可樂果劇團、喜樂小兒麻痺關懷協會、嘉義大埔偏鄉關懷車，我覺得很有意義，號召永華扶輪社移動例會參加，讓我們在吃喝玩樂的同時，也能幫助到需要幫助的人。

2 月的農曆新年，不免俗的永華大家庭也要來個尾牙火鍋趴，這樣爐邊例會的方式沒有壓力，社友可以攜家帶眷的來參加，對！又是攜家帶眷，於是我帶上了我最親愛的媽媽來跟各位社友互動。十一分區的五華聯合春酒活動也在本月舉行，於是我再次將我嘹亮的歌聲獻給大家，並發送刮刮樂給與會社友，希望大家都能沾上喜氣，一路發發發。

3 月的扶輪日程會有一個社長當選人訓練研習會，這象徵著我即將卸任，我在訓練會擔任聯誼組的工作，這像是扶輪社的傳承，讓我想到當初我參加社長當選人訓練研習會時的生澀，現在我可以服務社友，我真心覺得很開心。因應世界年會在台北，所以地區年會提前到 3 月舉辦，這像是扶輪大拜拜的概念，所以親朋好友都會聚在一起，好熱鬧，我從總監手上收下獎盃和畢業熊，再次提醒我，我要準備畢業了。

4 月的總監公式訪問會前會，永華社的 CP 和 PP 們帶著 PE Saxon 和社友一起進入到地區辦公室，象徵著永華社的傳承，雖然永華社才五年，若就人生的階段而言也還在幼稚園，但永華社的結構卻是非常的健全，創社社長 CP Lawyer 的沉穩，歷屆社長的睿智，社友的親善，寶眷的溫和，這是永華的特質，也是會讓人喜歡的樣子。

5 月我們完成了一項非常重要的社會服務工作，社友 PP JMS 捐贈了 12 台健步機給大龍老人住宅，還登上了媒體版面，這個在我家附近的社區，我以前就會來這邊上課以及服務，想起 12 月我在文化大學舉辦的青少年棒壘球訓練營，現在我在老人住宅捐贈健步機；我想，老吾老及人之老，幼吾幼及人之幼我都做到了，在社長任期，我沒有遺憾。

從5月中旬疫情急速上升，突然而來的三級警戒讓我們無法實體聚會也無法舉辦活動，慶幸的是，我上任前所安排的活動都完成了，該參加的地區和分區會議及課程也都結束，只是6月的末敲讓我很遺憾無法好好地跟社友感謝；感謝3C產品及網路的發達，我們透過螢幕，各自在家裡好好待著，完成線上末敲，我想有一天我們一定會再見面，前提是我們都要健康的生活著。

就像Tiffany總監帶領我們這屆的年度口號一樣：精彩人生有你真好！

永華扶輪社會在穩健的腳步下，持續成長；在各位社友的努力之下，會有很多的活動和服務；在CP Lawyer的帶領下，會有很平順的發展。

而我非常榮幸擔任永華社第五屆社長，非常榮幸在2020-21年度參與扶輪重要領導人職務，這一年很精采，非常精彩，讓人回味無窮的人生，有大家真好。

第11分區

180 老大與可愛的同學們——我的菜鳥社長人生

西華扶輪社／丁士殷 P Sean

這一年短短的時光，我們經歷了好多事，有歡樂，有驚喜，有辛苦，有感動，有無趣，有激情，有無奈，有悲傷，我不想細數，但點點滴滴都會寫在我內心深處，也許當我老到閒閒沒事幹的時候，回憶起這段人生經歷，會發現，最精彩的一段就在這裡…

寧靜的夏日午夜，聽著音樂，順手從冰箱拿出罐啤酒，拖欠了好久的作業，今天突然有感覺了，也許是抒情音樂的撩撥，也許是酒精的催化，我想表達出自己內斂的情感。

我所說的老大，是我可愛的阮總監，他很高，但應該也沒有那麼高，二年多前知道他是我這屆的總監，心理就是一陣寒顫，從小就害怕外表精明能幹的女生，也許是因為打我最兇的都是女老師吧，在我心中他就像天一樣高…嗯…修正一下好了，就像 180 般高……

故事從這裡開始…社長還沒上任就大略已經知道今年會有苦頭吃了，兩天一夜的社長訓練課程，從第一天大清早開始，到隔天晚上 9 點到家，課程完全緊湊，訓練扎扎實實，一分一秒完全被掌握，這讓我想起三十年前的新兵訓練，疲累緊繃，一群革命夥伴的情誼正在醞釀滋長……，課程中，不得不提到 Carol 社長同學，當她告訴我她患了重症，但堅持要來當社長，完成他人生重大的旅程，這對比當時想著虛應了事當社長的心態的我，我震撼了……看著他虛弱的身軀上台表達堅定的意志時，我激動得無法克制自己的淚水…原來…女人這麼偉大

社長展演是真正把所有社長凝聚在一起的推手，連續幾個月的密集排練，直到開演前的全員閉關訓練，真的是同甘苦共患難，在這裡，一群老闆們放下自己的身段，完全配合，互相鼓勵，互相鞭策，排練初期我們這組表現不佳，我們又是排在開場的表演組，看著我們尚未進入狀況，從總監、導演到各組全體同學無不壓力沉重，烏鴉滿天。記得第一次正式彩排時，我組演完回到後台，其他各組同學紛紛跑過來擊掌給我們讚聲鼓勵，壓抑著音量的加油聲不斷傳來感動，真的，連雞皮疙瘩都起來了…原來，一群人無私奉獻共同努力去完成一件事，是那麼的令人通體舒暢，身心愉快。

老大依然是老大，對她瞭解越多，越覺得她沒那麼高了，看她對社長們的真誠，看她因為小事感動落淚，看她誠懇笑容，看她擇善固執，堅定而又需要你支持的眼神時，我感受到完全的真誠沒有虛偽，也許是天生的人格特質，也許是來自澎湖純樸鄉下的薰陶，感受越來越近，叫人怎能不愛她…而我也觀察到老大身邊總有一些人默默地在為她貢獻心力而且是心

甘情願的…原來…女人可以這麼偉大又可愛。

半夜 3 點了，望著窗外的夜景，昏黃的路燈伴隨著淡水河波光粼粼，好美，好久好久沒有停下腳步來回憶過往，原來半夜是最浪漫的…這幾天，台灣疫情升溫，連續幾天的股市大跌，想哭，悶死了！但沒想到，寫這回憶文，卻能邊寫邊發出會心一笑…。

這一年多裡，我結交了許多的好朋友，這是我離開校園進入社會後，首次感受到真誠，單純，毫無心機，沒有任何利害關係的友誼，我很珍惜。

進入扶輪短短三年多時光，就來當社長了，這是我人生充滿奇妙的一段歷程，想起當初甫卸任社長的 Sheffer 邀請我擔任他的祕書長，內心是惶恐的，因為知道接了祕書長再來就是一路當社長當選人及社長了，自己的扶輪資歷太淺，擔心無法勝任，我一直認為還有許多的社友前輩比我更適合擔當此任務，但從我加入扶輪以來，最常聽到的就是扶輪社友「不推不辭，全力服務」的精神，而且那時記得是在 KTV 聯誼的場合下，幾杯黃湯下肚後，在眾多社友的起鬨下就莫名其妙點頭了，到現在我回想起來感覺像是故意設的局，被聯手…做了，哈哈，當然內心還是真心感謝社友們的信任，在籌組 2020-21 年度工作團隊時，很幸運的也很榮幸的，所有的社友都二話不說答應幫忙，這也讓我吃下了定心丸，真心感謝我可愛的社友們，謝謝你們的支持。

我想，扶輪本質就是這樣，因為緣分，集結了一群陌生人，大家互相學習相處，學習服務，學習領導與被領導，讓我們的人生增添了些許的不同色彩。

我的菜鳥社長生涯落幕了，對於扶輪，從懵懵懂懂，到似懂非懂，我拿出我該有的熱情以及關懷，真心希望能為扶輪貢獻一己之力，若有不周到的地方，還希望各位兄弟姐妹們多多包涵！也真心感謝西華的社友們，感謝你們給我支持與鼓勵，感謝你們叫「社長」都叫得這麼甜，害我上癮了，ㄟ害…。

也許，未來不見得會在同一條路上奮鬥，但很榮幸這段時光能跟各位同學以及社友們共事，當然，還有我「可愛的總監」，沒想到短短的一年多，可以將可愛套用在他身上…精彩的故事總是要有人寫，謝謝老大將它寫得這麼精采，明明大家都被操的半死，每個人心裡卻是爽快的，哈！這段旅程所有的點點滴滴，令人難忘，留待老後細細品味吧…

第11分區

還好我沒有臨陣脫逃

碩華扶輪社／**倪韶謚 P Benson**

就在社裡即將提報社當名單之前，我跟社裡提出「我還不想當社長」並請求換人！我自認有非常充分的理由可以拒絕擔任社長，因為我在 2020 年已經接下「MDRT 百萬圓桌協會（註）台灣分會會長一職」，我擔心沒有能力同時兼任這兩項重要的工作。

但是國際扶輪年會將在 2021

年在台灣舉行，而這一年我們地區的總監是阮虔芷 Tiffany 耶！我早聞她是一位認真且熱愛扶輪的領導人，如果能在這一年就近從旁觀察並學習她的一言一行，這是難能可貴的機會，於是我決定「跟她拚了」！

Tiffany 總監在上任前一一拜訪了所有社長，除了收到他親自為每一社製作的扶輪祕笈，討論社發展的狀況並瞭解社長的想法，這是我學習到的第一堂課：「總監認真，社長當真」。

上任前就接到第一件任務：寫下自己的生命故事，為了這場「年輪交錯的黃金歲月」社長展演，結餘款項要全數捐贈給乳癌防治基金會，我真心感受到「親手做服務」的快樂。坦白說一開始我並不那麼看好，因為每位社長都超級忙，要如何湊在一起還要配合老師的時間排練，從一開始有遲到、早退、忽然不見的社長同學，後來我們一起討論、排演、偷偷加戲加台詞無所不用其極一直到戲精上身，就怕自己演出戲分太少，對不起買票支持的社友們，當然也是希望提高可看性啦！

最後這場社長展演的效果、結果都比預期的好太多了，除了觀眾佳評不斷，更扎扎實實將我們社長同學的感情緊緊地圈在一起。原來這就是扶輪社！我好喜歡一起付出的感覺。同學間有了這樣的感情基礎，更方便一起做社會服務了！

這一年，碩華社針對失依兒少提供協助，因為兒童無法選擇自己的父母，遇到父母家暴、吸毒、服刑或是身故而失去家庭依靠，孩子仍需要一個家，我們希望幫助這些孩子遠離暴力，給他們適當的生活環境及教育，避免成為未來社會的邊緣人，我們配合「忠義基金會」協助舉辦了愛心園遊會，由企業認攤位、捐贈物資，碩華扶輪社全體社友出動，甚至帶著太太、孩子一起擔任銷售義工，所有的義賣所得都捐給忠義基金會做為孩子的教育費用。這樣有意義的社會服務當然也分享給社長同學們，我們總共認了 10 個攤位一起為這項活動做服務，身教言教這也是我希望帶給自己孩子們的機會教育也是家庭活動。

除此之外我也帶領全社社友參加今年所有地區各項賽事活動，從籃球、保齡球、高爾夫球、羽球、桌球、麻將公益賽等，反毒公益路跑參加人數更是社友人數的 4 倍之多，帶家人一起參加透過活動聯誼來凝聚社友及眷屬間的感情，就像家庭日一樣，這樣的感覺真好。

儘管這一年已經夠競賽了，但是 Tiffany 總監還一直在想可以再做些什麼？讓社長可以參與哪些服務？所以我們必須十項全能，除了演戲，社長還要在地區年會唱德國國歌、晚會壓軸舞蹈表演、反毒民歌快閃活動，我感覺今年社長任務特多，但太值得了，因為超好玩的！我很慶幸我接任 2020-21 碩華社社長一職。

扶輪社裡我非常喜歡的一句話就是家庭第一、工作第二、第三才是參與扶輪。所以在這忙碌的一年中，對外我代表著碩華社儘可能參與活動，一旦我忙碌時、需要一起做服務時，碩華家人們就會相挺，成為我的靠山。謝謝碩華社友給我機會，也謝謝我們有一位這麼棒的總監，叫我如何能不愛他們，不愛扶輪呢？

註：百萬圓桌協會（Million Dollar Round Table）是全世界壽險業最高榮譽組織，由壽險業各保險公司優秀且頂尖的從業人員所組成的義工團體。

第11分區

我的創社動機

富華扶輪社／魯逸群 CP Edmund

常言道：「喝酒誤事」啊！幾次的扶輪聚會活動，總監阮虔芷 DG Tiffany 劈頭就問我何時創社？我總是回覆還未考慮清楚，就在那一日迷迷糊糊的向總監承諾：「我答應您創社」。如今回想還真感謝當日喝多了，因尚未與家中領導報告，否則還真沒這個膽，就將在外君命有所不為的答應了（回到家就當孫子吧）。您說這喝酒誤事了嗎？這不就心想事成了！

創社……說時容易做時難，當開始進行準備時才發現時間緊迫，真是千頭萬緒，如若無高人指點還真不知從何處著手，還好文華社也是總監特別顧問鄭誠閔 CP Paper 他受總監之託，接受新社顧問一職來輔導我們，陣仗很快就排開了，期間安排了南區社 PP Peter 陳如勇先生、PRID Frederic 林修銘先生及 DG Tiffany（原訂邀請 DGN P. H 黃培輝先生及 PDG Venture 林華明先生，因疫情關係，禁止聚會未能與會）來為我們開示，CP Paper 還以過來人的經驗提醒我，千萬不要一時興起，這是一條不歸路，下定決心就只能向前行。因此開始舉辦說明會（二次）、籌備會（三次）、臨時會（舉辦一次實體會議後因為新冠疫情另舉行四次視訊會議）。此間於 2021 年 5 月 24 日收到 PI 總部准予成立的函件，甚是歡欣鼓舞。

回憶那些年在致理技術學院及銘傳大學 EMBA 課堂上，我上課的簡報中總會有一張「扶輪四大考驗」（註 1）的講義，學生們個個拿起手機拍下這一頁，她（他）們的舉止讓我感受到此一內容觸動了她（他）們的內心，因為這些金句也曾經感動了我，這不僅是為人處事的準則更是經商之道，這也是國際扶輪之所以轉動了百年的原因之一吧！更是我創社的動機之一。

扶輪社是一個以「人」為本的社團組織，人對了做什麼事都會順利，社友們也會和諧相處。因此創社的成員是我一一的拜會並闡述創社緣由而組織的，我認為在相互尊重彼此欣賞的氛圍中分享你我的職場經驗與生活價值觀，誠懇對待猶如兄弟姊妹，人生道路上一起攜手共老，這樣的友誼是「真美善」、「無機」的。扶青社也在同一時期成立（2021/6/8），我們希望藉此精神與年青人互動，與她（他）們一起架構創業平台，無私的傳承並將此經驗過程擴及至社會角落，因此有了「富華」扶輪社、扶青社。

註 1：扶輪四大考驗（The Four Way Test）

我們所想、所說、所做的事應先捫心自問：

OF THE THINGS WE THINK, SAY OR DO:

一、是否一切屬於真實？

IS IT THE TRUTH ？

二、是否各方得到公平？

IS IT FAIR TO ALL CONCERNED ？

三、能否促進親善友誼？

WILL IT BUILD GOODWILL AND BETTER FRIENDSHIPS ？

四、能否兼顧彼此利益？

WILL IT BE BENEFICIAL TO ALL CONCERNED ？

第12分區

有一種快樂，是扶輪社長才有的快樂

龍門扶輪社／**林緯軒 P Sean**

社長上任前，我已把心態調適好。這一年，不是要來做龍門社的龍頭，而是要來做龍門社最熱情付出的志工。我要在付出中享受，在享受中付出。

感謝讚美，這一年所獲得的，所感受的，遠遠超乎我的所求所想。14 位社員成長，社友平均年齡從 55 降到 53。主辦了地區羽球賽。協辦了地區籃球賽／桌球賽／根除小兒麻痺慈善舞台劇（《秦始皇》音樂劇）／婦癌防治篩檢計畫／國際領袖論壇／青年領袖獎 RYLA 活動。感謝總監阮虔芷 DG Tiffany，我還演出了人生第一齣專業舞台劇。這一年，我帶領龍門社認真付出了，沒有遺憾。20 歲的龍門，累積了更多的能量，向下一個 20 年昂首邁進。

不可思議的還有，這一年的服務計畫，聯誼活動，職業參訪，100% 都是美好晴朗的天氣。我們三台遊覽車 100 多人一同上阿里山看日出。我們把勤美學 23 帳全部包下來玩到瘋。我們對內湖老扶中心的捐車儀式氣象預報下雨卻豔陽高照。包下電影院與腦麻重症兒跟家長們一同吃早餐看鬼滅之刃。還有這屆充滿回憶的戶外森林第 1000 次特別例會。數大便是美，有些快樂是只有在扶輪社才有機會感受的快樂。因為出發點是分享，是付出，是愛，一切的一切就都被祝福了。

有一種快樂，是當扶輪社長才有的快樂。帶著社友們一起玩，帶著社友們一起做服務，跟著社友們互相學習成長。我相信在扶輪社所有的付出，都能種下美好的種子。就像胡適所說的：永遠有利息在人間。

第 12 分區

跟著藍蝶，豐富閱歷，精彩人生

龍華扶輪社／**張德榮 P Leo**

去年此時懷著忐忑不安、戒慎恐懼的心情，由 IPP Jimmy 手中接下龍華扶輪社第 17 屆社長的任務，在全世界籠罩在新冠肺炎疫情肆虐之下，我們平安度過這一年。6 月原本是卸任感恩的重要時刻，授證籌備主委及委員耗費相當時間和精力準備來一場別出心裁、精彩可期的送舊迎新晚會，由於疫情的關係，擾亂了原先的計畫，

這是所謂計畫趕不上變化？還是人生就是無常的詮釋？

回顧這一年，在總監阮虔芷 DG Tiffany 帶領下，生命故事及團隊展演，儼然讓我這耳順之年開了另一眼界，初嘗舞台劇也加速與其他社長的互動、建立人脈與關係。雖然我只是一個小配角，在大熊老師專業認真的指導下，看到所有社長的努力，整個排演到演出過程都令我永生難忘！

在我們社內第一次例會首敲後，更得理事會成員及所有主委團隊的大力協助，不論是地區或分區及社內所有的活動都辦得有聲有色。從一開始的分區海釣、地區桌球比賽、龍華的高爾夫球隊、桌球隊、保齡球隊、全球獎助金計畫、仁安基金會捐贈、智光商工培訓烹飪教學、民權社區的捐贈及義賣活動、安德烈社會服務計畫的食物箱捐贈、學藝競賽及獎助學金等，以及我們花蓮三日遊、中秋節、聖誕節、新春團拜乃至疫情管制前的母親節晚宴，無一不是各主委們的精心規劃、不求回報的付出，全體龍華兄弟寶眷們熱誠的參與，我銘感於心！

社長任內戰戰兢兢、克盡職責、全心全力投入於履行責任與義務之際，得所有理事及各主委給我的協助，使各項賽事的成績獎項皆讓龍華呈現齊心齊力的團隊象徵。另外，今年度全新的職業參訪型態，出席率高達八九成，更是凝聚了龍華的向心力。席間看到社友們開心真誠的互動，猶如親人兄弟般的相聚，令我倍受感動！

這一年我尤其需要在此特別感謝的是寶眷主委我的太太 Amy。從一接任就將全年度寶眷行事曆排定並且執行完畢，不論舞槍弄劍、登山、插花甚至唱歌跳舞的多元活動，皆是真心實意希望所有寶眷以夫為貴，在龍華社這大家庭獲得另一份快樂。

第 18 屆的社長 Kent Feng，在我社長任內接任了祕書長職務的認真、負責、正直、有條理、有擔當，加上扶輪經歷及資歷完整，深信在他任內定能帶領龍華走向另一個高峰！經過疫情這段時間的修身養息，相信大家都非常懷念往日例會、打球、聚餐的正常生活。疫苗陸續接種了，一切都將否極泰來。疫情總是會過去，希望這段期間的休息，是凝聚下次見面的激情。

最後再次感謝大家對我的支持、全體理事和主委幹部的努力，讓我這17 屆社長任務順利圓滿落幕。祝福大家身體健康闔家平安！

第12分區

20-21 品味生活翻轉人生

龍鳳扶輪社／**陳隆維**

P Stephen

「Stephen 你願意當龍鳳社 20-21 的社長嗎？」

一年前的某次理事會，創社社長跟我提了這個問題，由於我入社的理由很特別（有去看社長展演的社友們應該知道原因），加上龍鳳社社友們的盛情難卻之下，我只好點頭接下這個重任，當接下社長時心理第一個反應是：「明年我不就每個活動都要出席嗎！」對於一個出席率普通的社友來說，一下子轉變成社內、社外活動都要出席百分百的社長，想到就覺得很累，於是乎，帶著忐忑的心情，前往社長上任前的第一個重要活動 PETS 社長當選人訓練研習會。

PETS 訓練研習會的場地是在風光明媚的宜蘭，還記得一到了會場，很高興的跟龍欣社社長 Carol 打招呼：

「Carol 最近過得好嗎？恭喜要當社長了喔！」

Carol 回覆我說：「最近很不好喔，我得到第三期癌症！」

驚訝的我馬上問她說：「真的嗎？那妳怎麼還來參加社長訓練，還願意接任社長呢？」

Carol 回覆我說：「因為我不想放棄對龍欣社社友們的承諾，也許我當不完這一年的社長，但是這是我這一年最想完成的任務！」

聽完了 Carol 的回覆，著實震撼了我的內心，想不到我以為只是幫社裡出公差的社長工作，對於 Carol 來說是對社友們這麼重要的承諾，甚至也許是人生最後的一年，都願意花時間來承擔的任務，Carol 的想法改變了我對擔任社長的看法，讓我體認到也許這一年的經歷，會是改變人生的一年！而精心安排的 PETS 研習會，很快速的讓我對 20-21 年度需要完成的社長工作有了很快速的認識，對於 Tiffany 總監的熱情與認真也有了很深刻的印象，尤其是 20-21 年度的重頭戲「台北國際年會」，更感到責任重大。

順利的接任社長之後，感受到了社長對社的重要性，對內要關心每一個社友，對外要代表社參加各種活動，而且每遇到一個新朋友，就會想問他要不要加入扶輪社，這樣的社長職業病真的是很有趣的體驗，在社長的上半年度，總監幫我們安排了一個重要的活動：「社長展演」，起初也是千百個不願意參加這個活動，除了要花費大量的晚上時間去排演之外，心裡也很疑惑會有人想看一群表演門外漢演戲嗎？所幸在 Tiffany 總監強力的支持下（每場排演都到場監督），我們努力的排練，在過程中不但學習了面對人群表演的技巧，更因此和 3523 地區的社長同學們很快地都熟悉了起來，在這裡特別要感謝大熊老師團隊的指導，演出最後大獲成功，所有的榮耀也要歸功於 Tiffany 總監的堅持，以及所有 3523 地區社長們一同的努力，感謝總監！感謝大熊老師團隊！感謝社長同學們！也感謝所有來觀賞演出社友們的相挺！

到了社長的下半年，很遺憾的由於疫情的緣故「台北國際年會」取消，我們也把焦點拉回來社內的經營，不管是分區的聯合活動、還是社內的各項社會服務，都很充實的展開，尤其是我們龍鳳社重要的社會服務項目：「恩加社會服務」，服務的宗旨是關懷三鶯部落學齡前兒童的學習，每一季我們龍鳳社的社友會親自出席，帶著三鶯部落的小朋友一起去校外教學，這種親自服務的作法，讓我感受到參與扶輪社的價值，除了捐助費用外，更親身體驗的參與服務的過程，最後的恩加大團圓活動也很感謝地區的支持，Tiffany 總監更親自出席共襄盛舉，讓我們龍鳳社得以在地區跟十二分區共同的協助下，連續第七年進行了這項社會服務，也是我任內最感到重要的一項任務。

而在任期的最後一個半月，因為疫情更加嚴峻，取消了所有實體的例會，20-21 的社長工作也在平靜之下交接了，有別於往年熱熱鬧鬧的交接儀式，更讓我可以冷靜思索這一年來的所見所聞，回想這一年的社長經歷，體會到了當你將生活置入一個非預期的變數時，你將會感受到精彩的人生體驗。在這裡由衷的感謝龍鳳社每一位社友全力的相挺，我感受到了如同家人般的溫暖關懷，感謝我的太太 PP Penny 的陪伴，沒有妳我連扶輪社都沒加入，感謝十二分區龍氏家族的社長同學們彼此的支持，我感受到了彼此堅定的友誼，感謝 DG Tiffany 的帶領，像校長一樣鼓勵著我們這些社長學員，感謝 DS Jenny 策劃各項的活動，每一個地區活動都辦的很圓滿成功，感謝 AG Louis、DAG Koui、DDS Bill 的相挺，十二分區有您們才能如此同心協力，感謝大熊老師的教導，讓我們得以一窺表演的堂奧，感謝總監祕書悠雅都有提醒我記得要參加地區活動，在 3523 地區擔任社長我感受到了地區的關懷，我們是最棒的精彩團隊！

最後僅以此文感謝我的社長同學龍欣社 P Carol 及她的尊眷凱哥，雖然妳終究還是在社長任內離開了，但我們仍然圓滿的完成了這一年的社長任務，感謝妳們讓我知道當妳賦予一件事情重要的意義時，就會擁有完全不同的人生體驗，20-21 這一年有這個榮幸可以跟妳們一起經歷，真好！

第 12 分區

走進扶輪
邁向全方位成功

龍族扶輪社／**徐國楦 P Jacson**

記得一年前，當我初接下社長重任時，全球正壟罩在疫情陰影下，人們的生活被整個大幅改變，文明彷彿倒退了好幾年，產業震盪，民生困頓。那時候，我如同每

個關心國家社會的人一般，內心祈願著，一年後這個世界可以撥雲見日。

一年後的現在，疫情依舊，走到任何場合依然人人都需要戴著口罩。但我的心會失落嗎？ 其實正好相反，我的心更加充滿希望，那是因為時窮見真章，越是艱難的環境下，反倒越彰顯出許多珍貴的人類價值。我看到更多的人性光明面，也看到我們台灣的經濟可以逆勢成長，交出漂亮的成績單。

這就好比我在扶輪社感受到的種種體悟，在這裡我真的可以做到全方位成功。

所謂全方位成功，包含健康、家庭、夢想，事業、回饋，以及財富這六大面向，簡單來說明：

1. 健康

從源頭談起，重點自然是每個人自己的健康。有了健康，才能對社會做出種種貢獻。在扶輪社，我們一年四季都有帶來健康的活動，登山、健行等等，扶輪社就是帶來健康的地方

2. 家庭

幸福成功人生一個重要環節，就是家庭。若家庭不快樂，事業再成功也沒意義。這中間關鍵就是溝通！在扶輪社，我們可以充分做到互信溝通，也讓家人共同參與。

3. 夢想

人人都有夢想，但夢想不該只是喊喊口號，重點要有具體行動。在扶輪社，我們最重視的就是行動，不論是辦活動或投入社會公益，大家有志一同都讓自己動起來。夢想藉由行動來落實

4. 事業

談起成功，許多人第一個聯想到事業，但事業絕非靠一己打拚就能成

事，要有策畫，要有團隊的助力。在扶輪社，我們看到很多事業有成的人，因為扶輪社就是一個孕育成功氛圍的好地方

5. 回饋

當然扶輪社的朋友們，都以貢獻社會為職志，一己的成就是次要的，能夠真正為國家社會付出心力才是重點。扶輪社友們，總是努力回饋社會

6. 財富

財富怎麼來？只要我們做好前面六點，其實最終就會獲致財富。在扶輪社，我們看到許多人不計較利益，只一味奉獻，反倒最後獲得更多財富

這就是我說的全方位成功，特別是在疫情肆虐的時代，這六點其實更加珍貴，畢竟，新冠肺炎直接打擊著健康、以及經濟，進而影響到家庭和社會人際。然而在我們龍族扶輪社這個大家庭裡，我們透過彼此扶持照應，我們都可以兼顧這六項。

如今又是傳承的時刻，第十屆的精神是圓融與兩性平等！在這一年裡，我們看到社友們無私的奉獻，以及無懼大環境的艱困考驗，靠著信任與互惠，走出一條穩定成長的坦途。在社友的笑容中，我看到了智慧與圓融；在我們團隊中，不分男女，盡皆人傑，也各自在活動中，展現專業的實力，發揮扶輪社的愛心與無私。

這是個美好的經驗，很感恩有這個榮幸，過往一年擔任龍族扶輪社的社長，都說一個人如果沒接任過社長，就不算曾經待過扶輪社，這點我體會到了。也衷心感恩這一路走來所有社友的扶持。

最後，我想要說，無論大環境如何的變化，我們都要堅守這一顆有愛的心，更且我們要時時刻刻惜福。2021年4月，發生在花蓮的太魯閣事件，是交通史上重大悲劇，也讓我感受到人生的無常。所以我也衷心要表達，我很珍惜在扶輪社裡與你我這寶貴的情誼。

感恩有你們帶來的溫暖，感恩有你們和我一起走過。

展望未來，讓我們繼續攜手，共度人生的春夏秋冬。

第12分區

相互扶持渡過煎熬

龍欣扶輪社／李宜蓁 P Carol

時光匆匆，轉眼間一年又快過去了，記得答應接任社長開始，內心是非常的忐忑，深怕辜負社友的期待，無法勝任，也耳聞未來的阮虔芷總監是一位非常認真的女性，內心有點掙扎，因為怕難以達成總監交付的使命，但是我相信應該可以從總監身上學習到許多，也就毅然決然地接下了這個任務。

就在接受及準備的過程中，2020 年 1 月中的一趟宿霧親子英語營，某天莫名的左肋骨肌肉出現疼痛跟壓痛，想說啥事也沒做，怎麼會這樣？怪怪的！之後雖然症狀慢慢減緩，但並沒消失，心想回國還是看一下醫生，確認一下：

2/08 回國

2/10 看診 X 光片，右邊異常

2/13 排 CT 電腦斷層

2/17 看報告需轉診

2/21 朋友安排加號台大胸腔內科

2/24 開始住院，每天一個檢查

2/27 傍晚等支氣管鏡報告

確診小細胞肺癌有轉移骨頭，所以是第四期，這是個只有 5-10% 的罹患率且多半是有抽菸史，加上年齡 50 歲以上，而我全部不符合，當下真心覺得怎麼會這樣？原先還以為自己是早期發現，哈哈，因為平常固定有做運動的訓練，但剛好陪小孩出國，沒有訓練上課，排除了運動後肌肉太緊的疑慮，沒有想到一來就是個大的驚喜！

回想一下，當聽到醫生的告知時，我沒有淚流滿面，腦袋竟然想的是未來的行程該怎麼辦？生命還有多少時間？治療時程是否會影響原本排定的一些課程？醫生都覺得我想的太後面了，因為都不知道治療狀況會如何？體力可以負擔否？

而我想的是，原本報名的三鐵賽事要取消，原預期單車環島，不確定能否參加？游泳課要先暫停，已訂的出國的機票要取消。然後最重要的，我還要接任社長嗎？這是個最正當不能接的理由，有哪些我想做還沒做的事？

在我很猶豫的時候，先生給了我很大的支持，或許我的生命就剩做社長後的這段時間了，管好自己的事，別人的事不用管，在自己的生命歷程中活得比前半生更精彩。也感恩他為我付出的一切，在我第一次例會時，就送我一份驚喜大禮，送個巨額捐獻當作我的生日禮物。當我被疼痛折磨的食不下嚥、晚上睡不好、體力越來越弱時，他也會想盡辦法的不讓我單獨一人在家。扶輪要開會時，若他時間允許會來接送，非常擔心我是一人行動，怕我腳沒力，怕我跌倒，怕我太累，希望我 9 點就可以躺在床上……等。

要說我都很堅強的面對一切，有時也不盡然，只是我明白難過只能一下子，因為無法解決我的轉移問題，無法解決我疼痛到流淚，也會軟弱的問題。若遇到社務繁忙意見紛擾時，也會覺得自己何必？輕輕鬆鬆過每一天不好嗎？當初何必沒事找事做，還要算時間可否出席會議與不同的活動，不行出席時還要拜託先生代替我出席，只因我是社長！所以家人的支持與愛，真的是很重要的環節，感謝我先生，媽媽，弟弟，小孩，沒有他們我大概會更無力。

7 月 1 日上任後，開始在生命的過程中留下紀錄

龍欣社雖然是小社，但是我們麻雀雖小愛心不落人後，做了許多社會服務，在第一次社長上任例會敲鐘的時候，我們就進行新北圓夢計畫獎學金的募款活動，透過「新北市好日子愛心大平台」共同捐贈新北市政府，溫馨助學圓夢基金 35 萬 4,000 元，本次捐贈活動於土城國中舉辦，捐贈款項將由教育局撥發給新北市卓越清寒學生，把愛傳出去，我一直認為惟有教育可以改變人生。

此外我們做了苗栗三灣國小、桃園觀音育仁國小的藝術下鄉活動，因為偏鄉地區缺乏藝術專任的老師，因此我們針對低年級中、高年級有不同

的活動設計。

在地區的公益更是不遺餘力的配合，特別的是募款來源是社長展演，社長演舞台劇是創舉，要我們這屆社長，在短短時間內背台詞、走位，排練數次後上場表演，更是硬著頭皮，幸虧有位厲害的大熊老師，讓我們從覺得有難度到可順利登台表演，在排練的過程中因目標一致，不僅拉近了75 位社長的感情，也讓大家之後彼此有活動皆努力相挺。

尤其令我印象深刻與感動的是，某天晚上，看到總監在群組詢問大家是否願意將捐款指定送給我與先生，讓我們倆人聯名在 RI 扶輪總社有個冠名基金，自由參與，結果隔天早上我醒來看到接龍已一長串，大家實在對我太好了，感動得落淚，我們來自不同地方，還不見得都很熟，大家卻願意做這個贊助！我很驕傲我在 3523 這一班，跟這些同學一起，在這一年共事，精彩我的後半生！

而龍欣社社友們，一直是我強大的後盾，在不同方面給我信心，

實質上的支持，我才有辦法在體力越來越弱的狀態之下堅持下來。接任前的惡耗，治療過程的煎熬，還是覺得要實現自己的承諾，很開心總監、社長同學及社友的大力支持，我才能夠勇敢去面對，沒力時，大家的鼓勵，讓我再次燃起希望，謝謝大家！

第12分區

不一樣的人生及回憶

龍來扶輪社／**陳俊宇 P Trust**

卸任了，因為疫情關係，很多人都說，社長只當了2/3。因為疫情，國際年會取消，因為國際年會，很多活動，全部擠在上半年一氣呵成，整年度該做的都沒有少，PETS學會如何跟社長同學相處，學會如何當社長，接任了，就是下去做……

年輪交錯，上台演戲，記得當初都跑外務跟演戲，整整一整個月沒進公司，還好社友們相挺，買票看戲，又能讓社長們增加彼此的感情，又能做乳癌防治，這點真的是一項非常厲害的服務計畫，雖然演得沒有專業的好，但是讓我學習面對鏡頭，如何在鏡頭前更自然，這無形中讓我在鏡頭前講解裝潢時更自然。

根除小兒麻痺音樂劇，我們社才三年，為了讓寶眷情感更好，提議社友買票，讓寶眷去喝下午茶，再去看演出，可以增加感情又兼做公益。

今年度增加社友情感，先賺錢再做公益，我們 SPEAKER 都讓社友擔任，把省下來的車馬費以抽現金的方式提供給來賓，增加例會的活潑性，也增加社友對社友彼此事業的瞭解，並參訪社友的公司，更能加速產生連結。

上半年，有次在分區餐會時，討論到分區一日遊，當我跟 AG 對到眼時，我腦中閃過「糟糕……！」果然沒錯，下半年一日遊活動由龍來主辦。

這讓我印象深刻的一次活動，我們選擇焢窯，人數限制 80 人，因為報名非常踴躍，從 120 人加到 165 人，我還特地跟主委 Jerry 及祕書 Henry 去苗栗場勘，預定場地不夠還跟隔壁借田地，讓 165 人可以在裡面焢窯，天時地利人和，是分區活動史上人數最多的一次，這真的很感謝十二分區社長們的幫忙。

PEST 很多人說總監 DG Tiffany 把我們兩天當三天用，因為國際年會的關係，一整年的計畫都壓縮在上半年完成，現在的我真的很感謝總監當初的決定，如同上任時期待的，一年社長任內有不一樣的人生及回憶。

第13分區

精彩人生、沒有遺憾

南天扶輪社／**張恆勤 P Allen**

要寫社長這一年的感言，畫面一幕幕呈現，沿途風景優美，故事精彩豐富，但提醒自己不要絮絮叨叨像個老人家，畢竟大家時間有限，眼球競爭，注意力短暫！我開始啦！

我的身分特殊：年輕時加入扶輪社，身為創社社友，竟在 19 年後才接任社長！也算是奇特了，long long story ！好吧，準備上任了！

一個奇特的開始：就在準備社長這一年，竟是以新冠肺炎開端，真是夠驚奇了！在當時盡量避免參加大型活動，所有的社長們都慷慨赴義，帶著口罩參加 PETS（社長當選人訓練研習會），當天晚上還要演出生命故事！我們還是第一個上台咧，敬佩所有優秀的社長們！

遇到了一位美麗的總監阮虔芷 Tiffany 與祕書長張琦真 DS Jenny：老天就是這麼眷顧我們，給了天災，卻也送了貴人！總監不只美麗，更極富創意，而且溫暖、勇敢、活力、熱

情！有愛心且用心！讓我們不認真都不行啊！

正式上工就驚奇不斷：聯合就職典禮歷屆創舉、社長展演前所未見、認識同學驚喜連連、秦王夜宴 EndPolio（消除全世界小兒麻痺），社友紛紛鼓掌稱許，大家都說「創意總監、幸福社長」，認真就是最美（跟最帥）！

快樂服務、認真學習、歡樂聯誼：內容太多了，「足煩」不及備載，總之，做好事、存好心、遇好人！領導就是謙卑的服務、勇敢的負責、最大的承擔、付出才是幸福，一切的收穫都是自己的！這一年讓我把人生的心法再次的運用，很感謝這個機會，也看見很多認真付出的人，有緣相識，人與人的相處感覺最重要！感恩！

即將畢業前，竟來個快閃回馬搶：果然是創意總監，讓我看到了歷來最好的總監之夜，除了親自上陣表演外，也見識到總監 Tiffany 製作節目的功力！這是多位前社長與社友的評價！讚嘆不已！

感謝我可愛的工作團隊：這一年創造很多驚奇，特別值得一提的是，南天社主辦的「全國電腦圖文創作比賽」，因部桃醫院感染事件，原定賽程與節目，臨時改為「線上進行」。緊急動員了 20-30 個小學完成遠端測試，在短短的一週完成艱鉅的任務，真是值得大大的讚賞！而線上頒獎典禮在得獎小朋友與老師踴躍出席下，真是太令人感動了！也給扶輪社友及與會的來賓留下難忘的回憶！

幸福的恩賜：雖在疫情的這一年，認真用心的投入下，時間過得很快，說也奇怪，事業／金錢／家庭反而比以前更好，「付出才能見證幸福的時刻」！謝謝扶輪帶給我精彩的一年！

第13分區

社長感言

樂雅扶輪社／**張珉珉 P Ming**

有幸擔任樂雅第 10 屆的社長，是生命旅程難得的經驗，更是進扶輪社這些年來學習並成長最多的一年。從前對扶輪一無所知，只是偶爾和社友們互動聯誼，或懷著好奇的心情去聽演講參加例會餐敘……但這一年來，藉由地區活動及社會服務的參與，我更加瞭解了自己的使命，也更堅信扶輪的力量是強大的，扶輪的資源是可觀的，扶輪的精神是可敬的，身為扶輪人，更是一輩子的驕傲。

一年的任期很快地將接近尾聲，這的確是個任重道遠的一年。今年，欣逢樂雅十週年慶，也特此祝福所有樂雅姐妹永遠快樂優雅，繼續同心協力做公益，共同迎接下一個，及更多更多 10 年的到來。

悼念

人生一場邂逅已足夠美麗——哀悼李宜蓁 P Carol

這是 2020 年 3 月 27 日我為妳們講的第一堂課，我們這一場邂逅真的很美，因為我看見一位美麗又堅強的妳—— Carol。

上任前我拜訪妳，那時妳已經確診為「小細胞肺癌」，妳娓娓道來「醫生說是末期，僅剩半年」，我的驚訝破表。我說「那我們不要當社長了好嗎？好好去做妳想做的任何事情」，妳回「我想給我自己一個禮物，就是當完社長。」我無語只是內心問自己，如果是我，我會是如何選擇？我雖沒有答案，但至少不會是要做一個帶領做社會服務的扶輪社社長，我沒有那麼大愛，我應該還是會自私的想自己，而 Carol 選擇為社會盡自己最後心力。她也做到了，不只半年，她已經超過一年以上，從準備當社長開始，我由衷敬佩她。從 GMS 地區獎助金管理研習會；PETS 社長當選人訓練研習會；7 月 1 日總監社長集體就任；DTA 地區訓練講習會；DMS 地區社員發展暨新社擴展研習會；DRFS 扶輪基金研習會，場場會議她都到。地區年會社長上台的舞蹈，她都來練習了，社長展演彩排從沒有缺席，而缺席的竟是演出當天，因為醫生不答應她出院。

任何活動都會看到她，就連自行車環島她都來送大家出發，因為她原本是三鐵運動員，這天她女兒代她出征，我看她氣色還不錯，很高興的說「氣色真好」，勇敢的她卻指著自己回我「裡面都不好」，我真不知道人的內心要如何強大，才能這樣面對自己的日漸衰弱。DTTS 我的演講主題「讓我們成為精彩的領航者」，我相信所有社長們都會承認，Carol 絕對是個領航的實踐者，她安排自己住院時間儘量避開自己社內的例會，她做每一件事情我都會回頭捫心自問，真心說，我不一定能做到，而 Carol 全部完美呈現。

不單是她的完美，我也必須說她的先生 Kevin。從我認識 Carol 開始，每場活動幾乎 Kevin 都陪伴，她當社長 Kevin 就是寶尊眷組，也時常幫忙眷聯會，他內心的壓力絕對不亞於 Carol，而所有陪伴都沒有中斷過。在 Carol 生日當天，Kevin 送她一個珍貴禮物，就是一萬美金的捐獻，幫 Carol 在扶輪基金會捐了巨額，而愛 Carol 的社長同學們，也把他們的永久基金捐獻指定給 Carol，讓國際扶輪基金會的冠名基金裡有 Carol & Kevin 聯名。

她很愛我們，我們也都好愛好愛她，雖然從昨天就知道 Carol 狀況不甚好，今天一天心裡也都有準備了，可是當從 Kevin 簡訊裡知道她走了，我還是不停的流淚，雖然都一直讓自己心裡有了準備，但還是不忍，不忍，不忍……。一直跟自己說，也跟 Kevin 說，如果她太累太痛就放手吧！可是還是非常不捨，一天的心情七上八下，妳終究還是走了，在 520 這天的 20:25，一路好走，不要介意還沒當完社長，因為疫情我們也都跟妳一樣幾乎算是卸任了，請帶著我們的愛，請帶著 74 位社長同學的祝福，去到天家，一個無病無痛的地方，然後在夢中給我一個微笑。

妳無憾了，一位生命勇士、美麗天使，我們雖哀慟；我們雖不捨！但只要妳不再痛了，我們會擦掉眼淚，祝福妳這位勇敢美麗又有毅力的社長，當妳臨終要求帶走社內制服，我就知道妳堅毅的社長魂還在，妳比醫生說的半年還多了大半年，妳即將是天堂美麗的天使，我們會見面的，在不久的將來，選在 520 這一天妳離開我們，我們知道妳愛大家，請一路好走！

安息

我們都好愛妳！

致 周書正 P Simon

疫情讓我每天渾渾噩噩的過日子，除了許多的視訊會議，就是睡與吃，經常會想著，現在的你尚沒意識，日子就已經變成這樣了，也許是好命，等疫情過了，你也有意識了，不正剛好嗎？我一直是這樣想著，原來我是肖想……

一早醒來，民生社社長 P Daniel 給我簡訊，他說：「Simon 過世了」，驚訝的我，以為他搞錯了，趕緊回他：「過世，沒呀！不是在家裡復健嗎？」還沒等到他的回覆，就看見你母親給我的簡訊。媽媽說原因是，換氣切的管子拔起來之後就插不進去了，後來又開了一個小刀，心跳與血壓就都不穩定了，結果馬上住院，早上五點半你就走了。我回覆 P Daniel：「看到 Simon 媽媽簡訊了」。P Daniel 說：「唉！人生無常，其實這屆大家感情特別好，但有個變卦，大家心裡都很難過。」是的，我馬上在社長群組告知大家這個不幸的消息。

今天晚上 24:00，我們就卸任了，Carol 在疫情爆發的 520 那天離開我們，他的尊眷 Kevin 凱哥在告別式時幫他敲下最後的閉會鐘，Kevin 也馬上加入龍欣社，接替 Carol，幫她繼續再為社區做服務。Simon，你的社長畢業鐘，我會在今晚全體社長線上「守歲」之時，在默哀兩位社長的單元裡，幫你敲下畢業鐘，雖然你上任例會那天沒帶鐘到現場，沒敲到社內上任鐘，所幸我們已經有了集體就職典禮，也算是有了開始，這是你人生最後一次的畢業鐘，我一定為你敲下。記住，所有社長同學們都祝福你：一路好走。Simon，我也祝福你：「一路好走」！

你是挨我最多罵的社長，其實我從不罵人，但那時候就覺得得罵你，沒記性。要你去松山火車站，你跑去南港火車站，在台北市政府彩排時，你卻能跑到新北市政府，我生氣你的不用心。但幾次到醫院看你，我都後悔罵你了。回頭想想，罵你不就是把你當作我自己的孩子嗎？看著因為醫療體制的問題，你必須不斷的轉院，媽媽總要台北桃園的跑，心疼你，也心疼媽媽。

昨天RCC主委叢毓麟PP ICT還在My Rotary網站幫你達成RI社長獎，我請你們社 PP Sophia 幫忙上線一起完成，我只是覺得今年每位社長都那麼辛苦，若可以全員都得到 RI 的社長獎，那是多麼榮耀的一件事啊！一輩子只做一次社長，如果可以拿到不是很好嗎？心裡想著，雖然你還在復健，但我也希望能給你一個禮物——「RI 社長獎」，沒想到我們在努力的同時，你正在與生命拔河，雖然你已經取得獲獎資格了，但我們卻等不到領獎的人，令我萬分的難過。

我知道你努力過了，剛送進醫院的你，其實狀況已經很糟，我們都認為時間不多，而你居然挺過來了，人都是貪心的，你好些了，我們就希望能再更好，那天去桃園醫院送畢業熊給你時，陪著你復健，其實我心裡好難過，想著漫漫長路的復健，什麼時候才能到頭呀！今天，你終究還是走了。「也許你的離開是好的」，今天我一直這樣對自己說，雖然難過，但是你一直堅持陪我們到卸任的今天。南天社社長 P Allen 也以心經迴向給你，大家的祝福都收到了吧！好好睡吧！請記得我們的愛！

安息

結語

離別不是感情的分散，而是力量的擴張，我們是彼此身後半輩子依賴的好朋友，彼此銘記在心，人生有些時候，一場邂逅，其實已足夠美麗。

我們都在 3523，我們都是同學，我們在這一年緊密的黏在一起，以我們的能力繼續為社區做服務。

世界就像個舞台，當你不再要求別人完美，才能欣賞真正的他們，我們要感恩，讓我們有機會接受挑戰，幫助人們改善、獲得更美好的人生！

祝福～每個人天天都有美好幸運的一天！

祝福用最美的姿態，遇見更好的自己……

— Part 2 —

國際扶輪 3523 地區 2020-21 年度

扶輪打開機會

精彩人生，有您真好

Rotary Opens Opportunities

扶輪打開機會

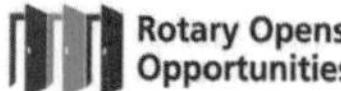

We Are One

Twenty Twenty-One

精彩人生

有您真好

HOLGER KNAACK
2020-21 President
Rotary International

Love
from
Form a
Taiwa

Rotary
Welcome
RIPE Holger Knaack to Taiwan

HOLGER

3523 地區歷任總監

年度	地區總監	所屬扶輪社
1995-1996 年度 年度主題	虞彪 Jerry Yu 以真誠來行動，以愛心來服務，為和平而奮鬥 Act with Integrity, Serve with Love, Work for Peace	台北市華南扶輪社
2000-2001 年度 年度主題	于匡時 Shoes Yu 促進了解、採取行動 Create Awareness Take Action	臺北市南區扶輪社
2001-2002 年度 年度主題	陳茂仁 Tony Chen 服務人類是我們的事業 Mankind Is Our Business	台北市南德扶輪社
2006-2007 年度 年度主題	蔡松棋 Pyramid Tsai 帶頭前進 Lead the Way	台北龍門扶輪社
2009-2010 年度 年度主題	陳曜芳 Gary Chen 扶輪的未來在你的手中 The Future of Rotary is in Your Hands	台北健康扶輪社
2013-2014 年度 年度主題	黃金豹 Amko Huang 參與扶輪 改變人生 Engage Rotary Change Lives	台北市南門扶輪社
2016-2017 年度 年度主題	郭俊良 DK Kuo 扶輪服務人類 Rotary Serving Humanity	台北市西南區扶輪社
2017-2018 年度 年度主題	朱健榮 Jack Chu 扶輪改善世界 Making A Difference	臺北市南區扶輪社
2018-2019 年度 年度主題	邱義城 Casio Chiu 成為勵志領導者 Be The Inspiration	台北市南海扶輪社
2019-2020 年度 年度主題	邱鴻基 Joy Chiu 扶輪連結世界 Rotary Connects The World	台北市南門扶輪社
2020-2021 年度 年度主題	阮虔芷 Tiffany Juan 扶輪打開機會 Rotary Opens Opportunities	台北逸仙扶輪社

1989 - 1990
Enjoy Rotary!
1990 - 1991
1991-1992
Look Beyond Yourself
THAILAND

Taiwan

TAIPEI
2021
IN TAIPEI
JUNE 2021

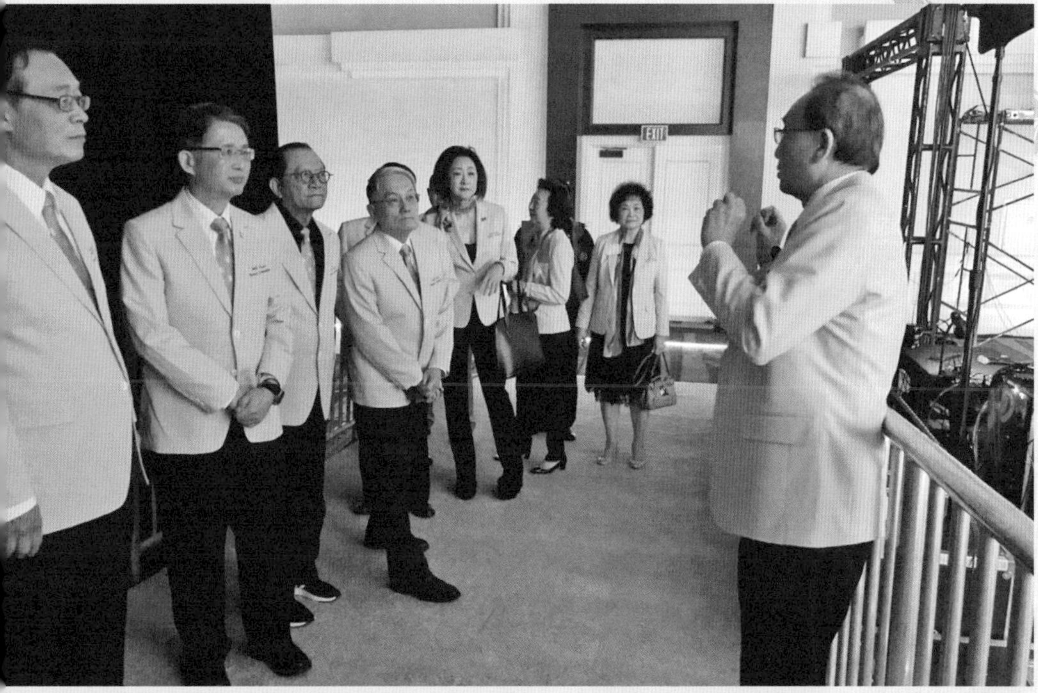

WELCOME TO THE
ROTARY INTERNATIONAL ASSEM

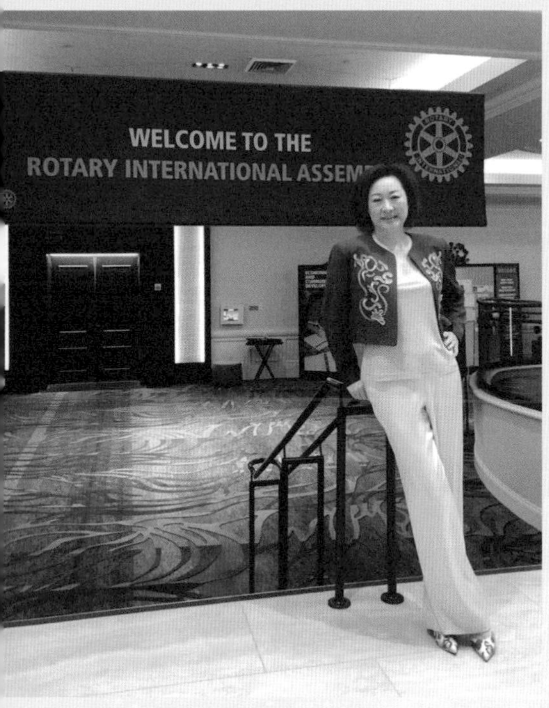

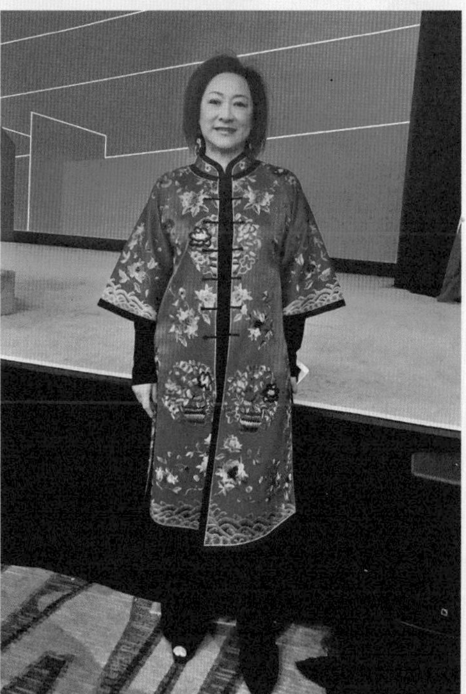

國際扶輪 3523 地區 2020-21 年度 地區培訓會議

日期	會議名稱	主委
2019/11/22	扶輪基金獎助金管理研習會 GMS (Grants Management Seminar)	朱威任 PP Michael 龍門扶輪社
2019/12/21-22	Pre-DTTS	鄭玉章 PP Angus 瑞光扶輪社
2020/02/08	引導人訓練研習會 DLS (District Leadership Seminar)	阮虔芷 DG Tiffany 逸仙扶輪社
2020/02/22	地區團隊訓練研習會 DTTS (District Team Training Seminar)	陳家賢 PP Tank 中區扶輪社
2020/03/14-5	社長當選人訓練研習會 PETS (President-Elect Training Seminar)	張仁龍 PP Kevin 永康扶輪社
2020/07/01	總監暨社長聯合就職典禮致詞	林武璋 CP Johnnie 高峰扶輪社
2020/07/12	地區訓練講習會 DTA (District Training Assembly)	阮念初 CP I.D. 風雲扶輪社
2020/07/18	扶青社 DTA 地區訓練講習會	林穎軒 DRRE Michael 府門扶青社
2020/08/15	地區扶輪基金講習會 DRFS (District Rotary Foundation Seminar)	張一郎 PP Ichiro 龍華扶輪社
2020/09/05	地區社員發展研習會 DMS (District Membership Seminar)	彭世偉 PP Jonathan 華中扶輪社
2020/11/27	地區公共形象研習會 DPIS (District Public Image Seminar)	周小雯 PP Marisa 逸仙扶輪社

國際扶輪 3523 地區 2020-21 年度 地區培訓會議（續）

日期	會議名稱	主委
2020/12/18	主持人司儀研習會 (MHTS)	李弘偉 PP Koui 龍族扶輪社
2021/04/02-3	青年領袖營 RYLA (Rotary Youth Leadership Award)	蔣岳宇 CP Chris 逸澤扶輪社
2021/3/27-28	地區年會	黃秀敏 PP Joy 華樂扶輪社
2021/04/10	國際領袖論壇	鄒靜雯 P Lily 南茂扶輪社
2020/07/15 2020/09/16 2020/11/18 2021/01/20 2021/03/17 2021/12/28	社長祕書聯席會	蕭志偉 PP Steven 南華扶輪社
2020/06/29 2020/07/20 2020/09/21 2020/11/23 2021/01/25 2021/04/26	執行祕書會議聯席會 ESS (Executive Secretary Seminar)	張琦真 DS/CP Jenny 西華扶輪社

國際扶輪3523地區

Rotary District 3523

2020-21年度扶輪獎助金管理研習會

2019.11.22 星期五

時間: 8:30-17:30

地點: 自由廣場大樓 2F 國際會議廳

地址: 台北市內湖區瑞光路399號2樓

王嫺梅
Shyanmei Wang
國際全球獎助金

林蔚濠
PP Cilin
放大服務的效益
善用獎助金

黃敏靈
PP Jo
必勝!必勝!
如何籌備一個全球獎助金計劃
及成功之道

洪清暉
E/MGA Ortho
如何強化
全球獎助金資金募集

Rotary
國際扶輪3523地區2020-21年度
Pre-DTTS 訓練研習會

Rotary
District 3523
國際扶輪3523地區2020-21年度
Pre-DTTS 訓練研習會

國際扶輪3523地區2020-21年度
Pre-DTTS 訓練研習會

國際扶輪3523地區
2020-21年度地
導人訓練研習會
Rotary

國際扶輪3523地區
2020-21年度地區引導人訓練研習會
Rotary

國際扶輪3523地區
21年度地區引導人訓練研習會
Rotary
Opens

地區團隊訓練研習會 DTTS

Rotary
2020-21年度 PETS 國際扶輪3523地區
社長當選人訓練研習會

Rotary
社長當選人訓練研習會

Rotary District 3523
2020-21年度 PETS 國際扶輪3523地區 社長當選人訓練研習會

精彩人生
有您真好

Rotary
District 3523

扶輪的故事必須

Rotary Opens Opportunities

國際扶輪3523地區 2020-21年度
地區訓練講習會
District Training Assembly
JULY 12 2020
Rotary

國際扶輪3523地區 2020-21年度
Rotary
District 3523
地區訓練講習會
District Training Assembly
JULY 12 2020
pportunities
機 會

Rotary
District 3523
Rotary International

Rotary
Rotary Opens Opportunities
扶輪打開機會

國際扶輪3523地區2020-2021年度
地區扶輪基金研習會
District Rotary Foundation Seminar
Rotary Opens Opportunities

國際扶輪3523地區2020-2021年度
地區扶輪基金研習會
District Rotary Foundation Seminar

國際扶輪3523地區2020-2021年度
地區扶輪基金研習會
District Rotary Foundation Seminar

District Rotary Foundation Seminar
國際扶輪3523地區 2020-21年度

地區扶輪基金講習會 DRFS

Rotary District 3523 | Rotary Opens Opportunities

國際扶輪3523地區 2020-21年度

地區社員發展研習會

District Membership Seminar

國際扶輪3523地區

2020-21年度DPIS 地區公共形象研討會

扶輪打開機會 建立公共形象

每個扶輪人的形象展現，皆是外界評價集體的形象呈現。形象反映扶輪的底蘊與創新活力。為有效提昇國際扶輪公共形象，內外兼顧並強調扶輪與社會互動關係，由3523地區公共形象委員會精心規畫DPIS，以「現在」即是「未來」的公共形象觀點與自信，匯聚社會頂尖的精英蒞臨指導。藉由專業人士精闢對談，厚植扶輪社友的自我形象能力，認識現在、未來的媒體文化，打開扶輪亮眼的公共形象。

Present and Future

活動時間：2020 年 11 月 27 日(五) 13:00~ 16:55

活動地點：XUE XUE 學學 「學學舞台一樓」
(台北市內湖區堤頂大道二段 207 號)

主講貴賓

國際扶輪3523地區總監阮虔芷DG Tiffany、國際扶輪3521地區前總監梁吳蓓琳 PDG Pauline、壹電視新聞台製作人陳雅琳及恆隆行董事長陳政鴻、璞永建設董事長楊岳虎以及創極媒體總經理蔡毓綺六位各界菁英參與研討，分享公共形象及媒體實務經驗。

3523地區總監
阮虔芷 DG Tiffany

3521地區前總監
梁吳蓓琳 PDG Pauline

壹電視新聞台製作人
陳雅琳

恆隆行董事長
陳政鴻 CP Jay

品牌形象分享

璞園團隊璞永建設董事長
楊岳虎 PP Nick

創極媒體整合行銷
蔡毓綺 P Bannie

地區公共形象主委
周小雯 PP Marisa

研討會主持人
劉家崑 CP Cynthia

國際扶輪3523地區
2020-2021年度DPIS
地區公共形象研討會
扶輪打開機會
建立公共形象
District Public Image Seminar
Rotary
District 3523

致贈感謝狀、紀念品
扶輪打開機會
建立公共形象

致贈感謝狀、紀念品
扶輪打開機會
建立公共形象

DPIS
國際扶輪3523地區
2020-21年度DPIS
地區公共形象研討會
扶輪打開機會
公共形象
DPIS
國際扶輪3523地區
2020-21年度DPIS

國際扶輪3523地區2020-2021年度
持(MHTS)研習會

Rotary
國際扶輪3523地區2020-2021年度
司儀/主持(MHTS)研習會

District 3523
司儀 /主持(MHTS)研習會

Rotary
2020-21年度
國際扶輪3523地區
RYLA
你要變得比昨天的自己更強大
激發你創意的100種方式
ROTARY

Rotary
2020-21年度
國際扶輪3523地區
RYLA
你要變得比昨天的自己更強大
激發你創意的100種方式
想見你
GIANTS

Rotary
2020-21年度
國際扶輪3523地區
RYLA
你要變得比昨天的自己更強大
激發你創意的100種方式

與青對談
2019/1/12(六)
地點：海峽交流
主辦單位：國際扶輪3523地區
承辦單位：地區扶輪青年領袖營RYLA委員會
協辦單位：財團法人海峽交流基金會

RYLA
20-21 & 3523
Rotary
2020-21年度
想見你
青年領袖營

想見你
青年領袖營
RYLA

2020~2021年度國際領袖論壇
變與不變的2021

2020~2021年度國際領袖論壇
變與不變的2021

我的旅行與閱讀
王文靜
2020~2021年度國際領袖論壇
變與不變的2021

變與不變的2021

HOLGER KNAACK
2020-21 President
Rotary International
Rotary
District 3523

2020-21 President
Rotary International
Rotar Opens Opportunities
扶輪打開機會

2020-21 President
Rotary International
Rotary
Rotary Opens Opportunities
扶輪打開機會
District Governor Tiffany

國際扶輪3523地區 2020-21年度
社長秘書聯席會議
精彩人生有你真好
Rotary Opens Opportunities

Edward
P.Joan

總監致詞
Rotary Opens Opportunities

Rotary Opens Opportunities
2020-2021

國際扶輪3523地區
20~21社長同學联誼會

Rotary
國際扶輪3523地區
20~21社長同學联誼會

國際扶輪3523地區
20~21社長同學联誼會

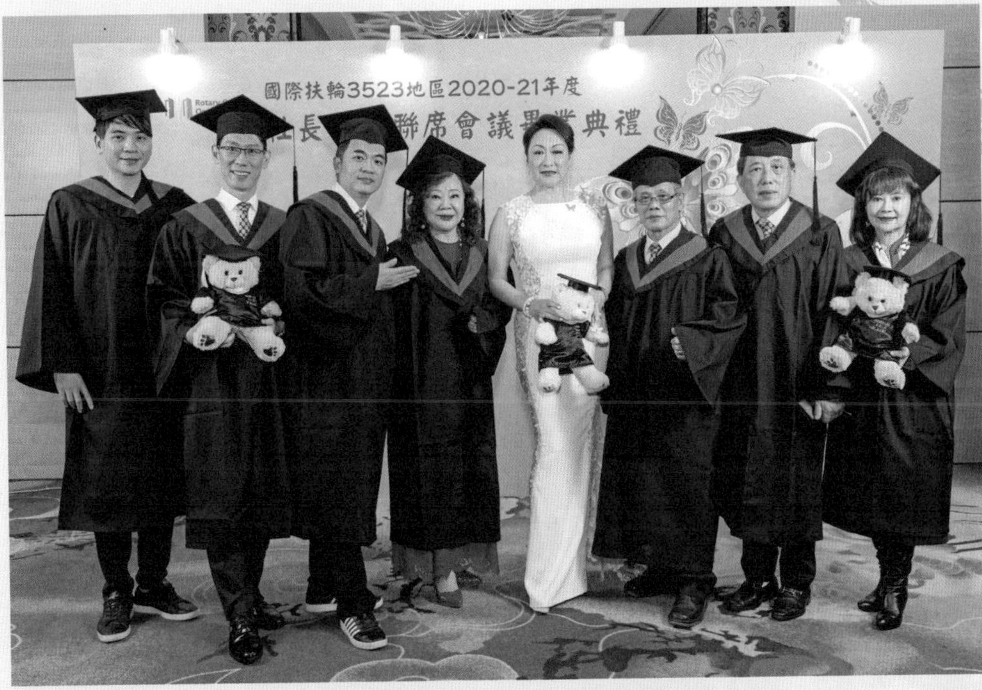
國際扶輪3523地區2020-21年度
社長
聯席會議畢業典禮

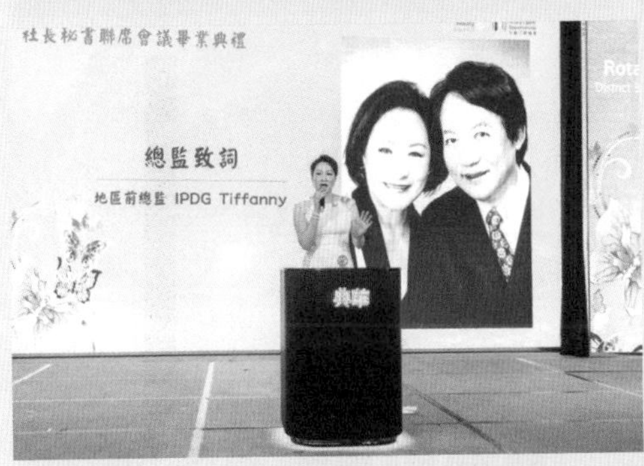

社長秘書聯席會議畢業典禮
總監致詞
地區前總監 IPDG Tiffany

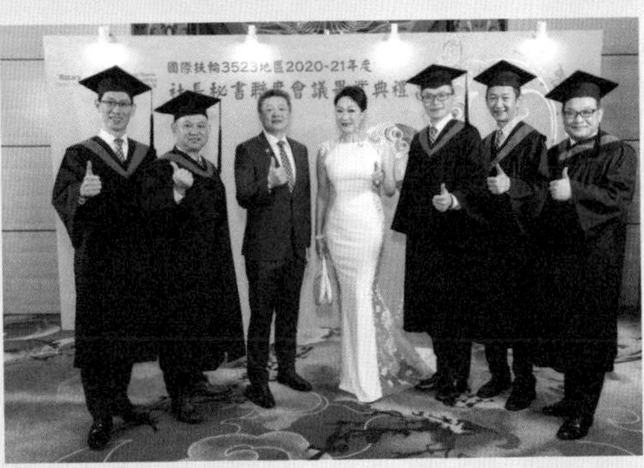

國際扶輪3523地區2020-21年度
社長秘書聯席會議畢業典禮

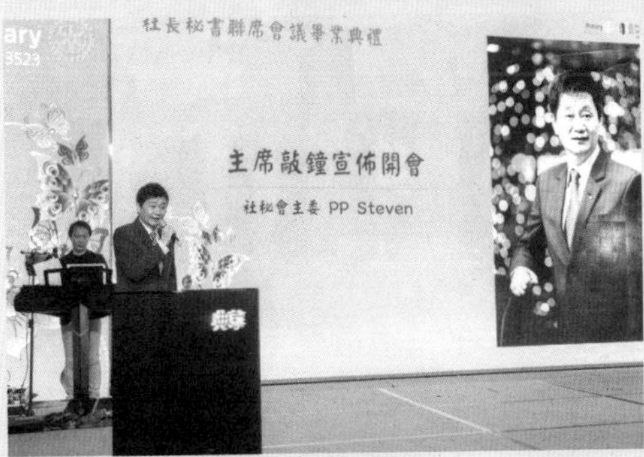

社長秘書聯席會議畢業典禮
主席敲鐘宣佈開會
社秘會主委 PP Steven

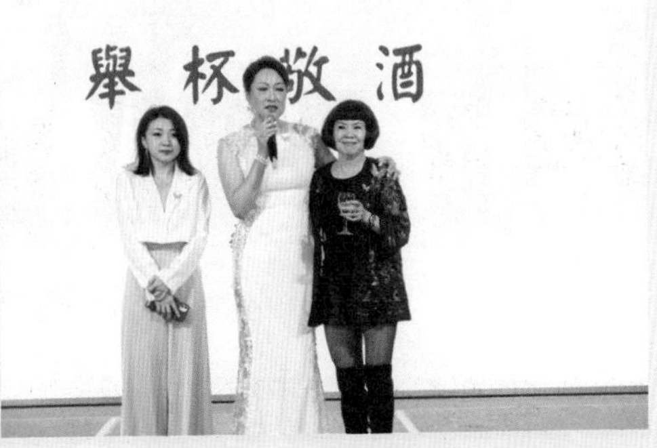

舉杯敬酒

2020-21年度 扶輪基金捐獻
End Polio Now
社捐獻US$1,500以上予根除小兒麻痺基金
07-5 大加蚋
09-1 華安
09-2 華中

2020-21年度 扶輪基金捐獻
Every Rotarian Every Year Club 百分百扶輪基金贊助會員社
01-2 逸仙
02-7 瀚品

Rotary Opens Opportunities
2020-21年度 扶輪基金捐獻
100% Foundation Giving Club百分百扶輪基金捐獻社
05-1 府門
06-2 大都會

2020-21年度 扶輪基金捐獻
100% Foundation Giving Club百分百扶輪基金捐獻社
100%社員參與捐獻, 不分捐獻項目,每人至少25美元平均100美元以上
09-1 華安
11-1 南華

Rotary
District 3523
Rotary Opens Opportunities
2020-21年度 扶輪基金捐獻
Every Rotarian Every Year Club 百分百扶輪基金贊助會員社
100%社員參與年度捐獻Annual Fund每人至少25美元平均100美元以上
10-1 南港
12-2 龍華
US$100
2020-2021

國際扶輪 3523 地區 2020-21 年度
地區社會服務計畫

日期	服務計畫	主辦社 / 主委
2020/08/16	華視台語主播徵選	西南區扶輪社 / 風雲扶輪社 南星扶輪社 / 華樂扶輪社 華真扶輪社
2020/08/26-27	社長公益展演—【年輪交錯的黃金歲月】 結餘款捐贈台灣癌症臨床研究發展基金會	許淑燕 Susan（逸仙社）
2020/10/17	保齡球比賽結餘款捐贈鳳鳴陪讀班	陳念萱 PP Amrita（逸仙社）
2020/11/01	國際扶輪世界年會反毒公益路跑	許能竣 IPP Deya（政愛社）
2020/11/06	End Polio 慈善音樂劇	譚雅文 PP Angel（健康社）
2020/11/07	『為愛而腎』腎臟病篩檢全球獎助計畫	丁士殷 P Sean（西華社）
2020/11/07	End Polio 自行車環島	鄧潤德 PP Audio（南港社）
2020/11/12	愛你『肺』盡心思— 肺癌篩檢全球獎助計畫	鄭誠閔 CP Paper（文華社）
2020/12/15	雲林免費肝炎篩檢	彭國英 PP Mosno（西南區社）
2021/01/18	麻將公益大賽結餘款各捐贈 10 萬元 社團法人彰化喜樂小兒麻痺關懷協會 炬輪技藝發展協會—小可樂果劇團 嘉義縣立太埔國民中小學偏鄉關懷車	主委：趙海真 CP Haijen（華真社） 執行長：林新發 PP Hartz（華欣社）
2021/03/20	績優森林護管員表張大會	曾政寧 CP Adam（南英社）

國際扶輪 3523 地區 2020-21 年度 地區社會服務計畫（續）

日期	服務計畫	主辦社 / 主委
2021/04/10	國際領袖論壇結餘捐贈 台北市失親兒福利基金會	鄒靜雯 P Lily（南茂社）
2021/04/23	捐贈台北市第一分局反毒宣導品	張鴻源 PP Jeff（南山社）
2021/04/23	新北市樹林區桃子腳國小反毒活動	朱自忠 PP J.C.（南海社）
2021/05/01	台北市信義區反毒宣導快閃活動	高炳祥 Michael（逸新社）
2021/05/07	校園反毒宣導—北投區湖田實驗小學	張鴻源 PP Jeff（南山社）
2021/06/01	捐台北市醫師公會口罩與防護面罩	陳美齡 PP May（逸仙社）
2021/06/02	募集口罩給萬華街友及 捐贈防護衣給人安基金會	扶輪公益網
2021/06/03	捐台北市政府篩劑一萬劑 COVID-19 快篩劑	陳雅玉 PP J.C.（新北投社）
2021/06/28	社長以虛擬合唱獻上『明天會更好』， 平撫人心	蔡圻 P Chigo（南海社）
2021/06/30	捐贈『趕路的雁』反毒款 $363,000	溫柏蒼 PP Kenny（風雲社）
2021/09/06	澎湖七美緊急及 牙科醫療設備更新全球獎助計畫	趙偉民 IPP Bill（南港社）
2020-21 年度	扶輪公益網	邱瑞麟 PP IT Smooth（松青社）
2020-21 年度	惜食廚房送餐活動暨捐款 $566,345	徐永蒼 PP Peter（健康社）

國際扶輪3523地區
阮虔芷

年輪交錯的黃金歲月

國際扶輪3523地區2020-21年度社長生命故事展演

ROTARY INTERNATIONAL
年輪交錯的黃金歲月
國際扶輪3523地區2020-21年度社長生命故事展演
Rotary District 3523
Rotary Opens Opportunities

國際扶輪世界年會反毒公益路跑

Rotary
TAIPEI 2021
國際扶輪世界年會在臺北
萬人反毒公益路跑
國際扶輪世界年會2021在臺北
萬人反毒公益路跑

高齡防詐
要注意!!

TAIPEI
2021
國際扶輪

保齡球比賽結餘款捐贈鳳鳴陪讀班

End Polio 慈善音樂劇

Rotary District 3523

END POLIO NOW

國際扶輪3523地區
2020-21年度End Polio
慈善音樂劇

時間 Time 2020/11/06 五 19:30
2020/11/07 六 19:30

節目 Event 大型中文史詩音樂劇 秦始皇

地點 Place 松山文創園區 多功能展演廳
（台北市信義區光復南路133號）

主辦單位／國際扶輪3523地區

秦始皇

大型中文史詩音樂劇

全球巡演

THE FIRST EMPEROR OF CHINA
CHINESE MUSICAL

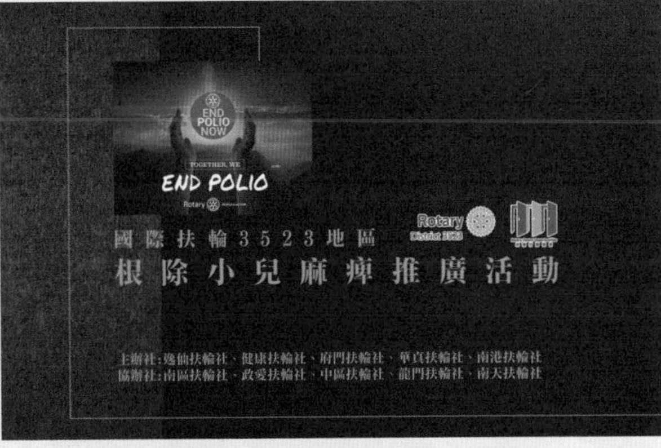

主要演員
陳翰威 潘奕如 邊中健 Sonic
詩音樂劇
全球巡演
PEROR OF CHINA
SE MUSICAL

國際扶輪3523地區
2020-21年度
根除小兒麻痺推廣活動
慈善音樂劇
社：逸仙社、健康社、府門社、華真社
社：南區社、政愛社、中區社、龍門社

為維護環境，禮堂內禁止飲食
為愛而腎
Rotary

為愛而腎
Rotary

為愛而腎
Rotary
台北市 華真 扶輪社
ROTARY CLUB OF TAIPEI HWA JEN
Rotary

為愛而腎
腎臟病防治宣導服務計畫
Rotary

為愛而腎
The Rotary Foundation
扶輪社

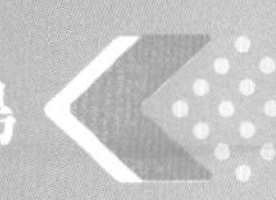

大道之行 天下為公
3520自行車隊
台北市瑞光扶輪社
ROTARY CLUB OF TAIPEI RUEI GUANG
台北珍愛扶輪社
ROTARY CLUB OF TAIPEI CHOUME

Public Health Bureau of Yunlin County
台北南茂扶輪社
台北市南華扶輪社
ROTARY CLUB OF TAIPEI NANHWA

國際扶輪3523地區 愛你肺盡心思

Rotary
台北逸仙扶輪社
ROTARY CLUB OF TAIPEI YI-SHIAN

Rotary
國際扶輪3523地區
愛你肺盡心思

劉建國好央甲服務
雲林縣免費肝炎篩檢
及早篩檢
主動治療
C肝新藥
治癒率98%以上
C肝有藥醫
健保幫你出
20萬
雲林上場
It's Our Time
雲林縣免費
C肝檢查
趕緊治療
Rotary
District 3523
雲林縣免費肝炎篩檢
扶輪傳愛 根除C肝

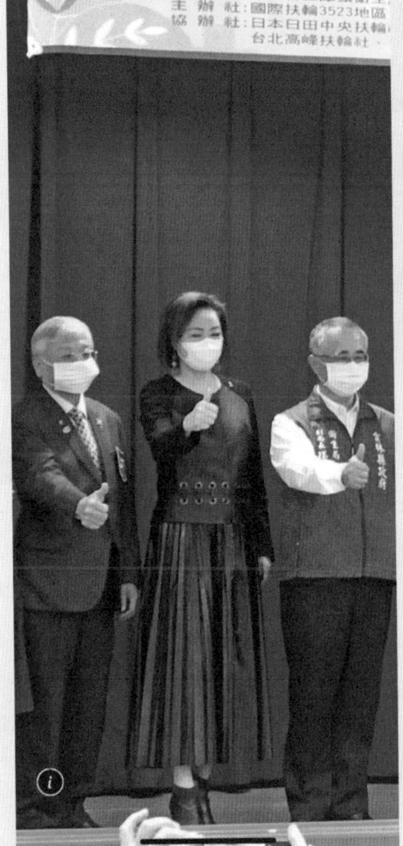
主 辦 社：國際扶輪3523地區
協 辦 社：日本臼田中央扶輪
台北高峰扶輪社、

消除肝炎×健康台灣
雲林縣免費肝炎篩檢

消除肝炎×健康台灣
雲林縣免費肝炎篩檢

炬輪技藝發展協會——小可樂果劇團

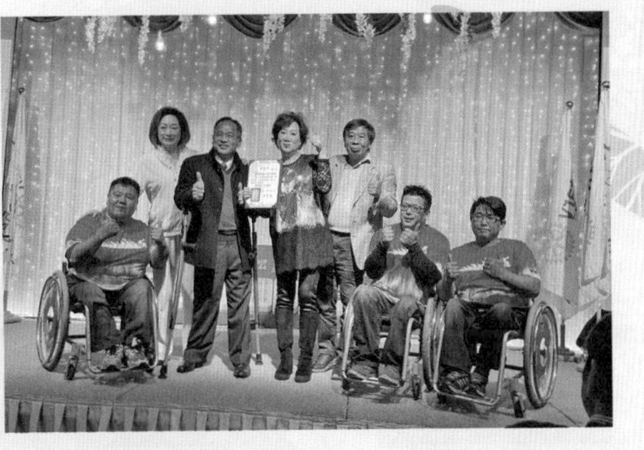

嘉義縣立太埔國民中小學偏鄉關懷車

國際領袖論壇結餘捐贈台北市失親兒福利基金會

109年度
績優森林護管員及社區林業
暨 監測志工
表彰大會

林務局
局長 林華慶
國際扶輪3523地區
總監 阮虔芷

109年度
績優森林護管員及社區林業
暨 監測志工

國際扶輪3523地區
捐贈中正第一分局
反毒犯罪預防宣導品捐贈儀式
RID-3523

國際扶輪3523地區
捐贈中正第一分局
反毒犯罪預防宣導品捐贈儀式
Rotary

國際扶輪3523地區
捐贈中正第一分局
反毒犯罪預防宣導品捐贈儀式
RID-3523
RID-3523

國際扶輪3523地區
捐贈中正第一分局
反毒犯罪預防宣導品捐贈儀式
RID-3523
RID-3523

新北市樹林區桃子腳國小反毒活動

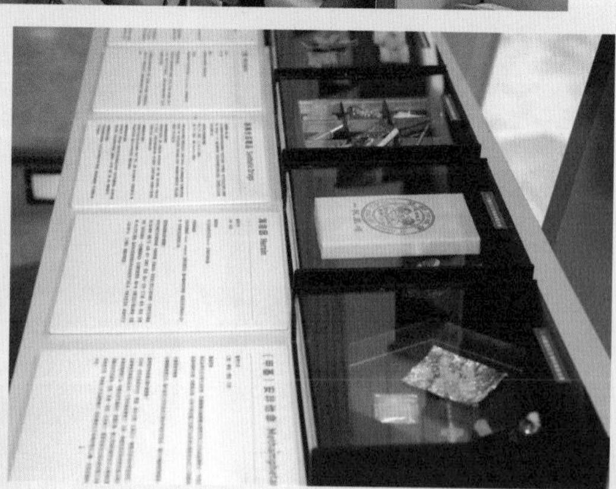

2021.5.1
國際扶輪3523地區
扶輪愛
反毒快閃

A11

新光三越
A11

3523地區
2020
2021
年度校園反毒
AGP防治兒少藥物濫用3D行動反

23地區
2020
2021
年度校園反
藥物濫用3D行動反

Addicted?
LIFE
中華趕路的
全人關懷協會

捐台北市醫師公會口罩與防護面罩

台北市醫師公會感謝狀

國際扶輪 3523 地區

值此 COVID-19 新冠肺炎嚴峻時刻，贈送本會會員防疫物資一批，盡心盡力保護醫療人員生命安全，共同守護全民健康，特頒此狀以表謝忱

理事長 邱泰源

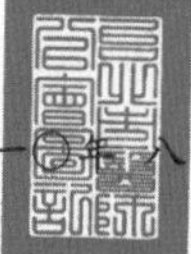

中華民國一一〇年八月十八日

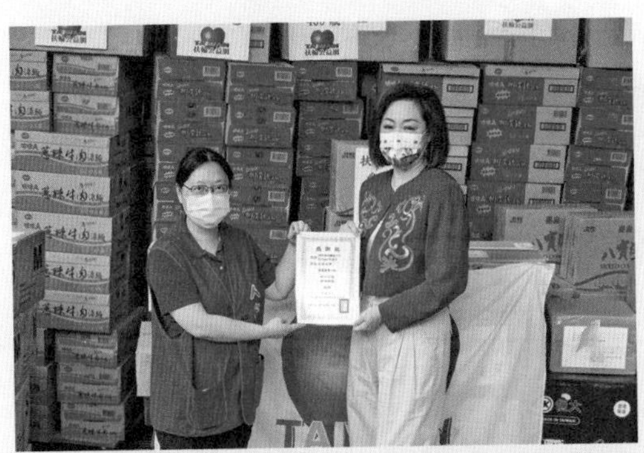

愛心捐贈
防護衣
440件
愛心捐贈
泡麵
25,200包
愛心捐贈
消毒酒精
460瓶
扶輪公益網
愛心捐贈
八寶粥
13,440罐
扶輪公益網
愛心捐贈
乳膠手套
220盒

17rcn.org

扶輪公益網
愛心捐贈
八寶粥
13,440罐
扶輪公益網
愛心捐贈
口罩
28,800片
Face Mask

壯志乘春風上騰
扶輪公益網
愛心捐贈
防護衣
440件
扶輪公益網
愛心捐贈
泡麵
25,200包
扶輪公益網
愛心捐贈
消毒酒精
460瓶
人安
Rotary
扶輪公益網
Face Mask

捐台北市政府篩劑一萬劑 COVID-19 快篩劑

社長以虛擬合唱獻上〈明天會更好〉，平撫人心

疫情嚴峻警戒持續，為平撫國人與扶輪人的心，國際扶輪 3523 地區，2020-21 年度地區總監阮虔芷在即將卸任之際，帶領 16 位社長以虛擬合唱的方式，謹以此首〈明天會更好〉敬獻予大家。

桃子腳

感謝狀

CERTIFICATE OF RECOGNITION

國際扶輪 3523 地區

先生／女士

因為有您 桃子腳的孩子
快樂學習 平安成長
您的光與熱 溫暖了每個學子

有您真好 桃子腳感謝您

校長 周仁尹

新北市立桃子腳國民中小學

中華民國 110 年 04 月 23 日

七美鄉衛生所

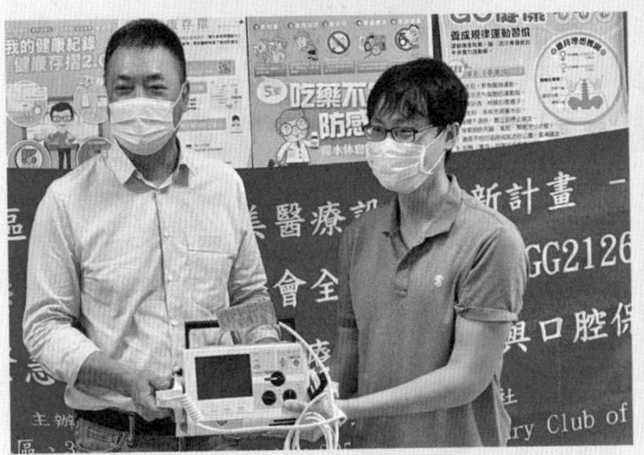

國際扶輪聯合捐贈七美衛生所醫療升級獎助儀式

TAIWAN
扶輪公益網

感謝支持

感謝!!!!
- 國際扶輪3523地區總監 DG Tiffany
- 20-21惜食委員會主委 PP Peter
代表捐款 $566,345元

疼惜食物，疼惜台灣
惜食有愛，點食成金
加入粉專 了解更多

惜食廚房 惜食台灣行動協會

國際扶輪 3523 地區 2020-21 年度
地區公共形象推廣

日期	主題	途徑
2020/07/01	總監及社長聯合就職	記者會
2020/07/01	聚焦婦女癌症	非凡電視台
2020/07/02	展現女性堅毅	華視新聞網
2020/07/13	世界年會在台北反毒路跑宣傳	記者會
2020/08/20	乳癌防治社長公益展演宣傳	記者會
2020/09/02	金牌製作人做公益	三立新聞
2020/09/06	台灣亮起來	三立電視台
2020/10/01-11/30	乳癌防治	板南線捷運燈箱
2020/10/16	台北溫泉季—北投亮起來	記者會
2020/10/26	「粉紅絲帶」乳癌防治社長展演捐贈宣傳	記者會
2020/10/29	End Polio 慈善音樂劇宣傳	記者會
2020/11/04	愛你「肺」盡心思—肺癌篩檢計畫	記者會
2020/11/07	「為愛而腎」腎臟病篩檢計畫	記者會
2021/02/04	「藍蝶計畫。婦癌防治」	教育電台台東台
2021/03/06	探討扶輪社如何幫助憂鬱症	全民電視台
2021/04/23	台北市警察局第一分局反毒宣傳品捐贈	記者會
2021/05/13	公共藝術雕塑品捐贈 「時間與空間的對話」揭幕	記者會
2021/09/27	澎湖七美緊急醫療及牙科醫療設備更新	記者會

非凡新聞
2021臺北國際扶輪年會 有助台灣能見
更多相關新聞・請訂閱@ustvnews

Rotary
國際扶輪3523地區 2020-21年度
總監暨社長聯合就職典禮

典禮

世界年會在台北反毒路跑宣傳記者會

Rotary
TAIPEI
2021
2020/11/1

Rotary
TAIPEI
2021
2020/11/1
2020年11月1日 Rotary TAIPEI 2021 總統府前起跑

乳癌防治社長公益展演宣傳記者會

非凡電視台．
聚焦婦女癌症

華視新聞網．
展現女性堅毅

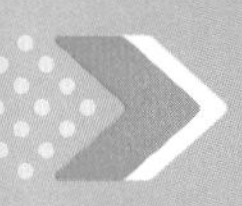

台北溫泉季・北投亮起來記者會

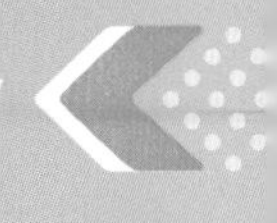

年輪交錯的黃金歲月
國際扶輪社集結 宣導預防乳癌

EBC

Rotary
國際扶輪3523地區
愛你肺盡心思
國際扶輪3523地區「愛你肺盡心思」
雲嘉地區肺癌高危險群防治活動
3523地區台北文華扶輪社 主辦

國際扶輪3523地區
台北文華扶輪社

Rotary
國際扶輪3523地區
愛你肺盡心思
雲嘉地區肺癌高危險群防治活動

國際扶輪3523地區
愛你肺盡心思

愛而腎
宣導服務計畫
市中區扶輪社
和醫院
協辦單位
韓國水源西
北市南華扶輪社、台北市文華扶輪社、
台北市碩華扶
市華真扶輪社、台北市華陽扶輪社、台
台北市南雅扶輪社
林口長庚醫院腎臟科

為愛而腎
腎臟病防治宣導服務計畫
YAMAHA

教育
電台

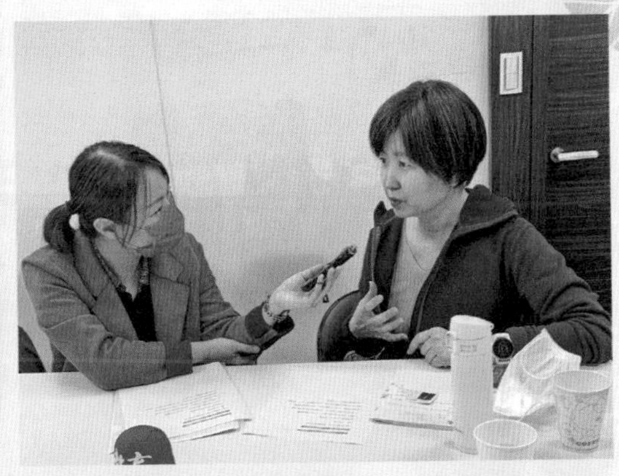

教育
電台

扶輪服務
行善天下
Doing Good in the World
輪公益新聞金輪獎頒獎儀式
優等獎
參萬元整
30,000

HOLGER KNAACK
2020-21 President
Rotary International
Rotary
3523
Rotary Opens Opportunities
扶輪打開機會

Rotary Opens Opportunities
扶輪打開機會
扶輪3523地區 總監 阮麦芷
District Governor Tiffany

FTV

台灣向前行
FTV

LIVE
民視新聞台 HD
台灣向前行
Z世代"厭世代"！出生於網路社群時代 物質充足但缺"心靈寄託"！
2/22 15:52 防疫宣導 違反居家檢疫趴趴走 最高罰100萬 不得領取防疫補償

LIVE
民視新聞台 HD
台灣向前行
正向力量！青春不憂鬱 關懷憂鬱症音樂會"Z世代
2/22 15:47 國際焦點 APEC部長會5

LIVE
民視新聞台 HD
台灣向前行
憂鬱症防治醫療音樂會 由"扶輪社"主辦！發起緣由 扶輪精神！
2/22 15:46 家人健康比打球重要 落磯戴斯要連兩年不打疫3.8億

LIVE
民視新聞台
國際扶輪社
台灣向前行
青少年憂鬱症患者！"同儕陪伴"支持很重要 如何做好陪伴者角色
2/22 15:44 防疫宣導 即日起至2/28 入境須附3天內COVID-1

國際扶輪3523地區
捐贈中正第一分局
反毒犯罪預防宣導品捐贈儀式

國際扶輪3523地區
捐贈中正第一分局
反毒犯罪預防宣導品捐贈儀式
Rotary

國際扶輪3523地區
捐贈中正第一分局
反毒犯罪預防宣導品捐贈儀式
Rotary

國際扶輪3523地區
捐贈中正第一分局
反毒犯罪預防宣導品捐贈儀式
RID-3523
RID-3523

Rotary Opens Opportunities
國際扶輪台灣12地區

Rotary
Rotary Opens Opportunities
國際扶輪台灣12地區

Rotary
Rotary Opens Opportunities
國際扶輪台灣12地區
Rotary International Taiwan 12 Districts

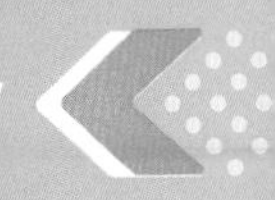

心臟電擊去顫器
ZOLL M Series
攜帶型呼吸器
ZOLL Z Vent

國際扶輪聯合捐贈七美衛生所醫療升級獎助儀式
台北市南港扶輪社
ROTARY CLUB OF TAIPEI NAN KONG
DISTRICT 3523

國際扶輪聯合捐贈七美衛生所醫療升級獎助儀式
台北逸仙扶輪社
ROTARY CLUB OF TAIPEI YIE-SHIAN

國際扶輪3523 地區 – 澎湖七美醫療 新計畫 – 捐贈典禮
GG2126879

國際扶輪聯合捐贈七美衛生所醫療升級獎助儀式
心臟電擊去顫器
ZOLL M Series
攜帶型呼吸器
ZOLL Z Vent

2021
國際扶輪
3523地區
地區年會

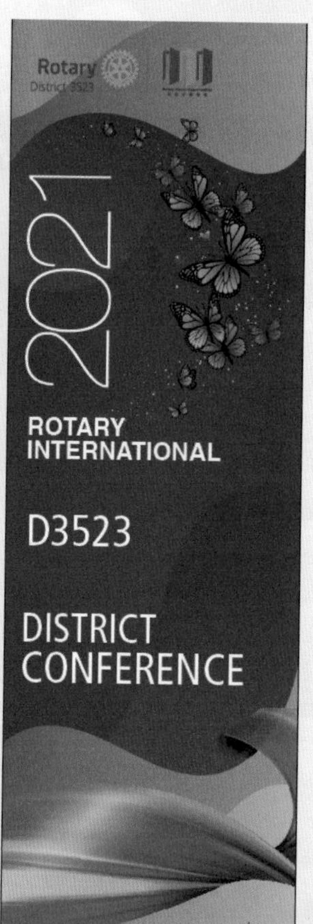
Rotary
District 3523
2021
ROTARY
INTERNATIONAL
D3523
DISTRICT
CONFERENCE

2021
國際扶輪
3523地區
地區年會扶輪友誼之家
3/27爵士銅管五重奏開場表演
3/27~3/28 扶輪品酒會
3/27 爵士繽紛魔幻秀
3/27~3/28 重機展示

Rotary
District 3523
2021
國際扶輪3523地區

3523地區2021年地區

國際扶輪3523地區2021年地

國際扶輪3523地區2021

國際扶輪3523地區2021年地區年會

國際扶輪3523地區2021年地區年會
I believe

D.G. Tiffany
R.I.P.R. E.N.T.
陳弘修
Rita
林靜雯

Rotary District 3523
2021
國際扶輪3523地區年會聯合例會
單
分區
3/27 SAT
(六)
12:30 - 14:00
演講
主題
Pink Power 團結妳（你）我
論壇主講人 / 陳博明
台北榮民總醫院內科部教授醫師
國立陽明大學榮譽教授
台灣癌症臨床研究發展基金會董事長
2020 獲中華民國癌症醫學會癌症醫學
終身成就獎
論壇主講人 / 蔡易伶
雅詩蘭黛集團公共事務總監
暨海洋拉娜品牌總經理
美國FIDM時尚設計商業學院室內設計系
引言主持 /
陳月卿 CP Grace
台北網路社
金鐘獎得主

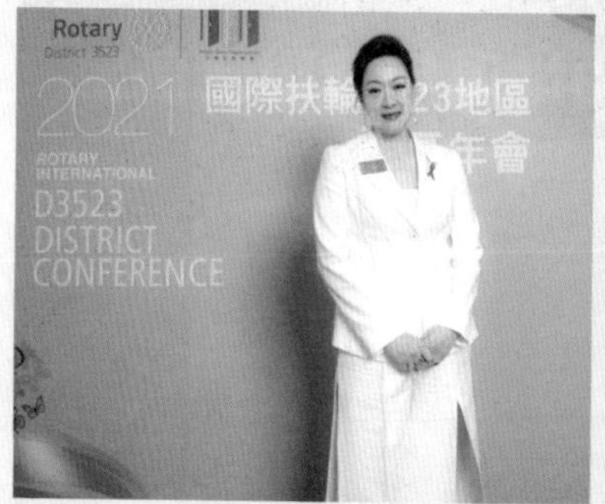

Rotary
District 3523
2021
國際扶輪
23地區
年會
ROTARY
INTERNATIONAL
D3523
DISTRICT
CONFERENCE

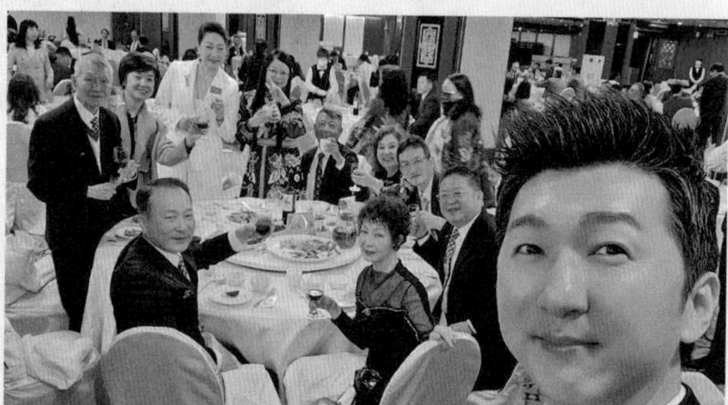

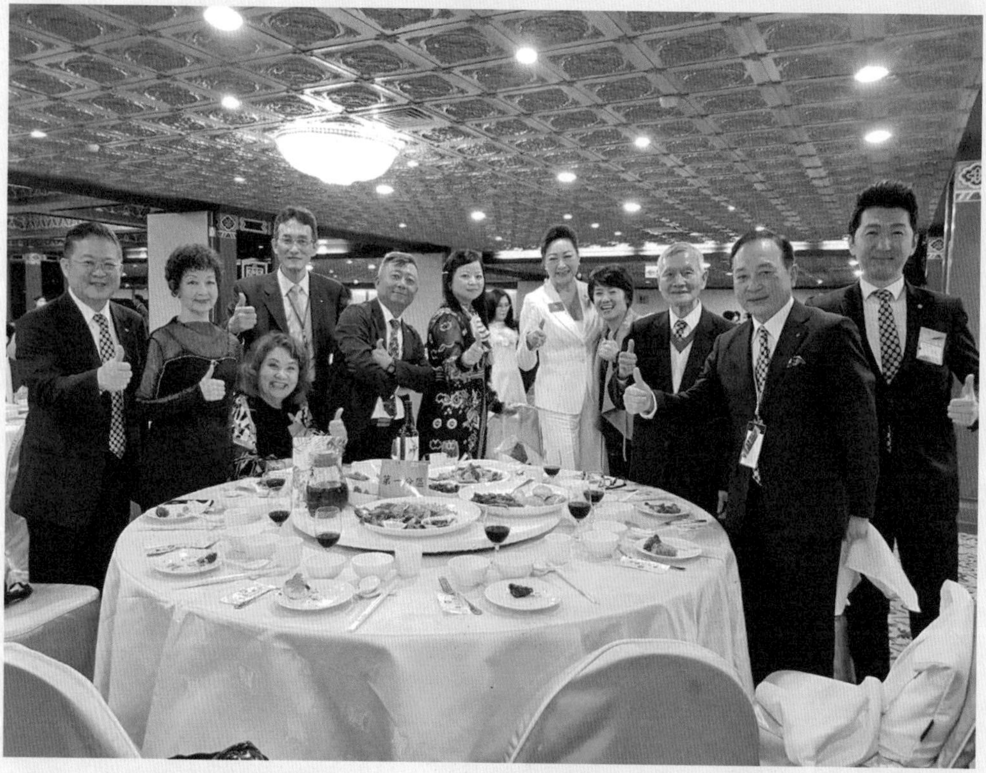

Rotary
District 3523
總監之夜
ROTARY INTERNATIONAL
D3523 DISTRICT CONFERENCE
2021
國際扶輪3523地區
地區年會
總監SUPER秀
總監SUPER秀
現代爵士舞
光年之外
上海灘
東方魅影
京劇女伶
西方美聲
彩蝶雲飛
社長終極謝幕
Background vector created by starline - www.freepik.com

輪3523地區2021年地區年會
藍蝶的奇幻之旅

3地區2021年地

國際扶輪3523地區2021年地區年會

扶輪3523地區2021年地區年會

Rotary

01-1
南區扶輪社
劉文雄P. W.
01-2
逐仙扶輪社
01-3
01-5
01-6
01-7

成立日期：2020/08/21
創社社長：劉書瑋CP Wayne
扶青籌

扶輪3523地區2021年地區
扶輪伯樂獎

國際扶輪3523地區2021年地區年會

國際扶輪3523地區2021年地區年會
Rotary
總監、聯合例會主席團

地區總監
DG Tiffany

國際扶輪3523地區2021年地區年會

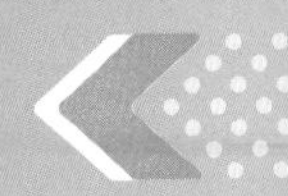

國際扶輪3523地區2021年地區年會

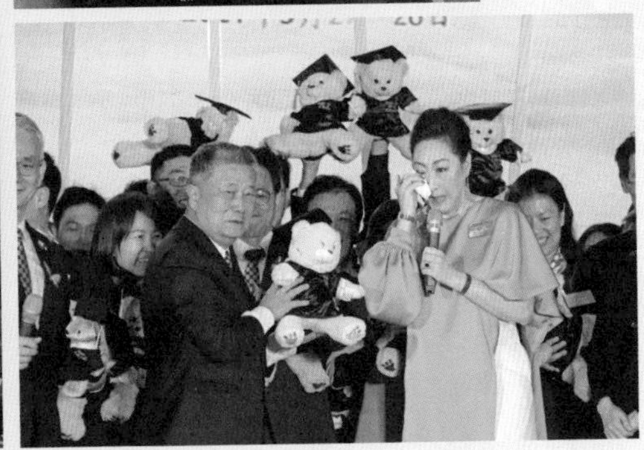

2021年3月27
6分區
第7分區
第8分區
第9分區
第10分區

國際扶輪 3523 地區 2020-21 年度
地區年會運動賽事

日期	運動賽事	主辦社 / 主委
2020/09/06	地區年會籃球賽	龍門扶輪社 / 華東扶輪社 主委賴建維 P Jack（華東社）
2020/10/17	地區年會保齡球賽	逸仙扶輪社 主委陳念萱 PP Amrita
2020/11/02	地區年會高爾夫球賽	中區扶輪社 主委曾鴻佳 PP Home
2020/12/19	地區年會羽球賽	龍門扶輪社 主委林子軒 PP Linus
2021/01/16	地區年會桌球賽	龍華扶輪社 主委郭永宗 PP Jack
2021/01/17	地區年會公益麻將大賽	華欣扶輪社 / 華真扶輪社 主委趙海真 CP Haijen（華真社）

台北市中區扶輪社
國際扶輪3523地區
2021年地區年會籃球聯誼賽
TAIWAN

地區年會保齡球賽——逸仙扶輪社

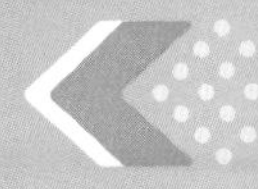

地區　2020-21年
夫聯誼賽
PASSARDI
FILA

國際扶輪3523地區　2020-21年度
地區年會高爾夫聯誼賽
頒獎晚
台北市中區扶輪社

輪3523地區　2020-21
會高爾夫聯誼賽
高爾夫聯誼會

年會高爾夫聯誼賽

南華社
逸仙社
府門社

國際扶輪3523地區　2020-21年度
第3分區
南華社
府門社

摸彩箱

國際扶輪3523地區
2020-21年度
地區年會羽毛球聯誼賽
龍門社

國際扶輪3523地區
地區年會羽毛球聯誼錦標賽
逸仙社
台北逸仙扶輪社
ROTARY CLUB OF TAIPEI YIE-SHAN

國際扶輪3523地區
2020-21年度
毛球聯誼賽
台北網球中心

Rotary
國際扶輪3523地區
2020-21年度
地區年會桌球聯誼賽

國際扶輪3523地區
2021地區年會桌球聯誼賽
團體組 冠軍
獎金 $6,000
Rotary

2021 地區年會麻將公益賽
Rotary
總監致詞

01:21:18
01:21:18

2021 地區年會麻將公益賽
Meitu

2021 地區年會麻將公益賽

國際扶輪 3523 地區 2020-21 年度 地區眷屬聯誼會活動

日期	講題	主講人
2020/07/12	我的瓷 · 善事業	林光清董事長
2020/08/14	歸去，也無風雨也無晴	李艷秋小姐
2020/11/13	非暴力溝通	賴佩霞小姐
2021/01/22	原聲有夢，讓世界聽見玉山的聲音	馬彼得校長
2021/03/28	天籟之音－「聽見原聲 看見愛」	台灣原聲童聲合唱團

國際扶輪 3523 地區 2020-21 年度 眷屬聯誼會執行委員

分區	社名	職稱	姓名 / 英文名	社友 Nickname
01-01	南區	會 長	陳孟貞 Jenny	PDG Jack Chu 夫人
03-02	華陽	主 委	林梅芬	CP Broader 夫人
04-01	南欣	副主委	周瓊瑛	Rtn. Da-Mao 夫人
05-01	府門	副主委	姜鈺君	PP Attorney 夫人
07-01	南海	副主委	許瓊婉	Rtn. David 夫人
02-05	南山	執 委	魏芳梅	PP Ben 夫人
03-01	華南	執 委	祁建嬌	PP Cola 夫人
03-02	華陽	執 委	鄭明琴	PP R.S. 夫人
03-02	華陽	執 委	施美秀	PP Bill 夫人
03-02	華陽	執 委	童秀微	PP Robert 夫人
03-03	瑞光	執 委	李盈慧	PP Ander 夫人
05-03	中區	執 委	包秋蘭	PP Tank 夫人
05-05	風雲	執 委	蘇秀欣	PP Kenny 夫人
09-02	華中	執 委	蕭菁菁	PP Jonathan 夫人

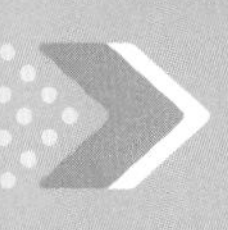

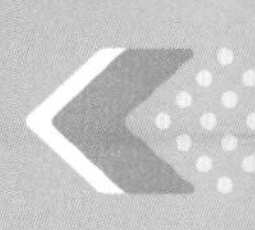

國際扶輪3523地區
2020-21春屆聯誼會
更美好的自己

歸去， 也無風雨也無晴

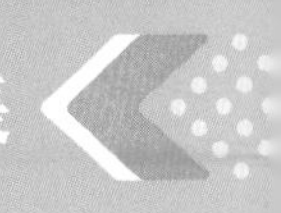

國際扶輪3523地區
2020-21眷屬聯誼會

致贈感謝狀／禮物

Rotary District 3523 Rotary Opens Opportunities

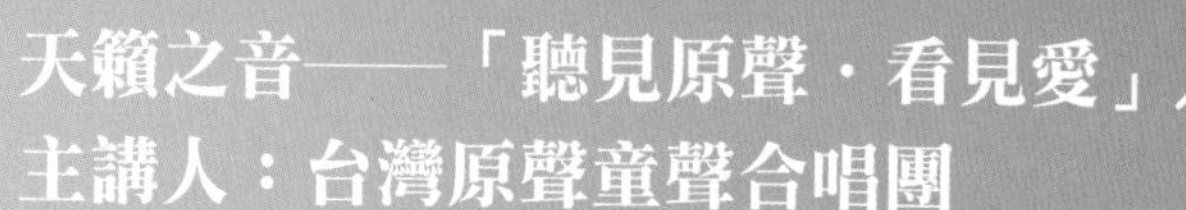

天籟之音——「聽見原聲・看見愛」／主講人：台灣原聲童聲合唱團

國際扶輪 3523 地區 2020-21 年度 分區聯合社區服務

日期	分區	社區服務內容
2020/08/19	第八分區	等路下午茶－替心障者找回自我信心
2020/08/22	第一分區	捐血
2020/08/22	第三、八分區	親子路跑愛心園遊會
2020/09/26	第十一分區	全國視障國台語演講比賽
2020/09/27	第六分區	捐血
2020/10/17	第七、十、十三分區	捐血
2020/10/18	第五分區	淨灘
2020/10/23	第八分區	捐血、淨園、攝乳北投公益動起來
2020/10/24	第八、十一分區	築愛童萌
2020/11/14	第九分區	捐血
2020/11/20	第五分區	兒童癌症基金會 - 金絲帶小勇士
2020/11/20	第十一分區	潔牙
2020/11/28	第二、十一分區	捐血
2020/11/29	第七分區	家扶中心－愛在家扶家被幸福
2020/12/26	第四分區	捐血
2020/12/27	第五分區	捐血
2021/01/13	第六分區	歲末關懷弱勢獨居老人送物資
2021/01/23	第四分區	捐血
2021/02/24	第三分區	聯合電影欣賞－聽見台灣

國際扶輪3523地區
台北市華欣扶輪社
ROTARY

Rotary
District 3523
國際扶輪3523地區2020~21年度第八分區
華麗社
華欣社
華樂社
台北網路社
新北投社
華真社

Hi-Q
希望之火

華欣社
服務1級棒
等路下午茶

Hi-Q

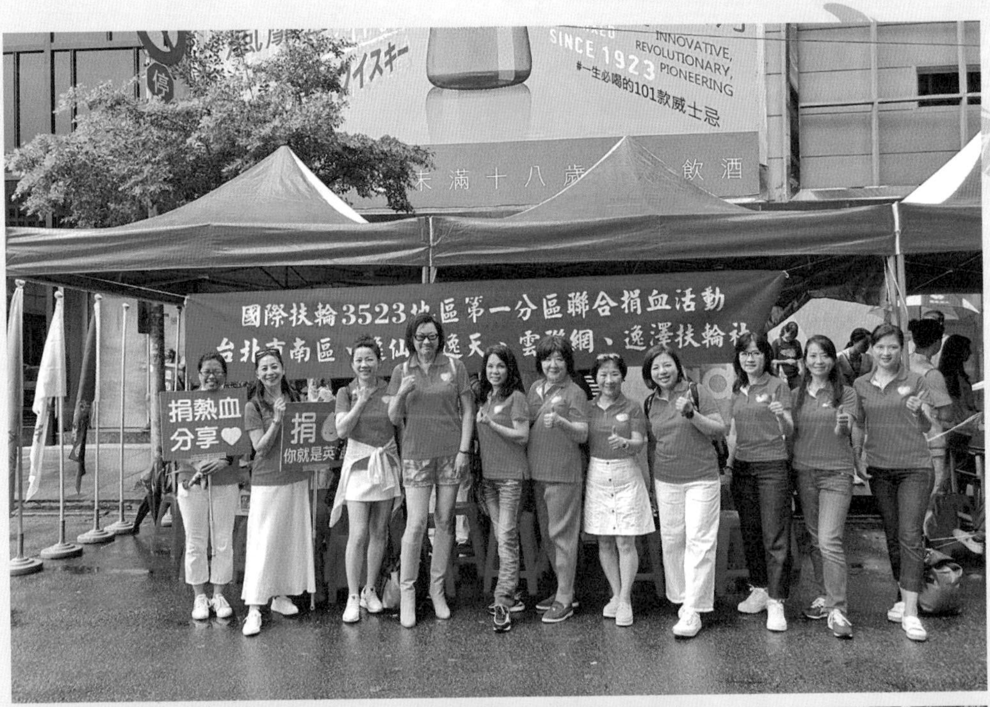
INNOVATIVE,
REVOLUTIONARY,
PIONEERING
SINCE 1923
一生必喝的101款威士忌
國際扶輪3523地區第一分區聯合捐血活動
捐熱血
分享
你就是英

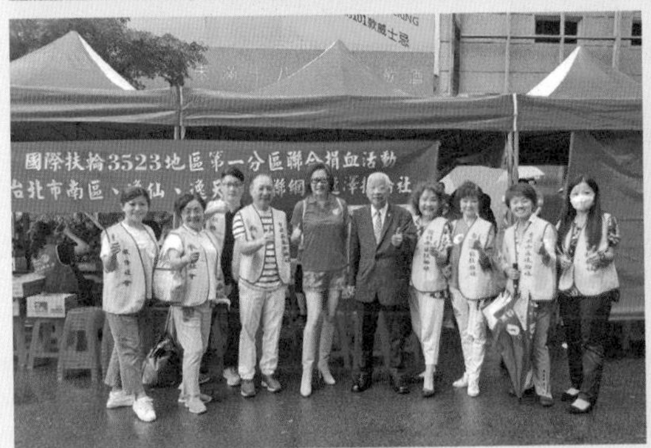

國際扶輪3523地區第一分區聯合捐血活動

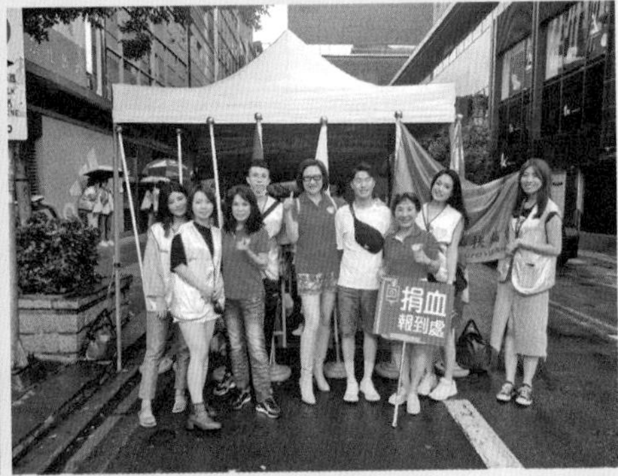

捐血
報到處

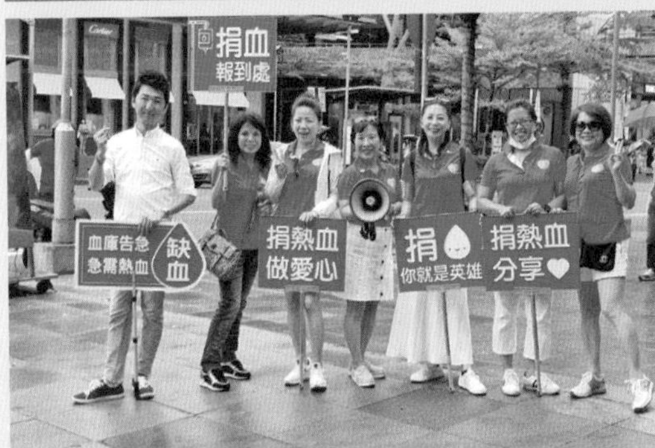

捐血
報到處
血庫告急
急需熱血
缺血
捐熱血
做愛心
捐
你就是英雄
捐熱血
分享

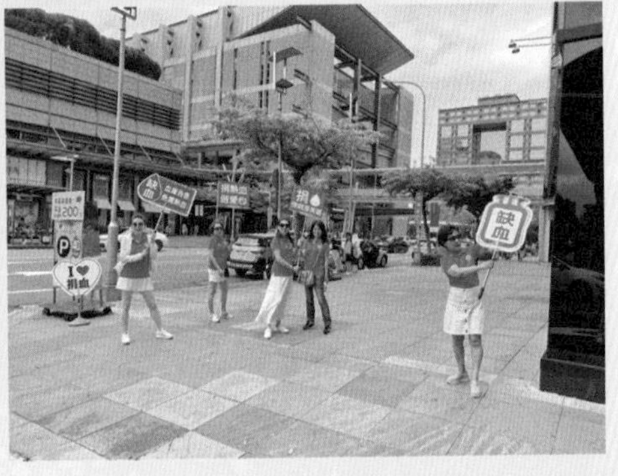

缺血

Rotary
Club of Taipei Nanmao
台北南茂扶輪社

園遊會
Family Run
扶輪有愛

welcome
親子路跑愛心園遊會

國際扶輪3523地區第11分區聯合社會服務活動
台北南華、文華、衡陽、永華、西華、碩華扶輪社

全國視障國、台語演講比賽
台北市華欣扶輪社
ROTARY CLUB OF TAIPEI HWA-HSIN

全國視障國、台語演講比賽
南華社社長
陳雅慧P. Joan
黃茂松董事長

Rotary
Club of Taipei MegaGlory
台北碩華扶輪社

全國視障國、台語演講比賽
主辦單位：台北南華扶輪社
台北市私立盲人有聲圖書館
協辦單位：台北文華、衡陽、永華、西華、碩華扶輪社
大樹下廣播電台・台北市立啟明學校

全國視障國、台語演講比賽
主辦單位：台北南華扶輪社
台北市私立盲人有聲圖書館
協辦單位：台北文華、衡陽、永華、西華、碩華扶輪社
大樹下廣播電台・台北市立啟明學校

臺北市南星扶輪社
ROTARY CLUB OF TAIPEI SOUTHERN

國際扶輪3523地區第7、10、13分

2020-21年度國際扶輪3523地區第五分區
守護海洋聯合淨灘社區服務
共同主辦：府門社、南陽社、中區社、明星社、風雲社　協辦單位：中華民國淨灘協會

台北南陽扶輪社
扶輪家庭聯誼活動

國際扶輪3523地區 第八分區 社會服務
捐血・淨園・乳攝 北投公益動起來

台北市華欣扶輪社

台北市華麗扶輪社
ROTARY CLUB OF TAIPEI HWA-LEE

國際扶輪3523地區
台北市華欣扶輪社
ROTARY

VIESHOW
台北南區號

Taipei
Rotary
Club of Prosperity
台北市華茂扶輪社
上車門

國際扶輪3523地區 第九分區聯合捐血活動
台北市華安、華中、益成、南德、華茂、南茂、三友扶輪社

國際扶輪3523地區 第九分區聯合捐血活動
台北市華安、華中、益成、南德、華茂、南茂、三友扶輪社
捐血救人

捐血有愛
幸福兌換
國際扶輪3523地區 第九分區聯合捐血活動
台北市華安、華中、益成、南德、華茂、南茂、三友扶輪社
捐血500C.C.(2選一)
捐血250C.C.
缺血

20201121 金絲帶小勇士才藝徵選暨獎助學金頒獎典禮

20201121 金絲帶小勇士才藝徵選暨獎助學金頒獎典禮

20201121 金絲帶小勇士才藝徵選暨獎助學金頒獎典禮

20201121 金絲帶小勇士才藝徵選暨獎助學金頒獎典禮

20201121 金絲帶小勇士才藝徵選暨獎助學金頒獎典禮

部立雙和醫院特殊需求者機構潔牙觀摩活動
台北文華扶輪社
ROTARY CLUB OF TAIPEI WENHWA

部立雙和醫院特殊需求者機構潔牙觀摩活動

部立雙和醫院特殊需求者機構潔牙觀摩活動

Ministry of Health and Welfare
部立雙和醫院特殊需求者機構潔牙觀摩活動

扶輪圓百號
捐血中心
和泰汽車股份有限公司
HOTAI MOTOR CO., LTD.
國際扶輪3520地區
緊急出口
國際扶輪3523地區第11分區聯合社會服務活動
台北南華、文華、衍陽、永華、西華、碩華扶輪社
台北好望角扶輪社

2020年新北市家扶
歲末感恩聯歡園遊會
愛在家扶 加被幸福

2020年新北市家扶
歲末感恩聯歡園遊會
愛在家扶 加被幸福

愛在家扶 加被幸福

下車門

你的熱血
他的希望

3523地區第五分區聯合捐血活動

做您人生的伴
3523地區第五分區聯合捐血活動
愛 捐血 救人
什麼型 都行
你的熱血 他的希望

人行道
你的熱血 他的希望
3523地區第五分區聯合捐血活動
什麼型 都行

人行道

ROTARY
INTERNATIONAL
台北府門扶輪社

國際扶輪3523地區第六分區聯合社服
歲末關懷獨居老人送物資捐贈儀式

國際扶輪3523地區第六分區聯合社服
歲末關懷獨居老人送物資捐贈儀式

國際扶輪3523地區第六分區聯合社服
歲末關懷獨居老人送物資捐贈儀式
協辦：南門社、大都會社、南光社、南英社、南波社、南星社

第三分區・聯合電影欣賞——聽見台灣

國際扶輪 3523 地區 2020-21 年度 分區聯合例會及 STAR 會議

日期	會議名稱	主講人
2020/09/09	第一分區聯合 STAR 會議	陳如勇 PP Peter（南區）
2020/09/25	第二、八、十分區聯合 STAR 會議	林明華 PDG Venture (3522)
2020/10/07	第六分區聯合例會	林明華 PDG Venture (3522)
2020/10/13	第九分區聯合例會	謝金河 今周刊董事長
2020/10/16	第十一分區聯合例會	陳郁秀 公廣集團董事長
2020/11/17	第三分區聯合例會	鄔誠民 東澳國小校長
2020/12/01	第十一分區聯合例會	徐明義 華育生殖醫學中心院長
2020/12/02	第二分區聯合例會	陳郁秀 公廣集團董事長
2020/12/16	第二分區聯合聖誕例會	
2021/01/19	第四分區聯合例會	賴偉晏 數位創新服務執行長
2021/01/21	台北網路社及新北投社聯合例會	徐永蒼 PP Peter（健康）
2021/02/22	第三分區聯合例會	黃珊珊 台北市副市長
2021/03/18	第七分區聯合例會	賴世雄 常春藤英語創辦人
2021/04/09	第三、八、十分區聯合例會	劉長灝 老師
2021/04/13	第五分區聯合例會	黃明正 倒立先生
2021/04/20	第三分區聯合例會	崔永徽 導演
2021/04/28	南陽、中區、逸仙、明星社聯合例會	陳政鴻 CP Jay（風澤）

第一分區聯合 STAR 會議／主講人：陳如勇 PP Peter（南區）

ROTARY CLUB
TAIPEI WENHWA
台北文華扶輪社
ROTARY CLUB
ROTARY CLUB
TAIPEI YONGHWA
北永華扶輪社

國際扶輪3523地區第二、八、十一分區聯合STAR會議
第 二 分區　台北西南區、健康、高峰、永康、南山、好望角、雅品社
第 八 分區　台北華麗、華欣、華康、台北網路、新北投、華真社
第十一分區　台北南華、文華、衛華、永華、西華、禎華社

「找回扶輪人的
榮譽感」

22 PDG Venture（前總監

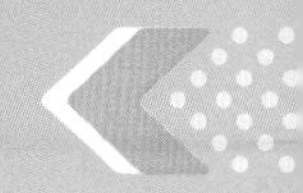

國際扶輪3523地區第九分區
華安、華中、益成、南德、華茂、南茂、三友扶輪社聯合例會
ROTARY CLUB
TAIPEI HWA AN
ROTARY CLUB
TAIPEI HWA CHUNG
ROTARY CLUB
TAIPEI YICHEN
ROTARY CLUB
TAIPEI NANDER
ROTARY CLUB
TAIPEI PROSPERITY
ROTARY CLUB
TAIPEI NANMAO
ROTARY CLUB
TAIPEI SAN YU

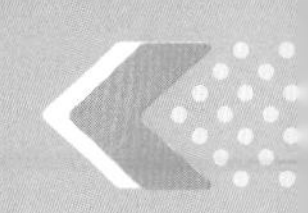

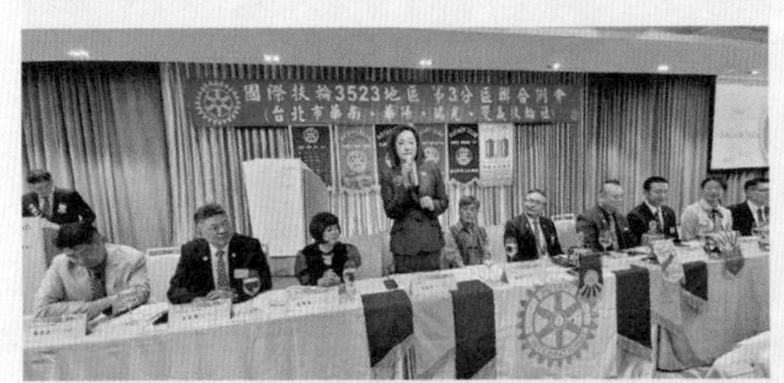

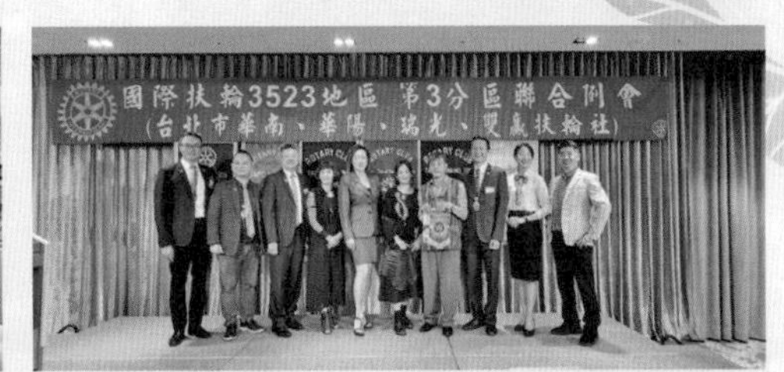

國際扶輪3523地區 第3分區聯合例會
(台北市華南、華陽、瑞光、雙贏扶輪社)

國際扶輪3523地區 第3分區聯合例會
(台北市華南、華陽、瑞光、雙贏扶輪社)

國際扶輪3523地區 第3分區聯合例會
(台北市華南、華陽、瑞光、雙贏扶輪社)

國際扶輪3523地區 第3分區聯合例會
(台北市華南、華陽、瑞光、雙贏扶輪社)

國際扶輪3523地區 第3分區聯合例會
(台北市華南、華陽、瑞光、雙贏扶輪社)
ROTARY CLUB
TAIPEI HWA NAN
台北市華南扶輪社
ROTARY CLUB
TAIPEI SWANG YIN
台北市雙贏扶輪社

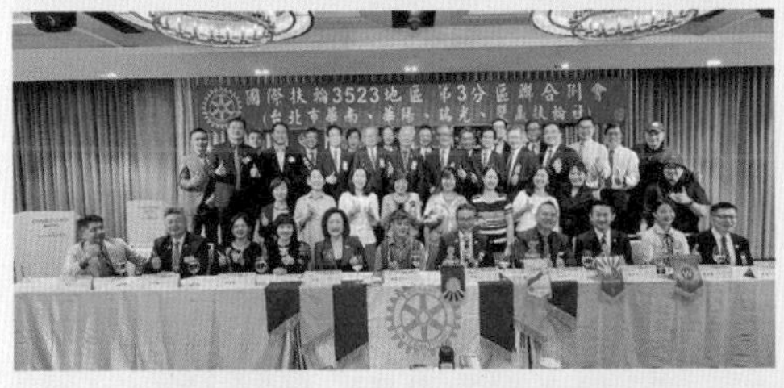

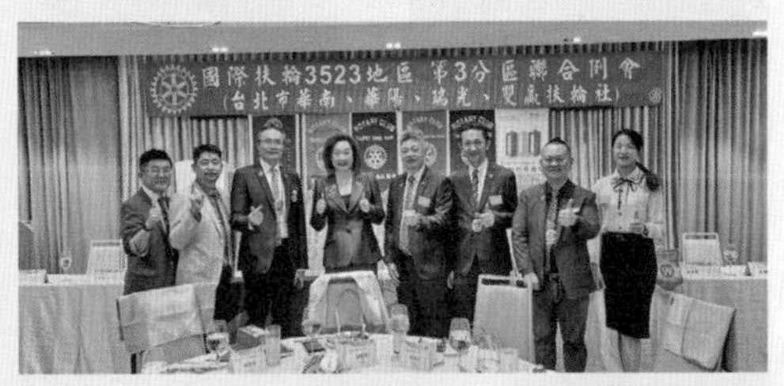

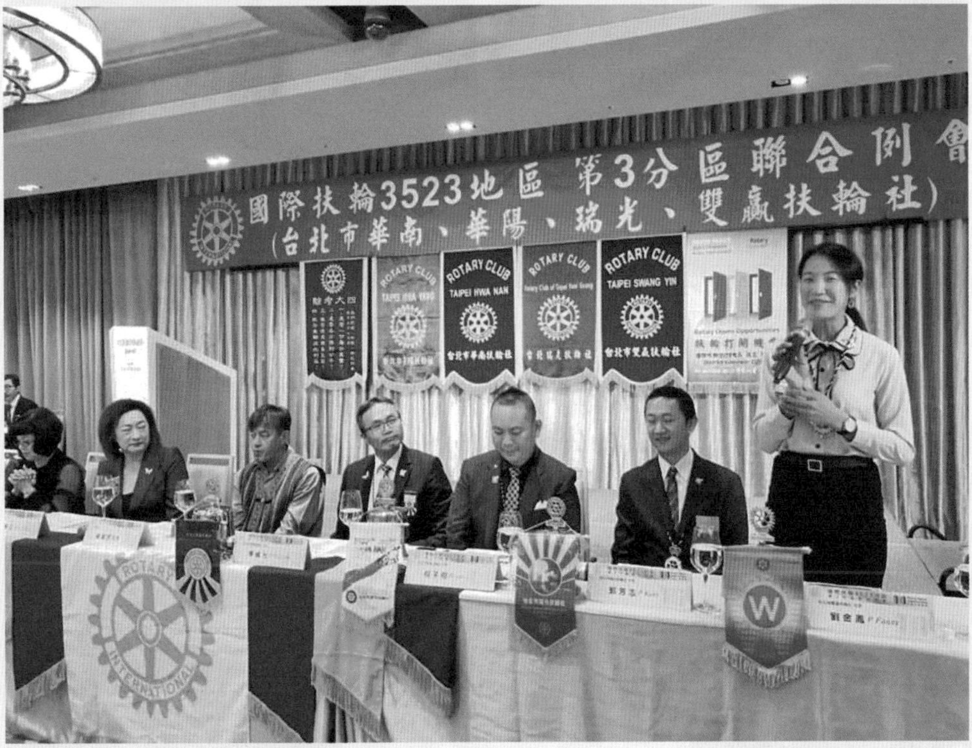

第十一分區聯合例會／主講人：徐明義（華育生殖醫學中心院長）

國際扶輪3523地區第2分區聯合例會
台北西南區、健康、高峰、永康、南山、好望角、瀚品扶輪社

國際扶輪3523地區第2分區聯合例會
台北西南區、健康、高峰、永康、南山、好望角、瀚品扶輪社

國際扶輪3523地區第2分區聯合例會
台北西南區、健康、高峰、永康、南山、好望角、瀚品扶輪社

國際扶輪3523地區第2分區聯合例會
台北西南區、健康、高峰、永康、南山、好望角、瀚品扶輪社

第二分區聯合聖誕例會

第四分區聯合例會／主講人：賴偉晏（數位創新服務執行長）

台北網路社及新北投社聯合例會／主講人：徐永蒼 PP Peter（健康）

第三分區聯合例會／主講人：黃珊珊（台北市副市長）

DS Jenny
DG Tiffany
P Michelle
P Ace
PDG Casio
ROTARY
INTERNATIONAL

DG Tiffany
賴世雄

Rotary
國際扶輪3523地區第三、八、十分區聯合例會

國際扶輪3523地區第三、八、十分

國際扶輪3523地區第三、八、十分區聯合例會

TAIPEI HWA NAN
TAIPEI HWA YANG
ROTARY CLUB
TAIPEI SWANG YIN

第五分區聯合例會／主講人：黃明正（倒立先生）

會議開始共同鳴鐘、宣佈開會

國際扶輪3523地區 第3分區聯合例會
(台北市華南、華陽、瑞光、雙贏扶輪社)

國際扶輪3523地區 第3分區聯合例會
(台北市華南、華陽、瑞光、雙贏扶輪社)

國際扶輪3523地區 第3分區聯合例會
(台北市華南、華陽、瑞光、雙贏扶輪社)
ROTARY CLUB

國際扶輪3523地區 第3分區聯合例會
(台北市華南、華陽、瑞光、雙贏扶輪社)
ROTARY CLUB
TAIPEI HWA YANG
ROTARY CLUB
TAIPEI SWANG YIN

南陽、中區、逸仙、明星社聯合例會／主講人：陳政鴻 CP Jay（風澤）

國際扶輪 3523 地區 2020-21 年度
地區青少年服務

日期	類別	活動
2020/02/26	扶青社	扶青幹部相見歡
2020/07/18	扶青社	扶青 DTA 地區訓練講習會
2020/09/22	扶青社	扶青會議
2020/09/27	扶青社	與扶青有約
2020/10/24	扶青社	逸仙扶青社例會
2020/11/06	扶青社	南區新扶青社籌備
2020/12/26	扶青社	扶青 OB 回娘家
2021/03/06	扶青社	全國扶青大會
2021/04/06	扶青社	扶青 DRR 面試
2021/06/26	扶青社	扶青社線上地區年會
2020/10/30	扶少團	扶少團委員會議
2020/12/20	扶少團	台北網路社青團四周年暨成立扶少團
	RYE	青少年交換面試
	RYE	青少年交換歸國報告

扶青幹部相見歡

扶青 DTA 地區訓練講習會

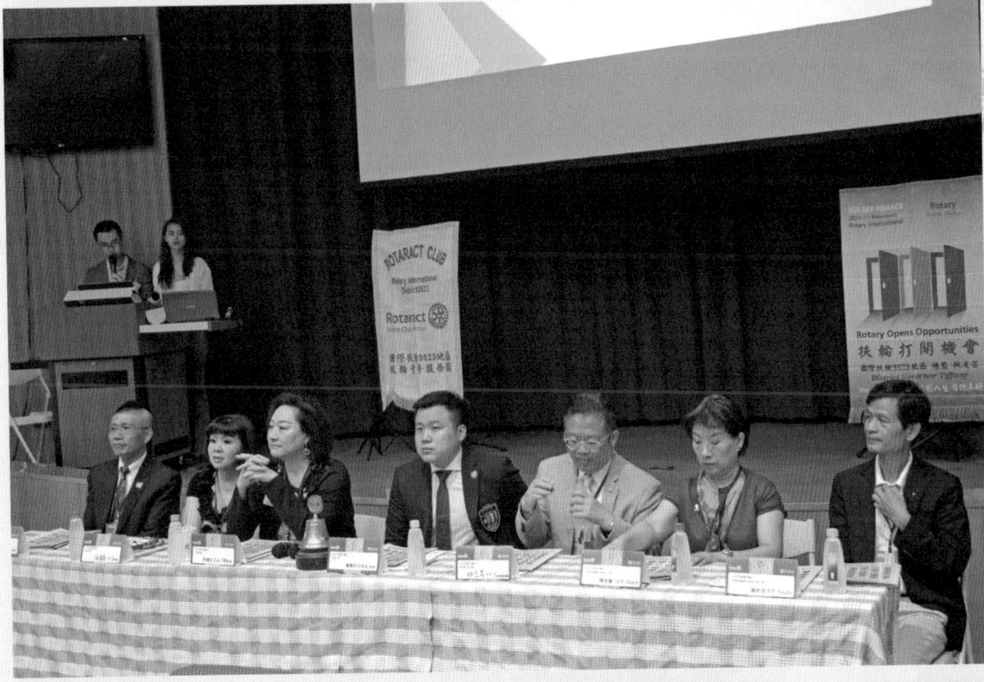

ROTARACT CLUB
TAIPEI HENYANG
Rotaract

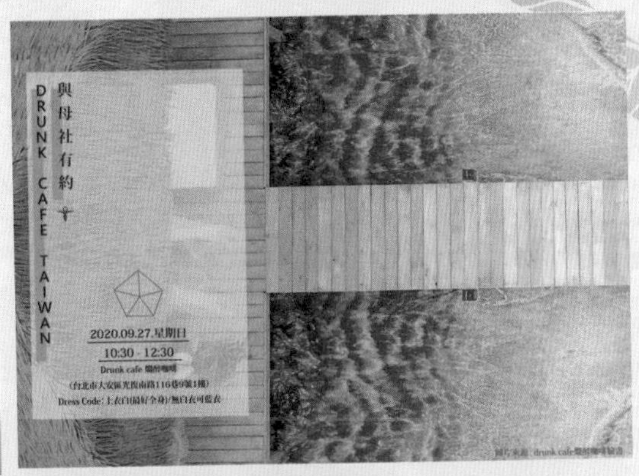
與母社有約
DRUNK CAFE TAIWAN
2020.09.27.星期日
10:30 - 12:30
Drunk cafe

逸仙扶青社例會

南區新扶青社籌備

台大吉他社

Rotaract
Rotary Opens Opportunities

Rotary
Rotaract
Rotary Opens Opportunities
TRNC
Taiwan Rotaract National Convention 7th
第七屆臺灣扶青全國大會x扶青轉大人

年度社員成長

台北府門扶青社
社員淨成長 5位

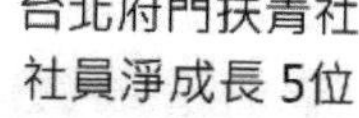

最佳國際例會

台北逸仙扶青社 - 萬聖節之想見你

最佳社區例會

台北逸仙扶青社 - 手牽手一起向前走

最佳職業例會
台北新世代扶青社 - 破解中醫
TOP Rotaract
台北新世代扶青社
Rotaract Club of Generation Next
DISTRICT CONFERENCE

卓越扶青社獎
台北新世代扶青社
台北網路扶青社
台北南華扶青社
卓越扶青社獎

最佳社務例會
台北府門扶青社 - 沙龍例會
TOP Rotaract
台北府門扶青社
DISTRICT CONFERENCE
劉書瑋
阮虔芷 Tiffany Juan
還有另外 55 位使用者
你

頂尖扶青社獎
台北府門扶青社
台北逸仙扶青社
頂尖扶青社獎
劉書瑋
阮虔芷 Tiffany Juan
還有另外 55 位使用者
你

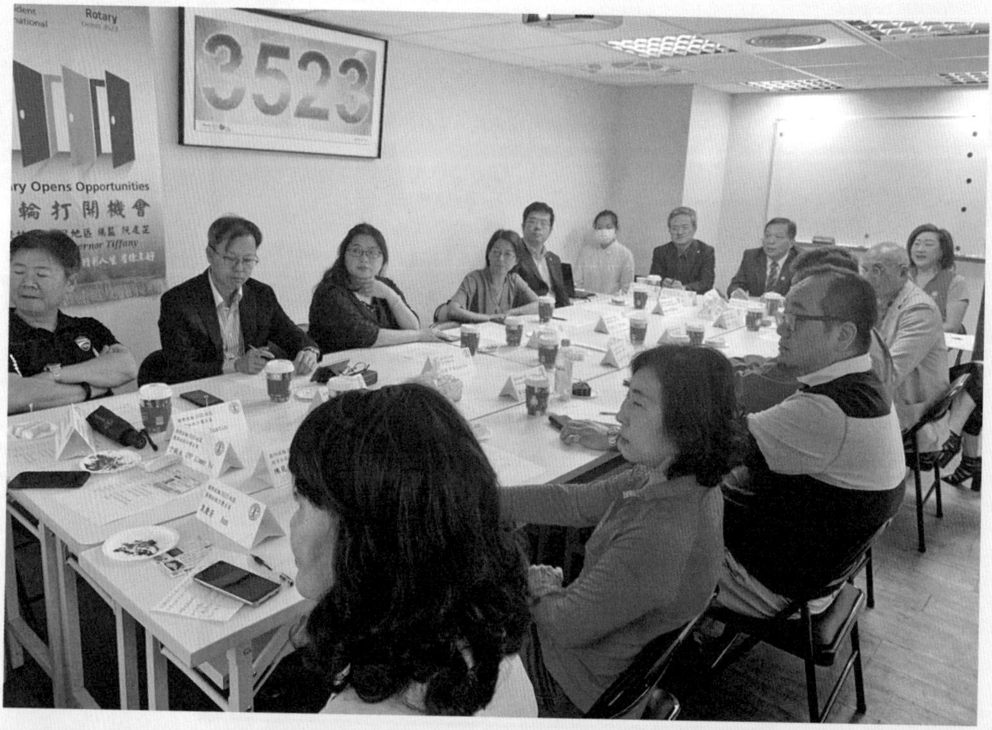
Rotary
3523
ary Opens Opportunities
輪打開機會

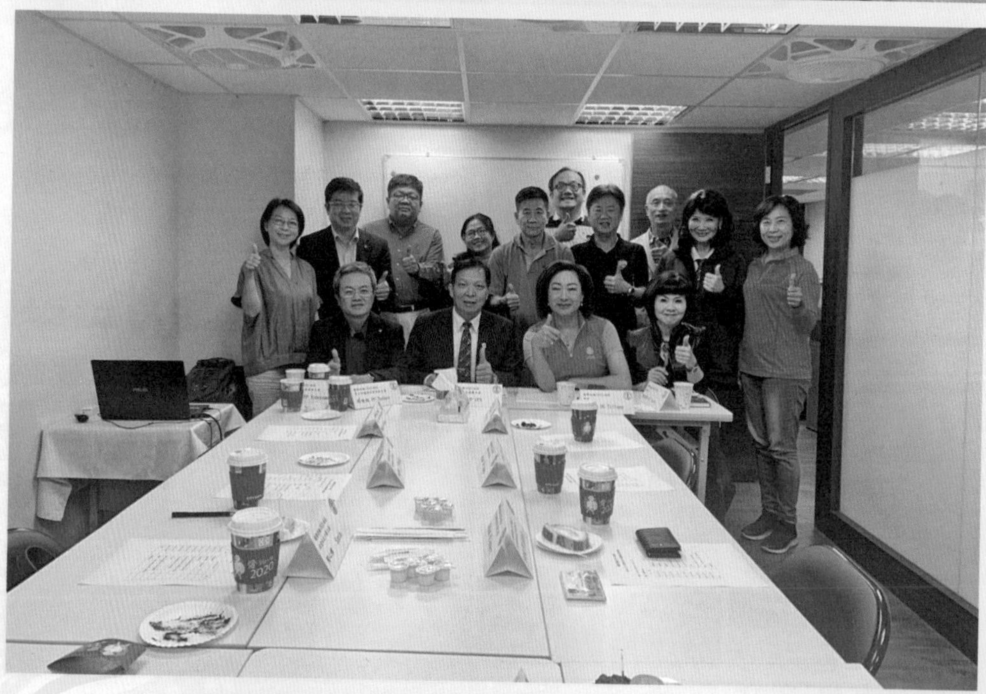

台北網路扶少團
正式成立授旗儀式
【全體　員上台】

台北網路扶少團
正式成立授旗儀式
【全體　員上台】
Interact

貴賓致詞
(1) 地區扶少團主委PP UPS(龍華社)
(2) 台北網路社褓母致詞：PP JOY
(3) 台北網路社創社社長致詞：CP Grace
台北網路扶輪社
黃秀敏PP Joy

台灣國際扶輪青少年交換協會
OUTBOUND派遣學生講習訓練會

台灣國際扶輪青少年交換協會
OUTBOUND派遣學生講習訓練會

台灣國際扶輪青少年交換協會
OUTBOUND派遣學生講習訓練會

台灣國際扶輪青少年交換協會
OUTBOUND派遣學生講習訓練會

Rotary
台灣國際扶輪青少年交換協會
OUTBOUND派遣學生講習訓練會

台灣國際扶輪青少年交換協會
派遣學生歸國報告暨ROTEX說明會

台灣國際扶輪青少年交換協會
派遣學生歸國報告暨ROTEX說明會
08：15～08：
主委致詞
台灣國際扶輪青少年交換協會
派遣學生歸國報告暨ROTEX說明會

台灣國際扶輪青少年交換協會
長期交換派遣甄選說明會

國際扶輪 3523 地區 2020-21 年度
創設新扶輪社、扶青社、扶少團

日期	新扶輪社	創社社長	輔導社（保姆社）
2020/11/16	逸新扶輪社	陳又新 CP Alletti	逸仙扶輪社
2021/05/24	富華扶輪社	魯逸群 CP Edmund	文華扶輪社
2021/06/14	華東扶輪社	張東權 CP Tony	華南扶輪社
2020/10/25	南德扶青社	劉書瑋 CP Wayne	南德扶輪社
2021/03/02	南區扶青社	林彥廷 CP Vessi	南區扶輪社
2021/05/21	好望角曙光扶青社	陳羽萱 CP Ana	好望角扶輪社
2021/06/08	富華扶青社	黃尚咨 CP Cyrus	富華扶輪社
2020/12/20	台北網路扶少團	吳羿璇 CP Vivian	台北網路扶輪社
2021/03/17	南星扶少團	李宥辰 CP Ethan	南星扶輪社

This Certifies that the Rotary Club of

Taipei Yie Shin,Taiwan

having been duly organized and having agreed, through its officers and members, to be bound by the Constitution and Bylaws of Rotary International, which agreement is evidenced by the acceptance of this certificate, is now a duly admitted member of

ROTARY INTERNATIONAL

and is entitled to all the rights and privileges of such membership.

In witness whereof the signatures of its officers, being duly authorized, are subscribed hereto this **sixteenth day of November 2020**

Admission to membership in Rotary International recommended by

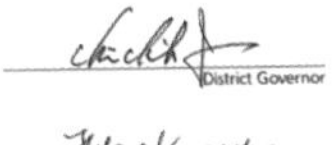

District Governor

President, Rotary International

2020/11/16 逸新扶輪社成立

This Certifies that the Rotary Club of

Taipei Fu Hwa, Taiwan

having been duly organized and having agreed, through its officers and members, to be bound by the Constitution and Bylaws of Rotary International, which agreement is evidenced by the acceptance of this certificate, is now a duly admitted member of

ROTARY INTERNATIONAL

and is entitled to all the rights and privileges of such membership.

In witness whereof the signatures of its officers, being duly authorized, are subscribed hereto this **twenty-fourth day of May 2021**

Admission to membership in Rotary International recommended by

Rotary

District Governor

President, Rotary International

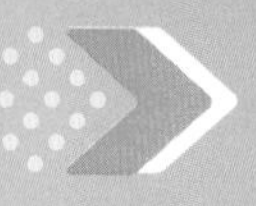

ROTARY CLUB
TAIPEI FU HWA
台北市富華扶輪社
籌時社

CP Paper
CP Edmund

Rotary
台北市富華扶輪社
Rotary Club of Taipei Fu Hwa

第 2 次籌備會
Rotary

第 2 次籌備會
四大考驗
主議人
CP Paper
DG Tiffany
PP Taurus
Rotary
台北市富華扶輪社
Rotary Club of Taipei Fu Hwa

Rotary

Rotary

台北市富華扶輪社籌備社
第2次籌備會

台北市富華扶輪社籌備社
第1次籌備會
Rotary

This Certifies that the Rotary Club of

Taipei Hwa Dong, Taipei City, Taiwan

having been duly organized and having agreed, through its officers and members, to be bound by the Constitution and Bylaws of Rotary International, which agreement is evidenced by the acceptance of this certificate, is now a duly admitted member of

ROTARY INTERNATIONAL

and is entitled to all the rights and privileges of such membership.

In witness whereof the signatures of its officers, being duly authorized, are subscribed hereto this **fourteenth day of June 2021**

Admission to membership in Rotary International recommended by

District Governor

President, Rotary International

00:02:20
華東社 第1次臨時會

華東社 PP ...
胡 悠雅
阮虔芷Tiffany Juan
華東社 PE Eyes
華東社 第1次臨...
四大考驗
在我們所想、所說、所做的事情應先捫心自問:
一、是否一切屬於真實?
二、是否各方得到公平?
三、能否促進親善友誼?
四、能否兼顧彼此利益?
ROTARY CLUB
TAIPEI HWA DONG
台北市華東扶輪社
HOLGER KNAACK
2020-21 President
Rotary International
Rotary
District 3523
Rotary Opens Opportunities
扶輪打開機會
國際扶輪3523地區 總監 阮虔芷
District Governor Tiffany

散會 主席鳴鐘閉會
富華社創社社長C.P. Edmund
華東社創社社長C.P. Tony
富華扶青社社長C.P. Cyrus
創社社長致詞
富華扶青社社長
C.P. Cyrus
文華社PP Taurus對所有人
CP Edmund 創社成功
創社社長致詞
華東社創社社長
C.P. Tony
台北群星社PE Elva對所有人

創社社長致詞
富華社創社社長
C.P. Edmund
台北府門社PP LIFE對所有人
888
富華扶青社社友授證
ROTARY INTERNATIONAL DISTRICT 3523
Rotaract Taipei Fu Hwa
台北市富華扶輪青年服務社
D3523 D.G.Tiffany阮援芷
社 友 宣 誓
新社員入社誓詞
我Edmund信仰扶輪社之宗旨及服務理想，
僅以誠摯宣示，遵守扶輪社各項信條，
履行社員應盡之職責。
謹誓
宣誓人：Edmund
中 華 民 國 110 年 06 月 24 日
富華社CP Edmund

2020/10/25 南德扶青社創社

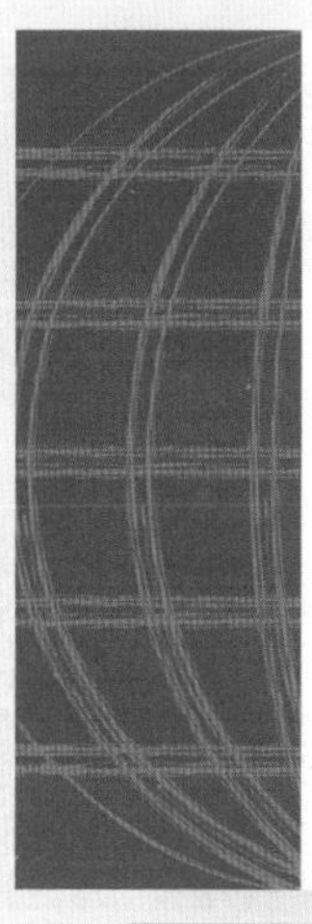

Certificate of Organization

This certificate recognizes that the

Rotaract Club of
Taipei Nan Der

Club ID 218352 Established 21 August 2020

has been organized and has agreed, through its officers and members, to be bound by the Rotaract Club Constitution and Bylaws, and is now a duly admitted member of

ROTARY INTERNATIONAL

Sponsored by: Rotary Club of Taipei Nan Der

Holger Knaack
PRESIDENT, ROTARY INTERNATIONAL

21 August 2020
DATE

677I-EN—(220)

2021/03/02 南區扶青社創社

Certificate of Organization

This certificate recognizes that the

Rotaract Club of
Taipei South

Club ID : 8823362 Established 02 March 2021

has been organized and has agreed, through its officers and members, to be bound by the Rotaract Club Constitution and Bylaws, and is now a duly admitted member of

ROTARY INTERNATIONAL

Sponsored by:
Rotary Club of Taipei South

Holger Knaack
PRESIDENT, ROTARY INTERNATIONAL

02 March 2021
DATE

677I-EN—(220)

2021/06/08 富華扶青社創社

Certificate of Organization

This certificate recognizes that the

Rotaract Club of
Taipei Fu Hwa

Club ID : 8823741 Established 08 June 2021

has been organized and has agreed, through its officers and members, to be bound by the Rotaract Club Constitution and Bylaws, and is now a duly admitted member of

ROTARY INTERNATIONAL

Sponsored by:
Rotary Club of Taipei Fu Hwa

Holger Knaack
PRESIDENT, ROTARY INTERNATIONAL

08 June 2021
DATE

677I-EN—(220)

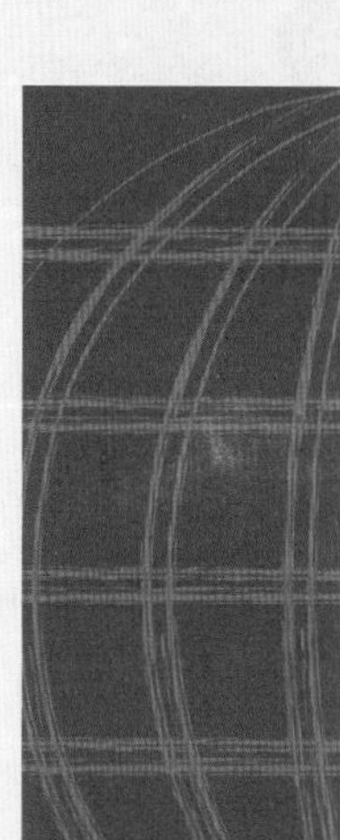

Certificate of Organization

This certificate recognizes that the

Rotaract Club of
Hao Wangjiao Sunlight

Club ID : 8823686 Established 04 December 2020

has been organized and has agreed, through its officers and members, to be bound by the Rotaract Club Constitution and Bylaws, and is now a duly admitted member of

ROTARY INTERNATIONAL

Sponsored by:
Rotary Club of Taipei Hao Wangjiao

PRESIDENT, ROTARY INTERNATIONAL

21 May 2021
DATE

677I-EN—(220)

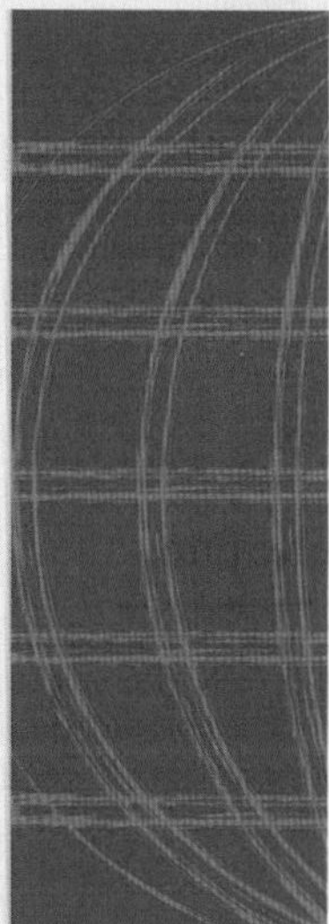

Certificate of Organization

This certificate recognizes that the

Rotaract Club of
Hao Wangjiao Sunlight

Club ID : 8823686 Established 04 December 2020

has been organized and has agreed, through its officers and members, to be bound by the Rotaract Club Constitution and Bylaws, and is now a duly admitted member of

ROTARY INTERNATIONAL

Sponsored by:
Rotary Club of Taipei Hao Wangjiao

PRESIDENT, ROTARY INTERNATIONAL

21 May 2021
DATE

677I-EN—(220)

主席致詞
輔導社社長P Jon
扶青社社長Ruby

台北網路扶少團
正式成立授旗儀式

2020/12/20 台北網路扶少團

Interact

Certificate of Organization

This certificate recognizes that the

Interact Club of
E-Club of Taipei

Club ID 222085　　Established 20 December 2020

has been organized and has agreed, through its officers and members, to be bound by the constitution and bylaws of the Interact program of Rotary International.

Sponsored by the

Rotary Club of E-Club of Taipei

jon chiang
PRESIDENT(S), SPONSORING CLUB(S)
October 13, 2020
DATE

Holger Knaack
PRESIDENT, ROTARY INTERNATIONAL
07 October 2020
DATE

647I-EN—(220)

2021/03/17 南星扶少團

Interact

Certificate of Organization

This certificate recognizes that the

Interact Club of
Taipei Southern Star

Club ID 222602　　Established 17 March 2021

has been organized and has agreed, through its officers and members, to be bound by the constitution and bylaws of the Interact program of Rotary International.

Sponsored by the

Rotary Club of Taipei Southern Star

PRESIDENT(S), SPONSORING CLUB(S)
DATE

Holger Knaack
PRESIDENT, ROTARY INTERNATIONAL
01 March 2021
DATE

647I-EN—(220)

國際扶輪 3523 地區 2020-21 年度 活耀的扶輪社活動

2020/07/11	山輪會會長交接
2020/07/25	攝影社交接
2020/09/06	社長展演金星獎頒獎典禮
2020/10/23	扶輪藝術日
2021/05/02	自行車隊新店華城聯席
2021/06/30	精彩團隊社長線上守歲畢業典禮

國際扶輪3521.3522.3523地區
山輪會第16-17屆會長交接典禮

國際扶輪3521.3522.3523地區

國際扶輪3521.3522.3523地區
山輪會第16-17屆會長交接典禮

3521.3522.3523地區跨地區攝影聯誼會

3522.3523) Inter District graphy Association

中 PP Kunio | 南港 PP Gordon
溪 Song | 天和 PP Young
直 Lisa | 天運 CP Lucas
愛 Miao | 民生 PP Goodyear

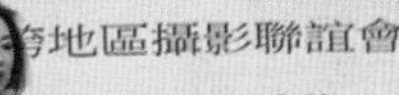

社長展演金星獎頒獎典禮

年輪交錯的黃金歲月

P. Jerry 榮獲
2020-21年度社長生命故事
年輪交錯的黃金歲月
最佳吸睛獎

登峰
造極

扶輪藝術日
ARTTAIPEI

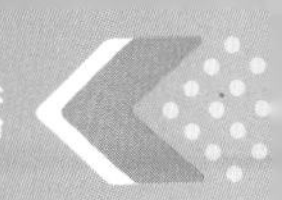

主席鳴鐘
宣佈開會
D.G. Tiffany 阮虔芷
台北逸仙扶輪社
Rotary
District 3523
地表最高最美
最傑出最卓越
地區總監致詞
23:37-23:40
D.G. Tiffany
阮虔芷
逸仙社
史上最妖嬌
最婀娜多姿
地區秘書長致詞
23:40-23:43
D.S. Jenny
張琦真
西華社

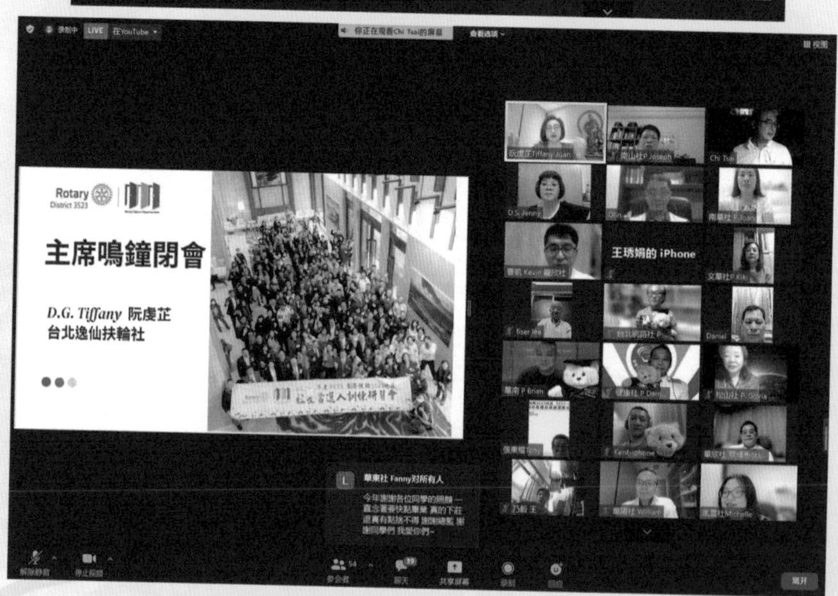
Rotary
District 3523
主席鳴鐘閉會
D.G. Tiffany 阮虔芷
台北逸仙扶輪社
王琇娟的 iPhone

Zoom 会议
你正在观看Chi Tsai的屏幕
查看选项
视图
录制中
LIVE
在YouTube
南山社P Joseph
Chi Tsai
D.S. Jenny
Olin
王琇娟的 iPhone
松山社 P. Gloria
南茂社/Lily
Daniel
新世代 Michelle
Kent-iphone
解除静音
停止视频
参会者
聊天
共享屏幕
录制
回应
离开
在这里输入你要搜索的内容
31°C
0:07
2021/7/1

龍欣社
P. Carol 李宜蓁
衡陽社
P. Simon 周書正

松山社 P. Gloria
Chi Tsai
LIVE
在YouTube

健康社 P Damon
松青社Heaven
華陽社 William
南茂社/Lily
西華社P Sean
台北碩華
benson

【附錄一】

國際扶輪 3523 地區 2020-21 年度
各社社區服務及參與分區 / 地區服務

分區 社名	社區服務	地區及分區服務
	第一分區	
01-1 臺北市南區社	木柵高工獎助學金 內湖高工獎助學金 花蓮海洋深層園區職業參訪 移動式篩檢接種站捐贈 **協辦活動** 婦女癌症防治篩檢（逸仙社主辦） 希望種子計劃：國內貧童＋以樂家園認養公益合作	**分區活動** 第一分區聯合捐血活動 **地區活動** 『秦始皇』根除小兒麻痺慈善音樂劇 2021 臺北國際扶輪世界年會萬人反毒公益路跑 地區 RYLA 青少年領袖研習營 3523 共同捐贈公共藝術雕塑品『時間與空間的對話』
01-2 台北逸仙社	宜蘭縣大同鄉原住民學生獎助學金 惜食廚房送餐服務 信義健康中心——失智長者陪伴活動 澎湖七美耳鼻喉 / 復健醫療器材更新 婦女癌症防治篩檢 協辦活動 「愛你肺盡心思」雲嘉地區肺癌高危險群篩檢及防治計畫（文華社主辦） 2020 經典明星公益棒球賽 憂鬱症講座音樂會（華南社主辦） 忠義園遊會活動（碩華社主辦） 澎湖七美醫療及牙科醫療設備更新計畫（南港社主辦）	**分區活動** 第一分區聯合捐血活動 **地區活動** 社長聯合展演——「年輪交錯的黃金歲月」 『秦始皇』根除小兒麻痺慈善音樂劇 2021 臺北國際扶輪世界年會萬人反毒公益路跑 地區惜食廚房計畫 地區 RYLA 青少年領袖研習營 扶輪公益網捐贈物資 扶輪愛您反毒快閃活動 3523 共同捐贈公共藝術雕塑品『時間與空間的對話』
01-3 台北逸天社	反毒生命小勇士服務計畫 台北興隆養護中心關懷計畫 科技服務全球防疫計畫 推動國際社區和平計畫 **協辦活動** 婦女癌症防治篩檢（逸仙社主辦）	**分區活動** 第一分區聯合捐血活動 **地區活動** 『秦始皇』根除小兒麻痺慈善音樂劇 2021 臺北國際扶輪世界年會萬人反毒公益路跑 地區 RYLA 青少年領袖研習營 3523 共同捐贈公共藝術雕塑品『時間與空間的對話』

分區社名	社區服務	地區及分區服務
01-4 雲聯網社	捐贈湖山國小藍染復育及大菁培育計畫 參訪啟聰學校並捐贈獎學金 舉辦中學生雙語講演比賽提升中學生語文能力	**分區活動** 第一分區聯合捐血活動 **地區活動** 『秦始皇』根除小兒麻痺慈善音樂劇 2021 臺北國際扶輪世界年會萬人反毒公益路跑 地區 RYLA 青少年領袖研習營 3523 共同捐贈公共藝術雕塑品『時間與空間的對話』
01-5 台北逸澤社	新北市跨國銜轉學生「華語補救教學」 協辦活動 婦女癌症防治篩檢（逸仙社主辦）	**分區活動** 第一分區聯合捐血活動 **地區活動** 主辦地區 RYLA 青少年領袖研習營 社長聯合展演——「年輪交錯的黃金歲月」 『秦始皇』根除小兒麻痺慈善音樂劇 2021 臺北國際扶輪世界年會萬人反毒公益路跑 扶輪愛您反毒快閃活動 3523 共同捐贈公共藝術雕塑品『時間與空間的對話』
01-6 臺北黃埔社	泰北永泰治平中學校舍屋瓦更新服務計劃 花蓮辭修協會弱勢團體白米 208 包捐助服務計劃 台北街友口罩 9000 份捐助服務計劃 台北花博青少年愛心園遊會服務計劃 向日農場反毒活動捐助計劃 台北市議會青年創業演講計劃 台北市商業會大人物直播服務計劃 扶少國際英文演講組團參賽計劃	**分區活動** 第一分區聯合捐血活動 **地區活動** 社長聯合展演——「年輪交錯的黃金歲月」 『秦始皇』根除小兒麻痺慈善音樂劇 2021 臺北國際扶輪世界年會萬人反毒公益路跑 地區惜食廚房計畫 地區 RYLA 青少年領袖研習營 扶輪愛您反毒快閃活動 3523 共同捐贈公共藝術雕塑品『時間與空間的對話』 疫情嚴峻為平撫國人與扶輪人的心，以虛擬合唱的方式唱出『明天會更好』
01-7 台北逸新社	主辦扶輪愛您反毒快閃活動	**分區活動** 第一分區聯合捐血活動 **地區活動** 主辦扶輪愛您反毒快閃活動 社長聯合展演 ——「年輪交錯的黃金歲月」 『秦始皇』根除小兒麻痺慈善音樂劇 2021 臺北國際扶輪世界年會萬人反毒公益路跑 協辦地區 RYLA 青少年領袖研習營 3523 共同捐贈公共藝術雕塑品『時間與空間的對話』 疫情嚴峻為平撫國人與扶輪人的心，以虛擬合唱的方式唱出『明天會更好』

分區 社名	社區服務	地區及分區服務
	第二分區	
02-1 台北市西南區社	辦理校園拒毒反毒宣導活動 維持偏鄉社區書香小站正常營運，重視隔代教養的學童問題，持續贊助書香小站補書計畫 關心台北家扶中心青少年問題（每年贊助舉辦國中夏令營的經費） 關懷花東偏鄉弱勢團體，提供花東清寒獎助學金 與台北家扶中心合辦歲末寒冬送暖活動（社內募款） 贊助社服團食享冰箱 長期贊助五常國小籃球營教練費	**分區活動** 第二、十一分區聯合捐血活動 第二、十一分區淨灘活動 **地區活動** 社長聯合展演——「年輪交錯的黃金歲月」 『秦始皇』根除小兒麻痺慈善音樂劇 2021 臺北國際扶輪世界年會萬人反毒公益路跑 協辦地區 RYLA 青少年領袖研習營 3523 共同捐贈公共藝術雕塑品『時間與空間的對話』
02-2 台北健康社	贊助龍江長照老人出遊 惜食廚房送餐活動 持續捐贈二手電腦到偏鄉 贊助長照協會老人活動 捐台北市國際蘭馨交流協會做公益	**分區活動** 第二、十一分區聯合捐血活動 第二、十一分區淨灘活動 **地區活動** 社長聯合展演——「年輪交錯的黃金歲月」 『秦始皇』根除小兒麻痺慈善音樂劇 2021 臺北國際扶輪世界年會萬人反毒公益路跑 地區惜食廚房計畫 扶輪公益網贊助 地區 RYLA 青少年領袖研習營 扶輪愛您反毒快閃活動 3523 共同捐贈公共藝術雕塑品『時間與空間的對話』 疫情嚴峻為平撫國人與扶輪人的心，以虛擬合唱的方式唱出『明天會更好』
02-3 台北高峰社	職業服務宣傳 - 安全駕駛 偏鄉關懷部落原住民學生義務教學 惜食廚房送餐活動 乳癌篩檢手套捐贈 **協辦活動** 婦女癌症防治篩檢（逸仙社主辦）	**分區活動** 第二、十一分區聯合捐血活動 第二、十一分區淨灘活動 **地區活動** 社長聯合展演——「年輪交錯的黃金歲月」 『秦始皇』根除小兒麻痺慈善音樂劇 2021 臺北國際扶輪世界年會萬人反毒公益路跑 協辦地區 RYLA 青少年領袖研習營 3523 共同捐贈公共藝術雕塑品『時間與空間的對話』

分區社名	社區服務	地區及分區服務
02-4 台北永康社	台北家扶中心合辦的國中生夏令營的始業典禮 惜食台灣行動協會 關懷醫護最前線——感恩茶會 惜食廚房送餐活動 幼安教養院「讓愛延續」之社會服務 贊助台北市私立龍江老人長期照顧中心長者半日遊 户外音樂野餐 PARTY FUN 園遊會公益捐血活動 銀髮童歡樂活遊——彩色老年創意活動。 年度公共形象暨社會服務計劃：持續支持全國高中、職日語配音比賽 肺癌高危險群防治健康講座——嘉義場 乳癌篩檢手套購買捐贈 捐贈萬芳醫療急需添購快篩試劑與防護裝備 捐贈提供雙和醫院快篩站第一線醫護人員一天 30 個餐盒便當，共五天 **協辦活動** 肺癌防治篩檢計畫「愛你肺盡心思」〔文華社主辦〕 婦女癌症防治篩檢〔逸仙社主辦〕	**分區活動** 第二、十一分區聯合捐血活動 第二、十一分區淨灘活動 **地區活動** 社長聯合展演——「年輪交錯的黃金歲月」 『秦始皇』根除小兒麻痺慈善音樂劇 2021 臺北國際扶輪世界年會萬人反毒公益路跑 地區惜食廚房計畫 地區扶輪藝術日—— 2020 ART TAIPEI 台北國際藝術博覽會 參與扶輪公益網 地區年會麻將公益賽協辦社 地區 RYLA 青少年領袖研習營 【扶輪反毒 公益健騎】終結小兒麻痺單車環島。 『國際領袖論壇』協辦 3523 共同捐贈公共藝術雕塑品『時間與空間的對話』
02-5 台北市南山社	2020 台北家扶歲末送暖慈幼大會 2020 年第 11 屆全國高中職學生日語配音比賽 2021 年第 14 屆全國大學生日語配音比賽 日本語授業校教學補助＋ DDF 申請 支援玉蘭莊老人福祉會活動 & 義工支援 持續支援日本東北復興活動。〔每月支援當地義工所需經費支出，往年也都會安排前往拜訪關懷災民，近兩年因疫情緣由無法前往，但乃持續金援協助） 贊助友社高峰社乳癌篩檢手套購買捐助	**分區活動** 第二、十一分區聯合捐血活動 第二、十一分區淨灘活動 **地區活動** 社長聯合展演——「年輪交錯的黃金歲月」 『秦始皇』根除小兒麻痺慈善音樂劇 2021 臺北國際扶輪世界年會萬人反毒公益路跑 地區 RYLA 青少年領袖研習營 3523 共同捐贈公共藝術雕塑品『時間與空間的對話』

分區 社名	社區服務	地區及分區服務
02-6 台北市好望角社	第一屆直播 Live 歌王之王選拔賽 當藝術讓心更豐富——偏鄉教育活動 中華扶輪基金——推薦陳安琪藝術家——藝術碩士獎助金 創立動態藝術——好望角曙光扶青社 Whaaat's 國際當代藝術博覽會之 活動參展 第二分區 ART 臺北新藝術博覽會之藝術導覽 中華民國身心障礙自立更生協會捐款活動 臺北市白晝之夜導覽活動 真善美基金會募款晚會	**分區活動** 第二、十一分區聯合捐血活動 第二、十一分區淨灘活動 第二分區——看見德沃札克聽見世紀——臺北世紀交響樂團 **地區活動** 社長聯合展演 ——「年輪交錯的黃金歲月」 『秦始皇』根除小兒麻痺慈善音樂劇 2021 臺北國際扶輪世界年會萬人反毒公益路跑 地區 RYLA 青少年領袖研習營 3523 共同捐贈公共藝術雕塑品『時間與空間的對話』
02-7 台北瀚品社	第三屆樹林之美寫生比賽 台北馬偕醫院家庭醫學科防護衣募集捐贈 惜食廚房送餐活動	**分區活動** 第二、十一分區聯合捐血活動 第二、十一分區淨灘活動 第二分區——看見德沃札克聽見世紀——臺北世紀交響樂團 **地區活動** 社長聯合展演——「年輪交錯的黃金歲月」 『秦始皇』根除小兒麻痺慈善音樂劇 2021 臺北國際扶輪世界年會萬人反毒公益路跑 地區 RYLA 青少年領袖研習營 3523共同捐贈公共藝術雕塑品『時間與空間的對話』

分區 社名	社區服務	地區及分區服務
第三分區		
03-1 台北市華南社	捐贈物資——唐氏症基金會 捐贈愛心物資——榮光育幼院 愛心物資捐助活動——關愛之家南港之子家園 捐贈物資——關愛之家 華南扶輪社及曹仲植基金會舉辦越南廣南省 200 輛輪椅捐贈及親恩教育獎學頒贈 聖誕陪伴活動——陪伴關愛之家的小朋友去南港貝兒絲樂園玩提前度過耶誕節 愛心物資捐助活動——約納家園 新春團拜暨頒發親恩教育獎助學金頒獎儀式 贈愛心物資至育光育幼院 捐贈物資——新北市樹林區芥菜種會 拜訪台北市兒童福利中心 清寒家庭及街友愛心捐贈活動 華南社 Doctor 社友冠名認捐正壓篩檢亭一座 聯合台復會和台北市六堆客家會共同合捐給第一線醫護人員 N95 口罩和防護衣。 捐贈物資——聖道兒童之家	**分區活動** Family Run 扶輪有愛親子路跑愛心園遊會 扶幼藝術慈善義參與台灣扶輪公益網賣活動 「青春不憂鬱—— Z 世代的情緒風暴」關懷憂鬱症講座音樂會 第三分區「螢火蟲助學計畫活動」 第三分區聯合電影欣賞《聽見台灣》 第三分區四社共同認捐正壓篩檢亭 1 座 **地區活動** 社長聯合展演 ——「年輪交錯的黃金歲月」 『秦始皇』根除小兒麻痺慈善音樂劇 2021 臺北國際扶輪世界年會萬人反毒公益路跑 扶輪愛您反毒快閃活動 關懷憂鬱症音樂會 地區 RYLA 青少年領袖研習營 3523 共同捐贈公共藝術雕塑品『時間與空間的對話』
03-2 台北市華陽社	中華民國螢火蟲助學計畫協會 （第十六屆）螢火蟲快樂起飛嘉年華會 東澳國小射箭隊周邊商品義賣 華陽善動力 x CCSA(社團法人中華育幼機構兒童關懷協會）——自立青年培力營 **協辦活動** 婦女癌症防治篩檢（逸仙社主辦）	**分區活動** Family Run 扶輪有愛親子路跑愛心園遊會 扶幼藝術慈善義參與台灣扶輪公益網賣活動 青春不憂鬱—— Z 世代的情緒風暴，關懷憂鬱症 講座音樂會 第三分區「螢火蟲助學計畫活動」 第三分區聯合電影欣賞《聽見台灣》 第三分區共同認捐正壓篩檢亭 1 座 **地區活動** 社長聯合展演 ——「年輪交錯的黃金歲月」 『秦始皇』根除小兒麻痺慈善音樂劇 2021 臺北國際扶輪世界年會萬人反毒公益路跑 扶輪愛您反毒快閃活動

分區社名	社區服務	地區及分區服務
		參與台灣扶輪公益網 贊助惜食行動計畫 地區 RYLA 青少年領袖研習營 3523 共同捐贈公共藝術雕塑品『時間與空間的對話』
03-3 台北市瑞光社	瑞光有愛、星光饗宴 ~ 親愛國小校舍油漆粉刷公益活動 惜食廚房送餐活動 南港關愛之家公益活動 台南慧松大師・榮歸故里公益畫展 2021 年第二屆扶幼藝術慈善義賣畫展公益活動 新北市警察局防疫眼鏡捐贈公益活動 台北市警察局防疫眼鏡捐贈公益活動 **協辦活動** 嘉義偏鄉關懷車捐贈(華真社主辦)	**分區活動** Family Run 扶輪有愛親子路跑愛心園遊會 扶幼藝術慈善義參與台灣扶輪公益網賣活動 青春不憂鬱── Z 世代的情緒風暴 關懷憂鬱症 講座音樂會 第三分區「螢火蟲助學計畫活動」 第三分區聯合電影欣賞《聽見台灣》 第三分區共同認捐正壓篩檢亭 1 座 **地區活動** 社長聯合展演 ──「年輪交錯的黃金歲月」 『秦始皇』根除小兒麻痺慈善音樂劇 2021 臺北國際扶輪世界年會萬人反毒公益路跑 【扶輪反毒 公益健騎】終結小兒麻痺單車環島 扶輪愛您反毒快閃活動 參與台灣扶輪公益網 『國際領袖論壇』協辦 贊助惜食行動計畫 地區 RYLA 青少年領袖研習營 3523 共同捐贈公共藝術雕塑品『時間與空間的對話』
03-4 台北市雙贏社	「一起聽聽看」，關懷聽障家庭，親子農場體驗 物資捐贈	**分區活動** Family Run 扶輪有愛親子路跑愛心園遊會 扶幼藝術慈善義參與台灣扶輪公益網賣活動 青春不憂鬱── Z 世代的情緒風暴 關懷憂鬱症講座音樂會 第三分區「螢火蟲助學計畫活動」 第三分區聯合電影欣賞《聽見台灣》 **地區活動** 社長聯合展演 ──「年輪交錯的黃金歲月」 『秦始皇』根除小兒麻痺慈善音樂劇 2021 臺北國際扶輪世界年會萬人反毒公益路跑 地區 RYLA 青少年領袖研習營 3523 共同捐贈公共藝術雕塑品『時間與空間的對話』

分區 社名	社區服務	地區及分區服務
第四分區		
04-1 台北市南欣社	新北市瑞芳區九份和瑞亭二所國小清寒學童營養午餐 獎學金給予國立雲林科技大學學生 6 名（每名三萬元） 獎學金給予國立埔里高工學生 5 名（每名 $12,000 元）。 獎學金給予國立瑞芳高工學生 5 名（每名 $12,000 元） 提供獎學金給予國立嘉義高工技職優秀學生 提供雲林縣台西鄉台西國小英語課後輔導經費。 舉辦 21 世紀藝文講座和醫學講座（每年共六次）。 贊助 $114,040 元於鶯歌建國國小 109 學年度「陶然自得 瓷愛結晶——"磚"美於"牆"」計劃以共同參與在地文化深耕教育 捐款予台北市政府社會局辦理抗疫物資補充，捐篩劑 *200 劑($42000)，N95 口罩 *3000 片($60000)	**分區活動** 第四分區聯合捐血活動 **地區活動** 『秦始皇』根除小兒麻痺慈善音樂劇 2021 臺北國際扶輪世界年會萬人反毒公益路跑 地區 RYLA 青少年領袖研習營 3523 共同捐贈公共藝術雕塑品『時間與空間的對話』
04-2 台北松山社	“麗情文藝”社區慈善音樂會 捐贈石碇鄉公所急難救助金 15 萬元	**分區活動** 第四分區聯合捐血活動 **地區活動** 『秦始皇』根除小兒麻痺慈善音樂劇 2021 臺北國際扶輪世界年會萬人反毒公益路跑 地區 RYLA 青少年領袖研習營 3523 共同捐贈公共藝術雕塑品『時間與空間的對話』
04-3 台北市民生社	八里挖子尾淨灘 安康社區關懷音樂會暨長者長照普查 2020-2021 扶輪第四屆長者盃歌唱比賽 台北市醫師公會口罩捐贈 20000 元。 助供餐一週萬芳醫院醫護人員。	**分區活動** 第四分區聯合捐血活動 **地區活動** 社長聯合展演——「年輪交錯的黃金歲月」 『秦始皇』根除小兒麻痺慈善音樂劇 2021 臺北國際扶輪世界年會萬人反毒公益路跑 贊助惜食行動計畫 贊助國際領袖論壇活動 扶輪愛您反毒快閃活動

分區 社名	社區服務	地區及分區服務
		地區 RYLA 青少年領袖研習營 3523 共同捐贈公共藝術雕塑品『時間與空間的對話』
04-4 台北松青社	109 年度第九屆「松青有心˙樂齡長青～『舞動指偶 有影互動』」樂齡活動 用愛翻轉世界 - 新竹香園教養院義賣活動 三重小作所物資配送 2020-21 扶輪第四屆長者盃歌唱比賽 扶少團偏鄉小學送愛活動，苗栗林國小 政愛扶少團——惜食廚房送餐 貳樓餐飲集團結合政愛扶少團漢堡車公益活動	**分區活動** 第四分區聯合捐血活動 **地區活動** 社長聯合展演——「年輪交錯的黃金歲月」 『秦始皇』根除小兒麻痺慈善音樂劇 2021 臺北國際扶輪世界年會萬人反毒公益路跑 國際扶輪社 2020 台北國際藝術博覽會「扶輪藝術日」 贊助惜食行動計畫 贊助國際領袖論壇活動 扶輪愛您反毒快閃活動 地區 RYLA 青少年領袖研習營 3523 共同捐贈公共藝術雕塑品『時間與空間的對話』 疫情嚴峻為平撫國人與扶輪人的心，以虛擬合唱的方式唱出『明天會更好』 **分區活動** 第四分區聯合捐血活動 **地區活動** 社長聯合展演——「年輪交錯的黃金歲月」 『秦始皇』根除小兒麻痺慈善音樂劇
04-5 台北政愛社	贊助「高雄林園汕尾國小 109 年度教室設備改善計畫」 贊助華江高中民俗隊 PE Jean 公司捐血活動 捐贈好心肝診所物資	2021 臺北國際扶輪世界年會萬人反毒公益路跑 地區 RYLA 青少年領袖研習營 3523 共同捐贈公共藝術雕塑品『時間與空間的對話』

分區社名	社區服務	地區及分區服務
第五分區		
05-1 台北府門社	與安得烈協會合辦青少年文藝獎學金活動 與姐妹社日本湖南社 WCS 活動 贊助安得烈協會弱勢家庭年菜食物箱活動（140 箱年菜） 與姐妹社東京王子社 WCS 活動 捐贈大台北地區幼稚園優良兒童繪本（共計 2000 本）	**分區活動** 第五分區聯合捐血活動 第五分區聯合淨灘活動 **地區活動** 『秦始皇』根除小兒麻痺慈善音樂劇 2021 臺北國際扶輪世界年會萬人反毒公益路跑 地區 RYLA 青少年領袖研習營 3523 共同捐贈公共藝術雕塑品『時間與空間的對話』
05-2 台北南陽社	嘉惠教養院捐贈活動 助偏鄉柚農捐贈 捐贈湖山國小藍染復育及大菁培育計畫 參訪啟聰學校並捐贈獎學金	**分區活動** 第五分區聯合捐血活動 第五分區聯合淨灘活動 **地區活動** 社長聯合展演──「年輪交錯的黃金歲月」 『秦始皇』根除小兒麻痺慈善音樂劇 2021 臺北國際扶輪世界年會萬人反毒公益路跑 地區 RYLA 青少年領袖研習營 3523 共同捐贈公共藝術雕塑品『時間與空間的對話』 **分區活動** 第五分區聯合捐血活動 第五分區聯合淨灘活動
05-3 台北市中區社	舉辦中學生雙語講演比賽提升中學生語文能力	**地區活動** 社長聯合展演──「年輪交錯的黃金歲月」 『秦始皇』根除小兒麻痺慈善音樂劇 2021 臺北國際扶輪世界年會萬人反毒公益路跑 地區 RYLA 青少年領袖研習營 扶輪愛您反毒快閃活動 3523 共同捐贈公共藝術雕塑品『時間與空間的對話』

分區 社名	社區服務	地區及分區服務
05-4 台北明星社	贊助支持失親兒福利基金會活動	**分區活動** 第五分區聯合捐血活動 第五分區聯合淨灘活動 **地區活動** 社長聯合展演——「年輪交錯的黃金歲月」 『秦始皇』根除小兒麻痺慈善音樂劇 2021 臺北國際扶輪世界年會萬人反毒公益路跑 地區 RYLA 青少年領袖研習營 贊助惜食計劃活動 扶輪愛您反毒快閃活動 3523 共同捐贈公共藝術雕塑品『時間與空間的對話』
05-5 台北風雲社	偏鄉兒童與青少年課後輔導教育教材支援計畫 華視台語主播擂台賽：台語影視人才培育計畫共同主辦 新北市立八里教養院物資捐贈計畫 雲林口湖蚵寮幸福學堂：人文藝術課程及營養餐補助計畫 2020 茶堂：慈善音樂會贊助 台灣自閉兒童家庭關懷協會捐贈 松山區故事屋公益慈善服務 惜食廚房送餐服務 台北市醫師公會 N95 口罩捐贈 人安基金會口罩捐贈 **協辦活動** 「FAMILY RUN」扶輪有愛親子路跑愛心園遊會贊助	**分區活動** 第五分區聯合捐血活動 第五分區聯合淨灘活動 **地區活動** 社長聯合展演——「年輪交錯的黃金歲月」 『秦始皇』根除小兒麻痺慈善音樂劇 2021 臺北國際扶輪世界年會萬人反毒公益路跑 地區 RYLA 青少年領袖研習營 贊助惜食計劃活動 扶輪愛您反毒快閃活動 3523 共同捐贈公共藝術雕塑品『時間與空間的對話』 疫情嚴峻為平撫國人與扶輪人的心，以虛擬合唱的方式唱出『明天會更好』

分區 社名	社區服務	地區及分區服務
第六分區		
06-1 台北市南門社	主辦第六分區聯合社服——東勢里愛心敬老捐贈暨捐血活動 瓜山國小捐贈 台東牧心智能發展中心（東憨兒的家） 花蓮玉里天主堂捐贈 東勢里愛心敬老捐贈暨捐血活動後續關懷 小胖威利病友關懷協會捐贈 **協辦活動** 宜蘭古亭國小童玩館捐贈儀式（承平社主辦） 婦女癌症防治篩檢（逸仙社主辦）	**分區活動** 第六分區聯合社服——東勢里愛心敬老捐贈暨捐血活動 第六分區聯合社服——金絲帶小勇士：兒童癌症基金會才藝徵選暨獎助學金 第六分區聯合社服——「偏鄉享食 - 糧食包裝分享活動」 第六分區聯合社服——歲末關懷弱勢獨居老人送物資 第六分區聯合社服——「點亮夢想 . 讓愛轉動」大稻埕捐贈 第六分區聯合社服——寒假偏鄉學童音樂營成果發表會 **地區活動** 社長聯合展演 ——「年輪交錯的黃金歲月」 『秦始皇』根除小兒麻痺慈善音樂劇 2021 臺北國際扶輪世界年會萬人反毒公益路跑 地區 RYLA 青少年領袖研習營 3523 共同捐贈公共藝術雕塑品『時間與空間的對話』
06-2 台北大都會社	DG2117151-0602 金絲帶小勇士——才藝徵選暨獎助學金頒獎典禮 地區惜食行動計畫「疼惜食物、關懷弱勢」	**分區活動** 第六分區聯合社服——東勢里愛心敬老捐贈暨捐血活動 第六分區聯合社服——金絲帶小勇士：兒童癌症基金會才藝徵選暨獎助學金 第六分區聯合社服——「偏鄉享食——糧食包裝分享活動」 第六分區聯合社服——歲末關懷弱勢獨居老人送物資 第六分區聯合社服——「點亮夢想・讓愛轉動」大稻埕捐贈 第六分區聯合社服——寒假偏鄉學童音樂營成果發表會 **地區活動** 『秦始皇』根除小兒麻痺慈善音樂劇 2021 臺北國際扶輪世界年會萬人反毒公益路跑 地區 RYLA 青少年領袖研習營 3523 共同捐贈公共藝術雕塑品『時間與空間的對話』

分區 社名	社區服務	地區及分區服務
06-3 台北市南方社	扶輪傳愛，關懷失親親子餐會暨捐贈活動 台灣雷特氏症病友關懷協會捐贈樂器及師資活動 扶輪心，咖啡情——自閉症關懷協進會捐款活動 主辦關懷弱勢獨居老人歲末捐贈物資	**分區活動** 第六分區聯合社服——東勢里愛心敬老捐贈暨捐血活動 第六分區聯合社服——金絲帶小勇士：兒童癌症基金會才藝徵選暨獎助學金 第六分區聯合社服——「偏鄉享食——糧食包裝分享活動」 第六分區聯合社服——歲末關懷弱勢獨居老人送物資 第六分區聯合社服——「點亮夢想．讓愛轉動」大稻埕捐贈 第六分區聯合社服——寒假偏鄉學童音樂營成果發表會 **地區活動** 社長聯合展演 ——「年輪交錯的黃金歲月」 『秦始皇』根除小兒麻痺慈善音樂劇 2021 臺北國際扶輪世界年會萬人反毒公益路跑 扶輪愛您反毒快閃活動 贊助惜食計劃活動 地區 RYLA 青少年領袖研習營 3523 共同捐贈公共藝術雕塑品『時間與空間的對話』
06-4 台北市南光社	主辦第六分區聯合社會服務【偏鄉享食計畫】 主辦【偏鄉遞送物資活動】 **協辦活動** 肺癌防治篩檢計畫「愛你肺盡心思」(文華社主辦)	**分區活動** 第六分區聯合社服——東勢里愛心敬老捐贈暨捐血活動 第六分區聯合社服——金絲帶小勇士：兒童癌症基金會才藝徵選暨獎助學金 第六分區聯合社服——「偏鄉享食——糧食包裝分享活動」 第六分區聯合社服——歲末關懷弱勢獨居老人送物資 第六分區聯合社服——「點亮夢想．讓愛轉動」大稻埕捐贈 第六分區聯合社服——寒假偏鄉學童音樂營成果發表會 **地區活動** 社長聯合展演——「年輪交錯的黃金歲月」 『秦始皇』根除小兒麻痺慈善音樂劇 2021 臺北國際扶輪世界年會萬人反毒公益路跑 地區 RYLA 青少年領袖研習營 3523 共同捐贈公共藝術雕塑品『時間與空間的對話』

分區 社名	社區服務	地區及分區服務
06-5 台北南英社	仁家老人養護中心物資捐贈 南英特色社服—— 義築小團房屋修繕	**分區活動** 第六分區聯合社服——東勢里愛心敬老捐贈暨捐血活動 第六分區聯合社服——金絲帶小勇士：兒童癌症基金會才藝徵選暨獎助學金 第六分區聯合社服—「偏鄉享食——糧食包裝分享活動」 第六分區聯合社服——歲末關懷弱勢獨居老人送物資 第六分區聯合社服——「點亮夢想・讓愛轉動」大稻埕捐贈 第六分區聯合社服——寒假偏鄉學童音樂營成果發表會 **地區活動** 『秦始皇』根除小兒麻痺慈善音樂劇 2021 臺北國際扶輪世界年會萬人反毒公益路跑 地區 RYLA 青少年領袖研習營 3523 共同捐贈公共藝術雕塑品『時間與空間的對話』
06-6 台北市南揚社	新北市私立思源老人養護中心防疫物資捐贈	**地區活動** 『秦始皇』根除小兒麻痺慈善音樂劇 2021 臺北國際扶輪世界年會萬人反毒公益路跑 地區 RYLA 青少年領袖研習營 3523 共同捐贈公共藝術雕塑品『時間與空間的對話』界年會萬人反毒公益路跑
06-7 台北市南波社	捐贈中華民國足球協會培訓迷你足球隊基金 贈台大醫院金山院區 PRP 護膝偏鄉常照計畫 主辦第六分區聯合社服——「點亮夢想・讓愛轉動」大稻埕捐贈	**分區活動** 第六分區聯合社服——東勢里愛心敬老捐贈暨捐血活動 第六分區聯合社服——金絲帶小勇士：兒童癌症基金會才藝徵選暨獎助學金 第六分區聯合社服——「偏鄉享食——糧食包裝分享活動」 第六分區聯合社服——歲末關懷弱勢獨居老人送物資 第六分區聯合社服——「點亮夢想・讓愛轉動」大稻埕捐贈 **地區活動** 『秦始皇』根除小兒麻痺慈善音樂劇 2021 臺北國際扶輪世界年會萬人反毒公益路跑 地區 RYLA 青少年領袖研習營 3523共同捐贈公共藝術雕塑品『時間與空間的對話』

分區 社名	社區服務	地區及分區服務
06-8 台北市南星社	聯合淨山活動 華視台語主播擂台賽——台語影視人才培育計劃共同主辦 全國視障國、台語演講比賽 正聲廣播公司慈善音樂會 防疫送餐活動（亞東醫院）	**分區活動** 第六分區聯合社服——東勢里愛心敬老捐贈暨捐血活動 第六分區聯合社服——歲末關懷弱勢獨居老人送物資 **地區活動** 社長聯合展演 ——「年輪交錯的黃金歲月」 『秦始皇』根除小兒麻痺慈善音樂劇 2021 臺北國際扶輪世界年會萬人反毒公益路跑 贊助惜食計劃活動 參與扶輪公益網 地區 RYLA 青少年領袖研習營 3523共同捐贈公共藝術雕塑品『時間與空間的對話』

分區社名	社區服務	地區及分區服務
第七分區		
07-1 台北市南海社	基隆恩惠全人關懷協會寒冬助老送年菜 嘉義大埔農民親種木瓜 捐贈『台北市立聯合醫院』醫護人員口罩 金蘭三社聯合社區服務——十方啟能 台北市萬華區大理國小烏克麗麗社團捐贈公益活動 新北市家扶中心聯合義賣 **協辦活動** 青春不憂鬱，憂鬱症音樂講座（華南社主辦） 嘉義偏鄉關懷送車（華真社主辦） 婦女癌症防治篩檢（逸仙社主辦）	**分區活動** 第七、十、十三分區聯合捐血活動 第七分區聯合社會服務活動——家扶中心聯合義賣 **地區活動** 社長聯合展演 ——「年輪交錯的黃金歲月」 『秦始皇』根除小兒麻痺慈善音樂劇 2021 臺北國際扶輪世界年會萬人反毒公益路跑 地區 RYLA 青少年領袖研習營 贊助惜食計劃活動 扶輪愛您反毒快閃活動 3523 共同捐贈公共藝術雕塑品『時間與空間的對話』 疫情嚴峻為平撫國人與扶輪人的心，以虛擬合唱的方式唱出『明天會更好』
07-2 台北市南雅社	小腦萎縮症企鵝 72 絢麗突圍 - 生命不息創作藝術展社區服務活動 贊助『鄭豐喜文化基金會』肢體障礙清寒優秀青年獎助學金社區服務 與姊妹社（台南菁英扶輪社）共同主辦台南楠西 C 肝免費篩檢服務 新北市家扶中心『愛在家扶，加被幸福』歲末感恩聯歡活動 肝病防治基金會肝病防治衛教基金社區服務 新北市家扶中心聯合義賣 **協辦活動** 台北市大理國小烏克麗麗社團專案計畫（南海社主辦） 全球獎助金計畫 GG2013819 ——陝西省榆林市校園淨水計劃——澳門友誼扶輪社 台灣雲嘉地區肺癌高危險群防治及篩檢計畫（文華社主辦） 青少年人才培育計畫——築夢，逐夢（南天社主辦） GG2126879 澎湖七美醫療及牙科醫療設備更新計畫（南港社主辦）	**分區活動** 第七、十、十三分區聯合捐血活動 第七分區聯合社會服務活動——家扶中心聯合義賣 **地區活動** 社長聯合展演 ——「年輪交錯的黃金歲月」 『秦始皇』根除小兒麻痺慈善音樂劇 2021 臺北國際扶輪世界年會萬人反毒公益路跑 地區 RYLA 青少年領袖研習營 贊助惜食計劃活動 扶輪愛您反毒快閃活動 3523共同捐贈公共藝術雕塑品『時間與空間的對話』 疫情嚴峻為平撫國人與扶輪人的心，以虛擬合唱的方式唱出『明天會更好』 『募集口罩給萬華街友』及捐贈防護衣給志工活動

分區 社名	社區服務	地區及分區服務
07-3 台北市新世代社	新北市家扶中心義賣 募捐年菜供清寒家庭過年 太魯閣號事故捐款 捐快篩劑	**分區活動** 第七、十、十三分區聯合捐血活動 第七分區聯合社會服務活動——家扶中心聯合義賣 **地區活動** 社長聯合展演——「年輪交錯的黃金歲月」 『秦始皇』根除小兒麻痺慈善音樂劇 2021 臺北國際扶輪世界年會萬人反毒公益路跑 地區 RYLA 青少年領袖研習營 3523 共同捐贈公共藝術雕塑品『時間與空間的對話
07-4 台北南鷹社	遇見美麗的自己——公益彩妝 戒毒體適能訓練班 Power You 公益跑團 華陰街愛心義賣 長期捐助宜蘭自行車隊 新北市家扶中心聯合義賣 育成基金會慈惠庇護工場糕點 DIY 活動，與社友及家眷體驗生命教育。 新北市家扶中心歲末感恩園遊會，結合社友資源於園遊會義賣。	**分區活動** 第七、十、十三分區聯合捐血活動 第七分區聯合社會服務活動——家扶中心聯合義賣 **地區活動** 社長聯合展演 ——「年輪交錯的黃金歲月」 『秦始皇』根除小兒麻痺慈善音樂劇 2021 臺北國際扶輪世界年會萬人反毒公益路跑 扶輪愛您反毒快閃活動 地區 RYLA 青少年領袖研習營 3523 共同捐贈公共藝術雕塑品『時間與空間的對話 **分區活動** 第七、十、十三分區聯合捐血活動 第七分區聯合社會服務活動——家扶中心聯合義賣 **地區活動** 社長聯合展演——「年輪交錯的黃金歲月」 『秦始皇』根除小兒麻痺慈善音樂劇
07-5 台北大加蚋社	參與光寶科技公司主辦基隆八斗子海岸淨灘。 支持醫護防疫，捐贈並由社友親送瓶裝水、黑糖防疫包等物資至臺北市中興醫院。 「加蚋一點，翻轉的起點：危機少年就業加值計畫」，其中包含「學習不中斷」、「夢想孵化器」、「以工換經驗」長期服務計畫，至 2021 年初，共六名青少年 新北市家扶中心聯合義賣	2021 臺北國際扶輪世界年會萬人反毒公益路跑 扶輪愛您反毒快閃活動 地區 RYLA 青少年領袖研習營 3523 共同捐贈公共藝術雕塑品『時間與空間的對話

分區 社名	社區服務	地區及分區服務
07-6 台北獻鷹社	南投公益服務 仁愛啟智中心公益活動	**分區活動** 第七分區聯合社會服務活動——家扶中心聯合義賣 **地區活動** 社長聯合展演——「年輪交錯的黃金歲月」 『秦始皇』根除小兒麻痺慈善音樂劇 2021 臺北國際扶輪世界年會萬人反毒公益路跑 地區 RYLA 青少年領袖研習營 3523 共同捐贈公共藝術雕塑品『時間與空間的對話

分區 社名	社區服務	地區及分區服務
	第八分區	
08-1 台北市華麗社	觀音線協會公益音樂會 美畫榮星 歡螢回家 大手牽小手公益服務	**分區活動** 第八分區聯合服務——身心障礙者「等路下午茶」活動 **地區活動** 『秦始皇』根除小兒麻痺慈善音樂劇 2021 臺北國際扶輪世界年會萬人反毒公益路跑 地區 RYLA 青少年領袖研習營 3523 共同捐贈公共藝術雕塑品『時間與空間的對話
08-2 台北市華欣社	送愛到大豹溪夏日防溺宣導暨物資捐贈活動 吉林國小兒童歡夏逗陣營 惜食廚房送餐服務 「疼惜食物 關懷弱勢」雙北永續送餐啟動儀式 日月潭泳渡救生浮標捐贈活動 天母樂活户外音樂野餐 Party 捐贈小可樂果劇團公演 宜蘭碧後國小關懷服務 埔里愛心物資發放活動 美畫榮星 歡螢回家 社會服務活動 讓喜憨兒幸福過好年 寒冬送暖關懷活動 陽明教養院社區服務活動 扶幼藝術慈善義賣畫展 防疫送餐活動 **協辦活動** 親子路跑愛心園遊會——第三分區 肺癌防治篩檢計畫「愛你肺盡心思」——文華社 全國視障國、台語演講比賽——南華社	**分區活動** 第八分區聯合服務——身心障礙者「等路下午茶」活動 第八分區聯合服務——北投溫泉季捐血、乳篩及淨園 **地區活動** 社長聯合展演 ——「年輪交錯的黃金歲月」 『秦始皇』根除小兒麻痺慈善音樂劇 2021 臺北國際扶輪世界年會萬人反毒公益路跑 地區 RYLA 青少年領袖研習營 贊助惜食計劃活動 扶輪愛您反毒快閃活動 3523 共同捐贈公共藝術雕塑品『時間與空間的對話』 疫情嚴峻為平撫國人與扶輪人的心，以虛擬合唱的方式唱出『明天會更好』

分區 社名	社區服務	地區及分區服務
08-3 台北市華樂社	主辦特奧會「等路下午茶」活動 藍迪兒童之家電腦捐贈〔地區獎助金案號 DG211715〕 捐贈屏東枋寮海山社區學童冷氣機、白板、作業評量及書籍等 華視台語主播賽 捐台北市政府篩劑 捐台北市醫師公會口罩 尖石鄉醫療效益提升計劃——捐贈超音波之後續訓練暨研習課程（全球獎助金 GG2092991） 頒發雙北地區大專院校華樂獎學金 **協辦活動** 「愛你肺盡心思」雲嘉地區肺癌篩檢防治活動〔全球獎助金案號 GG2015091〕——文華社 美「畫」榮星及淨園活動〔華麗社主辦〕 嘉義偏鄉關懷接送車〔華真社主辦〕 關懷憂鬱症講座音樂會〔華南社主辦〕	**分區活動** 第八分區聯合服務——身心障礙者「等路下午茶」活動 第八分區共同社服——北投温泉季公益捐血暨乳癌篩檢活動 **地區活動** 社長聯合展演——「年輪交錯的黃金歲月」 『秦始皇』根除小兒麻痺慈善音樂劇 贊助惜食廚房 2021 臺北國際扶輪世界年會萬人反毒公益路跑 地區 RYLA 青少年領袖研習營 扶輪愛您反毒快閃 贊助國際領袖論壇 3523 共同捐贈公共藝術雕塑品『時間與空間的對話』 疫情嚴峻為平撫國人與扶輪人的心，以虛擬合唱的方式唱出『明天會更好』
08-4 台北網路社	「愛在中秋大團圓」偏鄉關懷兒少活動 財團法人台北市私立陽明養護中心修繕計畫 $149,625 **協辦活動** 文山區弱勢學童圓夢及關懷老人服務計畫〔華麗社主辦〕 小可樂果兒童劇團服務計畫〔華欣社主辦〕 關懷萬華獨居老人服務〔華真社主辦〕	**分區活動** 第八分區聯合服務——身心障礙者「等路下午茶」活動 第八分區共同社服——北投温泉季公益捐血暨乳癌篩檢活動 **地區活動** 社長聯合展演——「年輪交錯的黃金歲月」 『秦始皇』根除小兒麻痺慈善音樂劇 2021 臺北國際扶輪世界年會萬人反毒公益路跑 地區 RYLA 青少年領袖研習營 扶輪愛您反毒快閃 3523 共同捐贈公共藝術雕塑品『時間與空間的對話』

分區社名	社區服務	地區及分區服務
08-5 臺北新北投社	陽明醫院送餐為醫護加油 送愛到大豹溪 公益淨灘暨衝浪體驗 逸仙國小冷氣捐贈計畫 我要學美語服務計畫 2020 台北溫泉季——捐血服務暨淨園活動 捐贈快篩劑予台北市政府 捐贈 N95 口罩予醫師公會 新北投社户外日暨樂山教養院服務計畫 惜食送餐服務 「美畫榮星 歡螢回家」服務計畫 **協辦活動** Family Run 扶輪有愛」親子路跑愛心園遊會——第三分區 青春不憂鬱講座音樂會〔華南社主辦〕	**分區活動** 第八分區共同社服——北投温泉季公益捐血暨乳癌篩檢活動 **地區活動** 社長聯合展演——「年輪交錯的黃金歲月」 『秦始皇』根除小兒麻痺慈善音樂劇 參與扶輪公益網 2021 臺北國際扶輪世界年會萬人反毒公益路跑 地區 RYLA 青少年領袖研習營 扶輪愛您反毒快閃 3523 共同捐贈公共藝術雕塑品『時間與空間的對話』
08-6 台北市華真社	華視台語影視人才培育計畫 團圓就是福——中秋聯歡晚會 惜食送餐服務 GG2096991 長照人才培訓計畫暨老人預防失智篩檢活動 獨居老人歲末送暖餐會 讓憨兒幸福過好年——年菜募集捐贈活動 嘉義偏鄉關懷接送車募款捐贈計畫 捐贈快篩劑予台北市政府 捐贈 N95 口罩予醫師公會 **協辦活動** 扶輪有愛——親子路跑愛心園遊會——第三分區 忠義基金會——築愛童盟愛心義賣園遊會——第十一分區 全球獎助金服務計畫：為愛而腎〔西華社主辦〕 青春不憂鬱講座音樂會〔華南社主辦〕	**分區活動** 第八分區聯合服務——身心障礙者「等路下午茶」活動 第八分區共同社服——北投温泉季公益捐血暨乳癌篩檢活動 **地區活動** 社長聯合展演——「年輪交錯的黃金歲月」 『秦始皇』根除小兒麻痺慈善音樂劇 贊助惜食廚房計畫 參與扶輪公益網 2021 臺北國際扶輪世界年會萬人反毒公益路跑 地區 RYLA 青少年領袖研習營 贊助國際領袖論壇 扶輪愛您反毒快閃 3523 共同捐贈公共藝術雕塑品『時間與空間的對話』 疫情嚴峻為平撫國人與扶輪人的心，以虛擬合唱的方式唱出『明天會更好』

分區社名	社區服務	地區及分區服務
第九分區		
09-1 台北市華安社	第十屆「自立 GAME~ 生命教育」成長營 第八年認養中華育幼機構兒童關懷協會八名孩童一年學雜費 第八屆「關愛親長我有話／畫要說」圖文徵選活動「穿越青春記憶」 捐贈防疫物資（食品）給中華育幼機構兒童關懷協會 捐贈台南龍崎國小龍舟隊養金 捐贈中華育幼機構兒童關懷協會育幼院孩童確診防疫旅館費 捐贈新北市衛生局防疫物資 N95 口罩 900 個 **協辦活動** 雲嘉地區肺癌防治篩檢計畫「愛你肺盡心思」（文華社主辦）	**分區活動** 第九分區聯合捐血活動 第九分區聯合淨灘活動 第九分區聯合捐贈台北市政府防疫物資 **地區活動** 社長聯合展演——「年輪交錯的黃金歲月」 『秦始皇』根除小兒麻痺慈善音樂劇 2021 臺北國際扶輪世界年會萬人反毒公益路跑 贊助惜食計劃活動 地區 RYLA 青少年領袖研習營 3523 共同捐贈公共藝術雕塑品『時間與空間的對話』
09-2 台北市華中社	華中小學堂視訊伴讀計劃 華中大小筆友關懷計劃 偏鄉行動書車支持活動 新北貢療老人供餐 & 捐醫療儀器活動 配合新竹台大分院 肝病防治活動 支持 DFC 台灣培養教師 支持湛藍海洋清理海洋活動 支持台灣原聲音樂學校 偏鄉學子助學活動 捐贈（雙和醫院、台北榮總醫院、好心肝診所）防疫物資 & 能量飲、3523 地區篩檢站專案 捐贈日本姐妹社防疫口罩 **協辦活動** 自立少年成長營（華安社主辦） GG 案為愛而腎，腎臟病防治計畫（西華社主辦） 關愛親長我有話畫要說活動——華安社 婦女癌症篩檢和預防計畫——逸仙社	**分區活動** 第九分區聯合捐血活動 第九分區聯合淨灘活動 第九分區聯合捐贈台北市政府防疫物資 **地區活動** 社長聯合展演 ——「年輪交錯的黃金歲月」 『秦始皇』根除小兒麻痺慈善音樂劇 2021 臺北國際扶輪世界年會萬人反毒公益路跑 地區 RYLA 青少年領袖研習營 3523 共同捐贈公共藝術雕塑品『時間與空間的對話』

分區社名	社區服務	地區及分區服務
09-3 台北市益成社	邀請並捐助東榮國中國樂團演奏	**分區活動** 第九分區聯合捐血活動 第九分區聯合淨灘活動 第九分區聯合捐贈台北市政府防疫物資 **地區活動** 社長聯合展演──「年輪交錯的黃金歲月」 『秦始皇』根除小兒麻痺慈善音樂劇 2021 臺北國際扶輪世界年會萬人反毒公益路跑 地區 RYLA 青少年領袖研習營 3523 共同捐贈公共藝術雕塑品『時間與空間的對話』
09-4 台北市南德社	中華基督教救難協會── 199 食物銀行 失親兒福利基金會 松高中藝術展演 高雄基督教〔六龜〕山地育幼院 公東高工清寒學生木工國手培植計畫 台北市立台北特殊教育學校〔啟智〕清寒學生營養午餐 北安救難大隊設備 國際單親兒童文教基金會 **協辦活動** 關懷憂鬱症講座音樂會〔華南社主辦〕 雲嘉地區肺癌防治篩檢計畫「愛你肺盡心思」〔文華社主辦〕	**分區活動** 第九分區聯合捐血活動 第九分區聯合淨灘活動 第九分區聯合捐贈台北市政府防疫物資 **地區活動** 社長聯合展演 ──「年輪交錯的黃金歲月」 『秦始皇』根除小兒麻痺慈善音樂劇 贊助惜食廚房計畫 贊助扶輪公益網 2021 臺北國際扶輪世界年會萬人反毒公益路跑 地區 RYLA 青少年領袖研習營 3523 共同捐贈公共藝術雕塑品『時間與空間的對話』
09-5 台北市華茂社	惜食送餐服務 **協辦活動** 「關愛親長 我有話 / 畫要說」服務計畫〔華安社主辦〕 「偏遠學校提升閱讀素養助學方案」服務計畫〔南茂社主辦〕 關懷憂鬱症講座音樂會〔華南社主辦〕 雲嘉地區肺癌防治篩檢計畫「愛你肺盡心思」〔文華社主辦〕	**分區活動** 第九分區聯合捐血活動 第九分區聯合淨灘活動 第九分區聯合捐贈台北市政府防疫物資 **地區活動** 社長聯合展演──「年輪交錯的黃金歲月」 『秦始皇』根除小兒麻痺慈善音樂劇 贊助惜食廚房計畫 贊助扶輪公益網 2021 臺北國際扶輪世界年會萬人反毒公益路跑 地區 RYLA 青少年領袖研習營 3523 共同捐贈公共藝術雕塑品『時間與空間的對話』 疫情嚴峻為平撫國人與扶輪人的心，以虛擬合唱的方式唱出『明天會更好』

分區 社名	社區服務	地區及分區服務
09-6 台北南茂社	偏鄉學校永安國中提升閱讀素養助學方案 PaGamO 「疼惜食物 關懷弱勢」雙北永續送餐啟動儀式 參與惜食送餐活動 捐贈中華扶輪基金累計達 200 萬 台灣扶輪人元旦升旗典禮活動贊助 30 萬 「2021 寒冬送暖惜食」記者會 / 串聯惜食行動協會 - 傳遞溫暖給大同區弱勢民眾 / 惜食送餐活動 主辦地區國際領袖論壇 - 變與不變的 2021，並捐贈失親兒福利基金會 捐贈 1000 件 C 級隔離衣給和平醫院 捐贈 N95 口罩 2000 份予台北市醫師公會 捐 240 份愛心便當給萬華、信義區的警消人員 **協辦活動** Family Run 扶輪有愛親子路跑愛心園遊會——第三分區 「關愛親長 我有話 / 畫要說」服務計畫（華安社主辦） 雲嘉地區肺癌防治篩檢計畫「愛你肺盡心思」（文華社主辦）	**分區活動** 第九分區聯合捐血活動 第九分區聯合淨灘活動 第九分區聯合捐贈台北市政府防疫物資 第九分區聯合捐贈正壓篩檢亭一座 **地區活動** 社長聯合展演——「年輪交錯的黃金歲月」 『秦始皇』根除小兒麻痺慈善音樂劇 地區扶輪藝術日—— 2020 ART TAIPEI 台北國際藝術博覽會 贊助惜食廚房計畫 參與扶輪公益網 2021 臺北國際扶輪世界年會萬人反毒公益路跑 地區 RYLA 青少年領袖研習營 扶輪愛您反毒快閃 3523 共同捐贈公共藝術雕塑品『時間與空間的對話』 疫情嚴峻為平撫國人與扶輪人的心，以虛擬合唱的方式唱出『明天會更好』
09-7 台北市三友社	**協辦活動** 「關愛親長 我有話 / 畫要說」服務計畫（華安社主辦） 『偏鄉教育——培養閱讀素養 PaGamO』（南茂社主辦）	**分區活動** 第九分區聯合捐血活動 第九分區聯合淨灘活動 **地區活動** 社長聯合展演——「年輪交錯的黃金歲月」 『秦始皇』根除小兒麻痺慈善音樂劇 贊助惜食廚房計畫 2021 臺北國際扶輪世界年會萬人反毒公益路跑 地區 RYLA 青少年領袖研習營 3523共同捐贈公共藝術雕塑品『時間與空間的對話』

分區 社名	社區服務	地區及分區服務
	第十分區	
10-1 台北市南港社	舉辦宜蘭偏鄉愛永傳 - 老人健檢公益活動 贊助偏鄉弱勢群組苗栗梅園國小柔道角力隊體育館修繕及訓練費計 NT$774,760 元。 參與文山區九九重陽敬老活動 參與並贊助經典明星公益棒球賽 舉辦陽光社會福利基金會傷友慰問關懷活動 協辦第 10 屆文山區獨居長者 109 年歲末園遊會活動 贊助安德烈慈善協會弱勢家庭年菜食物箱 100 箱 捐助財團法人肝病防治學術基金會 $215,000 贊助 3521 地區 2020-21 年度生命橋樑助學計畫 GG2094097 嘉義市 C 型肝炎篩檢計畫 GG2126879 澎湖七美醫療及牙科醫療設備更新計畫 **協辦活動** GG2013333 青少年人才培育計畫：築夢逐夢（南天社主辦） 婦女癌症篩檢預防計畫（逸仙社主辦）	**分區活動** 第七、十、十三分區聯合捐血活動 **地區活動** 社長聯合展演——「年輪交錯的黃金歲月」 『秦始皇』根除小兒麻痺慈善音樂劇 2021 臺北國際扶輪世界年會萬人反毒公益路跑 贊助惜食計劃活動 地區 RYLA 青少年領袖研習營 3523 共同捐贈公共藝術雕塑品『時間與空間的對話』
10-2 台北市南北社	舉辦 2020 經典明星公益棒球賽	**分區活動** 第七、十、十三分區聯合捐血活動 **地區活動** 社長聯合展演——「年輪交錯的黃金歲月」 『秦始皇』根除小兒麻痺慈善音樂劇 2021 臺北國際扶輪世界年會萬人反毒公益路跑 扶輪愛您反毒快閃活動 地區 RYLA 青少年領袖研習營 3523共同捐贈公共藝術雕塑品『時間與空間的對話』

分區社名	社區服務	地區及分區服務
10-3 台北市南西社	捐贈國立台灣戲曲學院獎助學金十萬元 舉辦 2020 經典明星公益棒球賽	**分區活動** 第七、十、十三分區聯合捐血活動 **地區活動** 社長聯合展演——「年輪交錯的黃金歲月」 『秦始皇』根除小兒麻痺慈善音樂劇 2021 臺北國際扶輪世界年會萬人反毒公益路跑 扶輪愛您反毒快閃活動 地區 RYLA 青少年領袖研習營 3523 共同捐贈公共藝術雕塑品『時間與空間的對話』 疫情嚴峻為平撫國人與扶輪人的心，以虛擬合唱的方式唱出『明天會更好』
10-4 台北市南東社	捐贈防疫面罩給台北市各大醫院：雙和醫院、萬芳醫院、台北醫學大學附設醫院 一起聽聽・看——聽障教育暨家庭關懷活動	**分區活動** 第七、十、十三分區聯合捐血活動 **地區活動** 社長聯合展演——「年輪交錯的黃金歲月」 『秦始皇』根除小兒麻痺慈善音樂劇 2021 臺北國際扶輪世界年會萬人反毒公益路跑 扶輪愛您反毒快閃活動 地區 RYLA 青少年領袖研習營 3523 共同捐贈公共藝術雕塑品『時間與空間的對話』 疫情嚴峻為平撫國人與扶輪人的心，以虛擬合唱的方式唱出『明天會更好』

<table>
<tr><th>分區
社名</th><th>社區服務</th><th>地區及分區服務</th></tr>
<tr><td colspan="3">第十一分區</td></tr>
<tr><td>11-1</td><td rowspan="2">主辦全國視障國、台語演講比賽
主辦 109 年特殊需求者機構潔牙觀摩活動
財團法人虎尾科技大學文教基金會贊助學生獎學金
協辦活動
雲嘉地區肺癌防治篩檢計畫「愛你肺盡心思」（文華社主辦）</td><td rowspan="2">分區活動
第二、十一分區聯合活動——為愛出發捐血活動
第十一分區聯合淨灘活動
第十一分區聯合活動——送愛心至八里愛心教養院
第十一分區聯合活動——青少年棒壘輔導訓練營
第十一分區聯合活動——肯納自閉症基金會物資捐贈
第十一分區聯合活動——和忠義齊步走，做孩子的家人
第十一分區聯合活動——築愛同盟愛心園遊會
地區活動
社長聯合展演 ——「年輪交錯的黃金歲月」
『秦始皇』根除小兒麻痺慈善音樂劇
2021 臺北國際扶輪世界年會萬人反毒公益路跑
地區 RYLA 青少年領袖研習營
3523 共同捐贈公共藝術雕塑品『時間與空間的對話』</td></tr>
<tr><td>台北市南華社</td></tr>
<tr><td>11-2</td><td rowspan="2">主辦全球獎助金 GG2015091 ——愛你「肺」盡心思——雲嘉地區肺癌篩檢低劑量電腦斷層掃瞄補助。
協辦活動
婦女癌症篩檢防治計畫（逸仙社主辦）</td><td rowspan="2">分區活動
第二、十一分區聯合活動——為愛出發捐血活動
第十一分區聯合淨灘活動
第十一分區聯合活動——特殊需求者機構潔牙觀摩活動
第十一分區聯合活動——送愛心至八里愛心教養院
第十一分區聯合活動——青少年棒壘輔導訓練營
第十一分區聯合活動——肯納自閉症基金會物資捐贈
第十一分區聯合活動——和忠義齊步走，做孩子的家人
第十一分區聯合活動——築愛同盟愛心園遊會
地區活動
社長聯合展演——「年輪交錯的黃金歲月」
『秦始皇』根除小兒麻痺慈善音樂劇
2021 臺北國際扶輪世界年會萬人反毒公益路跑
扶輪愛您反毒快閃活動
地區 RYLA 青少年領袖研習營
3523 共同捐贈公共藝術雕塑品『時間與空間的對話』</td></tr>
<tr><td>台北市文華社</td></tr>
<tr><td>11-3</td><td rowspan="2"></td><td rowspan="2">地區活動
社長聯合展演 ——「年輪交錯的黃金歲月」
『秦始皇』根除小兒麻痺慈善音樂劇
2021 臺北國際扶輪世界年會萬人反毒公益路跑</td></tr>
<tr><td>台北衡陽社</td></tr>
</table>

分區 社名	社區服務	地區及分區服務
11-4 台北市永華社	老人住宅電動健步機捐贈儀式 **協辦活動** 全國視障國、台語演講比賽(南華社主辦)	**分區活動** 第二、十一分區聯合活動——為愛出發捐血活動 第十一分區聯合淨灘活動 第十一分區聯合活動——特殊需求者機構潔牙觀摩活動 第十一分區聯合活動——送愛心至八里愛心教養院 第十一分區聯合活動——青少年棒壘輔導訓練營 第十一分區聯合活動——肯納自閉症基金會物資捐贈 第十一分區聯合活動——和忠義齊步走，做孩子的家人 第十一分區聯合活動——築愛同盟愛心園遊會 **地區活動** 社長聯合展演——「年輪交錯的黃金歲月」 『秦始皇』根除小兒麻痺慈善音樂劇 2021 臺北國際扶輪世界年會萬人反毒公益路跑 地區 RYLA 青少年領袖研習營 3523共同捐贈公共藝術雕塑品『時間與空間的對話』
11-5 台北市西華社	全球獎助金腎臟病篩檢計畫 捐贈臺大醫院 N95 口罩 **協辦活動** 全國視障國、台語演講比賽(南華社主辦)	**分區活動** 第二、十一分區聯合活動——為愛出發捐血活動 第十一分區聯合淨灘活動 第十一分區聯合活動——特殊需求者機構潔牙觀摩活動 第十一分區聯合活動——送愛心至八里愛心教養院 第十一分區聯合活動——青少年棒壘輔導訓練營 第十一分區聯合活動——肯納自閉症基金會物資捐贈 第十一分區聯合活動——和忠義齊步走，做孩子的家人 第十一分區聯合活動——築愛同盟愛心園遊會 **地區活動** 社長聯合展演 -「年輪交錯的黃金歲月」 『秦始皇』根除小兒麻痺慈善音樂劇 2021 臺北國際扶輪世界年會萬人反毒公益路跑 扶輪愛您反毒快閃活動 地區 RYLA 青少年領袖研習營 3523共同捐贈公共藝術雕塑品『時間與空間的對話』

分區社名	社區服務	地區及分區服務
11-6 台北市碩華社	三周年社慶暨博幼基金會捐贈計畫 忠義基金會捐贈 惜食計畫送餐服務 2 週 八里渡船頭、挖仔尾淨灘活動 捐贈台北榮總、亞東醫院、桃園市衛生局〔隔離衣 1140 件隔離面罩 1000 個〕 **協辦活動** 全國視障國、台語演講比賽 全球獎助金服務計畫：為愛而腎	**分區活動** 第二、十一分區聯合活動——為愛出發捐血活動 第十一分區東北角麟山鼻海岸聯合淨灘活動〔主辦〕 第十一分區聯合活動——特殊需求者機構潔牙觀摩活動 第十一分區聯合活動——送愛心至八里愛心教養院 第十一分區聯合活動——青少年棒壘輔導訓練營 第十一分區聯合活動——肯納自閉症基金會物資捐贈 第十一分區聯合活動——和忠義齊步走，做孩子的家人 第十一分區聯合活動——築愛同盟愛心園遊會 **地區活動** 社長聯合展演 ——「年輪交錯的黃金歲月」 『秦始皇』根除小兒麻痺慈善音樂劇 2021 臺北國際扶輪世界年會萬人反毒公益路跑 扶輪愛您反毒快閃活動 贊助惜食計劃活動 地區 RYLA 青少年領袖研習營 3523 共同捐贈公共藝術雕塑品『時間與空間的對話』 疫情嚴峻為平撫國人與扶輪人的心，以虛擬合唱的方式唱出『明天會更好』

分區 社名	社區服務	地區及分區服務
第十二分區		
12-1 台北龍門社	捐贈內湖老人中心公務車一台 贊助中壢國中羽球隊培訓計畫 贊助內湖高中競走移地訓練計畫 贊助台北市腦性麻痺暨重症兒童家長互助協會之家長取得專業照護證照計畫 贊助華夏科技大學 ~ 華翔翼圓夢助學金 贊助三鶯部落學齡前兒童教育計劃學習成果展 贊助有愛無礙，送愛心給寒士及弱勢家庭之社區服務發展計畫 贊助瑞芳高工排球 / 桌球培訓計畫 贊助師範大學表演藝術研究所首屆「知音古典鋼琴合作大賞」 贊助內湖高工節能專題競賽贊助款——鼓勵學生節能專業技能創作計畫 贊助劉逸豐同學急難救助金 贊助李詩穎女士急難救助金 贊助台南官田區 謝昭孟里民急難救助金 贊助台北北投區張瓊玉里民急難救助金 贊助 2900 個 N95 口罩給台北市醫師公會 參與扶輪公益網媒合物資活動 參與惜食行動計畫連續五天送餐服務 **協辦活動** 婦女癌症防治及篩檢計畫（逸仙社主辦）	**分區活動** 第十二分區聯合社服——三鶯部落學齡前兒童教育計劃學習成果展 **地區活動** 社長聯合展演——「年輪交錯的黃金歲月」 『秦始皇』根除小兒麻痺慈善音樂劇 2021 臺北國際扶輪世界年會萬人反毒公益路跑 贊助國際領袖論壇活動 地區 RYLA 青少年領袖研習營 3523 共同捐贈公共藝術雕塑品『時間與空間的對話』

分區 社名	社區服務	地區及分區服務
12-2 台北龍華社	全球獎助金 GG2092197 案——教育訓練計畫課程贊助安得烈慈善協會兒童才藝競賽 全球獎助金案有愛無礙職能培訓課程 捐贈日本宇都宮北社口罩 5000 個 安得烈慈善協會獎助學金頒發 安得烈慈善協會食物箱捐贈 民權社區發展協會辦理溫馨 5 月愛心義賣活動 認捐台北市醫師公會 N95 口罩 2000 個 捐贈新光醫院醫療防護衣 100 件 **協辦活動** 雲嘉地區肺癌防治篩檢計畫「愛你肺盡心思」（文華社主辦）	**分區活動** 第十二分區聯合社服——三鶯部落學齡前兒童教育計劃學習成果展 **地區活動** 社長聯合展演——「年輪交錯的黃金歲月」 『秦始皇』根除小兒麻痺慈善音樂劇 2021 臺北國際扶輪世界年會萬人反毒公益路跑 地區 RYLA 青少年領袖研習營 3523 共同捐贈公共藝術雕塑品『時間與空間的對話』
12-3 台北龍鳳社	參與龍華社安得烈慈善協會食物箱捐贈計畫 **協辦活動** 雲嘉地區肺癌防治篩檢計畫「愛你肺盡心思」（文華社主辦）	**分區活動** 第十二分區聯合社服——三鶯部落學齡前兒童教育計劃學習成果展 **地區活動** 社長聯合展演——「年輪交錯的黃金歲月」 『秦始皇』根除小兒麻痺慈善音樂劇 2021 臺北國際扶輪世界年會萬人反毒公益路跑 地區 RYLA 青少年領袖研習營 3523 共同捐贈公共藝術雕塑品『時間與空間的對話』
12-4 台北龍族社	台北兒童福利育幼家庭——物資、心理輔導費 華山烏來區關懷禮物資分裝、配送——中秋 華山烏來區關懷禮物資分裝、配送——春節 華山烏來區關懷禮物資分裝、配送——端午 肯納健康工坊充實設施設備購置計畫 關懷花蓮弱勢獨老・點亮希望之光 樟原豐年祭文化傳承社區服務 高雄美濃花海大地公共形象捐款	**分區活動** 第十二分區聯合社服——三鶯部落學齡前兒童教育計劃學習成果展 **地區活動** 社長聯合展演——「年輪交錯的黃金歲月」 『秦始皇』根除小兒麻痺慈善音樂劇 2021 臺北國際扶輪世界年會萬人反毒公益路跑 贊助惜食計劃活動 地區 RYLA 青少年領袖研習營 3523 共同捐贈公共藝術雕塑品『時間與空間的對話』

分區 社名	社區服務	地區及分區服務
12-5 台北龍欣社	偏鄉學園藝術課程教學社區服務 新北市溫馨助學圓夢基金捐贈 清水高中歲末愛心關懷獎助學金捐贈儀式 **協辦活動** 雲嘉地區肺癌防治篩檢計畫「愛你肺盡心思」（文華社主辦） 婦女癌症防治及篩檢計畫（逸仙社主辦）	**分區活動** 分區活動 第十二分區聯合社服——三鶯部落學齡前兒童教育計劃學習成果展 **地區活動** 社長聯合展演——「年輪交錯的黃金歲月」 『秦始皇』根除小兒麻痺慈善音樂劇 2021 臺北國際扶輪世界年會萬人反毒公益路跑 贊助惜食計劃活動 地區 RYLA 青少年領袖研習營 3523 共同捐贈公共藝術雕塑品『時間與空間的對話』
12-6 台北龍來社	新北市溫馨助學圓夢獎助學金捐贈 安得烈慈善協會食物箱捐贈 地區獎助金——延平國小多元學習方案 學習，思考，表達教育養成計畫 **協辦活動** GG2092197 案——有愛無礙，送愛心給寒士及弱勢家庭之社區服務發展計畫 GG2015091 案台灣雲嘉地區肺癌防治篩檢計畫「愛你肺盡心思」（文華社主辦）	**分區活動** 第十二分區聯合社服——三鶯部落學齡前兒童教育計劃學習成果展 **地區活動** 社長聯合展演——「年輪交錯的黃金歲月」 『秦始皇』根除小兒麻痺慈善音樂劇 2021 臺北國際扶輪世界年會萬人反毒公益路跑 地區 RYLA 青少年領袖研習營 3523 共同捐贈公共藝術雕塑品『時間與空間的對話』

分區社名	社區服務	地區及分區服務
第十三分區		
13-1 台北市南天社	第十九屆扶輪電腦圖文創作比賽 第十屆婦女中途之家獎助學金 GG2013333 青少年人才培育計畫——築夢，逐夢	**分區活動** 第七、十、十三分區聯合捐血活動 **地區活動** 社長聯合展演——「年輪交錯的黃金歲月」 『秦始皇』根除小兒麻痺慈善音樂劇 2021 臺北國際扶輪世界年會萬人反毒公益路跑 地區 RYLA 青少年領袖研習營 3523 共同捐贈公共藝術雕塑品『時間與空間的對話』
13-2 台北市天一社	天一學堂——嘉義新埤國小課後輔導服務計劃 東吳大學法律服務社外縣市法律諮詢服務活動	**分區活動** 第七、十、十三分區聯合捐血活動 **地區活動** 『秦始皇』根除小兒麻痺慈善音樂劇 2021 臺北國際扶輪世界年會萬人反毒公益路跑 地區 RYLA 青少年領袖研習營 3523 共同捐贈公共藝術雕塑品『時間與空間的對話』
13-3 台北樂雅社	蘆洲身心障礙游泳夏令營成果發表會 亞特盃身心障礙運動會 康寧大學獎助學金 愛心滿杯公益協會 GG2013333 青少年人才培育計畫——築夢，逐夢協辦 失智者關懷 身心障礙手搖自行車營 公益明星棒球賽 銀髮同歡樂活遊社區服務 八里淨灘社區服務 汐止心汐止情協會捐款	**分區活動** 第七、十、十三分區聯合捐血活動 **地區活動** 社長聯合展演 ——「年輪交錯的黃金歲月」 『秦始皇』根除小兒麻痺慈善音樂劇 2021 臺北國際扶輪世界年會萬人反毒公益路跑 地區 RYLA 青少年領袖研習營 3523 共同捐贈公共藝術雕塑品『時間與空間的對話』
13-4 台北風澤社	數位橋樑遠距英文輔導 每月一師——不老部落 南機場飛行少年服務計畫 南機場有事牆公共空間服務計劃 捐款「聖安娜」之家 贊助 150 份物資包與萬華弱勢家庭與街友 捐贈篩檢亭 1 座：新北市中和怡和醫院	**分區活動** 第七、十、十三分區聯合捐血活動 **地區活動** 『秦始皇』根除小兒麻痺慈善音樂劇 2021 臺北國際扶輪世界年會萬人反毒公益路跑 地區 RYLA 青少年領袖研習營 3523 共同捐贈公共藝術雕塑品『時間與空間的對話』

【附錄二】

國際扶輪 3523 地區 2020-21 年度
地區職委員名錄

地區職務	姓名
地區諮詢委員會	虞 彪 PDG Jerry（華南扶輪社） 陳茂仁 PDG Tony（南德扶輪社） 蔡松棋 PDG Pyramid（龍門扶輪社） 陳曜芳 PDG Gary（健康扶輪社） 黃金豹 PDG Amko（南門扶輪社） 郭俊良 PDG D.K.（西南區扶輪社） 朱健榮 PDG Jack Chu（南區扶輪社） 邱義城 PDG Casio（南海扶輪社） 邱鴻基 IPDG Joy（南門扶輪社）
副總監	郭俊良 PDG D.K.（西南區扶輪社）
總監特別顧問	柯朝祥 PP Jackson（南區扶輪社） 陳如勇 PP Peter（南區扶輪社） 吳瑞玲 PP Joyce（逸仙扶輪社） 劉家崑 CP Cynthia（永康扶輪社） 曹國賢 CP Goshen（華南扶輪社） 黃太平 CP Tacox（南門扶輪社） 詹煥忠 PP Bio（府門扶輪社） 吳禎祥 PP Twain Star（中區扶輪社） 莊朝江 CP J.C.（華中扶輪社） 鄭誠閔 CP Paper（文華扶輪社） 盧勝芳 PP Thomas（南天扶輪社）
地區秘書長	張琦真 DS Jenny（西華扶輪社）
地區法務長 地區副法務長	張仁龍 PP Kevin（永康扶輪社） 俞大衛 PP Lawyer（華陽扶輪社）
地區財務長 地區副財務長	邱明玉 PP Happy（龍欣扶輪社） 李淑惠 PP Sherry（西南區扶輪社）

地區職務	姓名
助理總監	
第一分區助理總監	范姜素美 PP Diana（南區扶輪社）
第二分區助理總監	孟莉文 PP Lily（永康扶輪社）
第三分區助理總監	王欽秉 PP Bill（華陽扶輪社）
第四分區助理總監	林星煌 PP Printer（民生扶輪社）
第五分區助理總監	陳家賢 PP Tank（中區扶輪社）
第六分區助理總監	鄭子昱 CP Gary（南光扶輪社）
第七分區助理總監	邱維濤 CP Eric（新世代扶輪社）
第八分區助理總監	蕭翠華 PP Flora（華樂扶輪社）
第九分區助理總監	陳昱光 CP Parker（南茂扶輪社）
第十分區助理總監	高啟南 PP Barcode（南港扶輪社）
第十一分區助理總監	吳建昇 PP Robot（南華扶輪社）
第十二分區助理總監	王振益 PP Louis（龍門扶輪社）
第十三分區助理總監	王正德 PP Tommy（南天扶輪社）
副助理總監	
第一分區副助理總監	陳念萱 PP Amrita（逸仙扶輪社）
第二分區副助理總監	林隆毅 PP Ben（南山扶輪社）
第三分區副助理總監	陳柏安 PP Ander（瑞光扶輪社）
第四分區副助理總監	楊富中 PP Fruit（松青扶輪社）
第五分區副助理總監	楊明哲 PP C.P.A.（府門扶輪社）
第六分區副助理總監	李麗華 PP Calier（南方扶輪社）
第七分區副助理總監	周育瑾 CP Catherine（南鷹扶輪社）
第八分區副助理總監	趙海真 CP Haijen（華真扶輪社）
第九分區副助理總監	魯逸群 PP Edmund（南德扶輪社）
第十分區副助理總監	尤繼寬 PP Kevin（南北扶輪社）
第十一分區副助理總監	林書田 PP Akira（文華扶輪社）
第十二分區副助理總監	李弘偉 PP Koui（龍族扶輪社）
第十三分區副助理總監	孫運琦 PP Roy（天一扶輪社）

地區職務	姓名
副祕書	
第一分區副祕書	歐瀚文 PP Ouya（逸澤扶輪社）
第二分區副祕書	陳淑菁 PP Carrie（西南區扶輪社）
第三分區副祕書	吳佰鴻 PP Peter（雙贏扶輪社）
第四分區副祕書	許能竣 PP Deya（政愛扶輪社）
第五分區副祕書	溫柏蒼 PP Kenny（風雲扶輪社）
第六分區副祕書	許顥諹 PP Anthony（南英扶輪社）
第七分區副祕書	王立文 PP Samuel（南海扶輪社）
第八分區副祕書	洪敏智 IPP Angus（新北投扶輪社）
第九分區副祕書	林經國 PP Kenny（華茂扶輪社）
第十分區副祕書	王培宇 CP Liam（南東扶輪社）
第十一分區副祕書	黃瓊琇 PP Sarah（文華扶輪社）
第十二分區副祕書	王彥琳 PP Bill（龍華扶輪社）
第十三分區副祕書	簡暉洪 PP Jaba（風澤扶輪社）
地區行政管理委員會	
地區行政管理委員會主委 地區行政管理委員會副主委	詹煥忠 PP Bio（府門扶輪社） 林致宇 CP Steven（新北投扶輪社）
扶輪資訊委員會主委	林明富 PP Richway（永華扶輪社）
扶輪獎勵委員會主委 扶輪獎勵委員會副主委	黃祖凱 PP Kevin（松青扶輪社） 陳黎美 PP Rachel（華安扶輪社）
地區獎勵委員會主委 地區獎勵委員會副主委	李孟修 PP Panda（西南區扶輪社） 王麗珠 PP Annika（永康扶輪社）
國際獎項委員會主委 國際獎項委員會副主委	蘇桂芳 PP Fiana（華樂扶輪社） 藍祐謙 PP Bruce（南光扶輪社）
地區（網站）資訊管理委員會主委 地區（網站）資訊管理委員會副主委 地區（網站）資訊管理委員會副主委	林永曄 PP Robert（松山扶輪社） 楊宗儒 PP Vincent（民生扶輪社） 康程泰 PP Alfred（新世代扶輪社）
社長祕書聯席會主委 社長祕書聯席會副主委	蕭志偉 PP Steven（南華扶輪社） 李淑惠 PP Sherry（西南區扶輪社）

地區職務	姓名
地區英語文書主委	鄭子昱 CP Gary〔南光扶輪社〕
地區日語文書主委 地區日語文書副主委	林隆毅 PP Ben〔南山扶輪社〕 黃年其 Rtn. Nenki〔南山扶輪社〕
總監月報委員會主委 總監月報委員會副主委	儲正明 PP James〔南陽扶輪社〕 謝如玉 Rtn. Inno〔逸仙扶輪社〕
地區主講人才庫主委 地區主講人才庫副主委	路守治 PP Luke〔雙贏扶輪社〕 翁長和 PP Moya〔南雅扶輪社〕
地區人才資料庫委員會主委 地區人才資料庫委員會副主委	武 揚 CP Allen Wu〔南揚扶輪社〕 林青璇 PP Kathy〔南英扶輪社〕
地區選務委員會主委 地區選務委員會副主委	方鳴濤 CP Phil〔大都會扶輪社〕 王悅賢 PP Kevin〔南港扶輪社〕
地區提案委員會主委 地區提案委員會副主委	楊岳虎 PP Nick〔華中扶輪社〕 葉欽銘 PP Ernie〔南雅扶輪社〕
扶輪雜誌委員會主委 扶輪雜誌委員會副主委	邱綉惠 PP Sharon〔南區扶輪社〕 黃圳國 PP Health〔中區扶輪社〕
地區聯誼委員會主委 地區聯誼委員會副主委	賀明秀 PP Michelle〔龍鳳扶輪社〕 黃鼎翰 CP Bruno〔瀚品扶輪社〕
地區獎勵出席主委	吳文豪 PP Howard〔大都會扶輪社〕
地區公共形象委員會	
地區公共形象委員會主委 地區公共形象委員會副主委 地區公共形象委員會副主委	周小雯 PP Marisa〔逸仙扶輪社〕 江宛青 PP Joan〔永康扶輪社〕 許美珠 PP Margaret〔華樂扶輪社〕
地區公共形象推廣委員會主委 地區公共形象推廣委員會副主委 地區公共形象推廣委員會副主委	林志隆 PP Lao-Hu〔龍門扶輪社〕 楊富中 PP Fruit〔松青扶輪社〕 劉伊心 Rtn. E-Heart〔逸仙扶輪社〕
公益新聞金輪獎主委	莊國材 PP Archi〔中區扶輪社〕
地區與政府關係委員會主委 地區與政府關係委員會副主委 地區與政府關係委員會副主委	楊棵福 IPP Jassy〔中區社扶輪社〕 許仲辰 PP Y.K.〔西南區扶輪社〕 張毓真 CP Ally〔龍欣扶輪社〕
地區媒體關係委員會主委 地區媒體關係委員會副主委	林香蘭 IPP T.V.〔華真扶輪社〕 蔡毓綺 P Bannie〔華真扶輪社〕
地區公共關係委員會主委 地區公共關係委員會副主委	謝貴美 PP Kimberley〔文華扶輪社〕 林嘉莉 PP Cherry〔龍欣扶輪社〕

地區職務	姓名
地區網路推廣委員會主委 地區網路推廣委員會副主委	吳宗翰 PP Damien〔台北網路社扶輪社〕 吳啟斌 Rtn. Robert〔台北網路社扶輪社〕
形象看板推廣委員會主委 形象看板推廣委員會副主委	陳美齡 PP May〔逸仙扶輪社〕 周天民 PP Timmy〔永康扶輪社〕
地區扶輪刊物推廣委員會主委 地區扶輪刊物推廣委員會副主委	蔡豐年 PP Good Year〔民生扶輪社〕 林志鑫 PP Chih-Hsin〔新世代扶輪社〕
公共形象設計委員會主委 公共形象設計委員會副主委	邢麗鵑 PP Jenny〔高峰扶輪社〕 郭瑞忠 IPP Venson〔南光扶輪社〕
地區服務計劃委員會	
地區服務計劃委員會主委 地區服務計劃委員會副主委 地區服務計劃委員會副主委	劉家崑 CP Cynthia〔永康扶輪社〕 彭世偉 PP Jonathan〔華中扶輪社〕 潘世昌 PP Pan〔南海扶輪社〕
地區職業服務委員會主委 地區職業服務委員會副主委	陳淑娟 PP Ellen〔華樂扶輪社〕 陳成璽 PP Alex〔龍門扶輪社〕
地區扶輪國際領袖論壇主委 地區扶輪國際領袖論壇副主委	鄒靜雯 P Lily〔南茂扶輪社〕 林聖恩 Rtn. Shine〔南茂扶輪社〕
地區職業發展委員會主委 地區職業發展委員會副主委	何立言 PP Merlin〔龍族扶輪社〕 廖永源 PP Joe〔華南扶輪社〕
地區職業分類委員會主委 地區職業分類委員會副主委	吳中書 PP Tom〔華南扶輪社〕 胡沛琳 PE Peiling〔逸仙扶輪社〕
國際職業交流委員會主委 國際職業交流委員會副主委	譚國光 PP Steven〔南港扶輪社〕 曾政寧 CP Adam〔南英扶輪社〕
地區職業成就委員會主委 地區職業成就委員會副主委	丁右卿 PP Ken〔西南區扶輪社〕 何佩璋 PP Jordan〔南天扶輪社〕
地區職業認識委員會主委 地區職業認識委員會副主委	陳光鎮 PP Window〔府門扶輪社〕 謝子文 PP Wen〔風澤扶輪社〕
地區就業輔導委員會主委 地區就業輔導委員會副主委	林世棟 CP Stone〔龍族扶輪社〕 陳榮新 PP Peter〔逸天扶輪社〕
地區職業表彰委員會主委	張耀仁 IPP City〔南港扶輪社〕
地區身障就業輔導委員會主委	謝夢瑰 PP Dian〔西南區扶輪社〕
地區關懷身障青少年主委	邱文楨 IPP Enjoy〔高峰扶輪社〕
四大考驗委員會主委	李思嫻 PP Nico〔華樂扶輪社〕

地區職務	姓名
地區社區服務委員會	
地區社區服務委員會主委 地區社區服務委員會副主委 地區社區服務委員會顧問	朱自忠 PP J.C.（南海扶輪社） 朱滄海 PP Oscar（中區扶輪社） 潘世昌 PP Pan（南海扶輪社）
地區癌症防治委員會主委 地區癌症防治委員會副主委	王立文 PP Samuel（南海扶輪社） 許淑燕 Rtn. Susan（逸仙扶輪社）
水資源保護與節約用水推廣委員會主委 水資源保護與節約用水推廣委員會副主委	蘇瑞泉 PP Landscaper（龍門扶輪社） 鄭瑞卿 PP Jerry（南區扶輪社）
地區扶輪社區服務團主委 地區扶輪社區服務團副主委	林美琴 PP Maggie（逸仙扶輪社） 紀素燕 S Yen（逸仙扶輪社）
地區弱勢關懷委員會主委 地區弱勢關懷委員會副主委	陳俊嘉 PP Andy（天一扶輪社） 李麗雪 PP Yuki（逸仙扶輪社）
環境保護推廣委員會主委 環境保護推廣委員會副主委	唐汝剛 PP Eric（雙贏扶輪社） 張睿謙 PP Sheaffer（西華扶輪社）
健康推廣委員會主委 健康推廣委員會副主委	郭詩誠 PP Kaku（華南扶輪社） 林秀珍 IPP Jane（松青扶輪社）
經濟及社區發展委員會主委 經濟及社區發展委員會副主委	蘇政欣 CP James（南北扶輪社） 何國偉 PP Merlin（南天扶輪社）
識字社區發展委員會主委 識字及社區發展委員會副主委	張秀雄 PP Frank（南欣扶輪社） 陳孝悌 PP Tina（華樂扶輪社）
地區反毒推廣委員會主委 地區反毒推廣委員會副主委	張鴻源 PP Jeff（南山扶輪社） 蔡　圻 P Chigo（南海扶輪社）
地區腎臟病防治推廣委員會主委 地區腎臟病防治推廣委員會副主委	楊錦標 PP Biu（南天扶輪社） 楊長興 PP House（龍欣扶輪社）
地區肝病防治推廣委員會主委 地區肝病防治推廣委員會副主委	簡天廷 PP Terry（瑞光扶輪社） 王玉鳳 PP Yvonne（南雅扶輪社）
關懷資深社友委員會主委 關懷資深社友委員會副主委	王滿玉 PP Amanda（華欣扶輪社） 楊斐媛 PP Tiffany（碩華扶輪社）
地區防飢保健委員會主委 地區防飢保健委員會副主委	周明士 CP Tenkey（南華扶輪社） 王聰喜 PP Allen（龍鳳扶輪社）
惜食行動委員會主委 惜食行動委員會副主委	徐永蒼 PP Peter（健康扶輪社） 洪秀宏 PP TED（龍欣扶輪社）
跨地區扶輪公益網委員會主委 跨地區扶輪公益網委員會副主委 跨地區扶輪公益網委員會副主委	邱瑞麟 PP IT Smooth（松青扶輪社） 李若文 PP Life（府門扶輪社） 林振修 PP Sugar（龍族扶輪社）

地區職務	姓名
跨地區扶輪公益網委員會顧問	盧永豐 PP Aircon（松山扶輪社）
地區慈善音樂會籌備委員會主委 地區慈善音樂會籌備委員會副主委	譚雅文 PP Angela（健康扶輪社） 陳雅玉 PP J.C.（新北投扶輪社）
反毒路跑委員會主委 反毒路跑委員會副主委 反毒路跑委員會副主委 反毒路跑委員會副主委	許能竣 PP Deya（政愛扶輪社） 楊奕蘭 CP Stela（政愛扶輪社） 溫柏蒼 PP Kenny（風雲扶輪社） 李國湘 PP Taurus（文華扶輪社）
地區國際服務委員會	
地區國際服務委員會主委 地區國際服務委員會副主委	林政光 PP Robert（華陽扶輪社） 周育瑾 CP Catherine（南鷹扶輪社）
扶輪友誼交換 RFE 委員會主委 扶輪友誼交換 RFE 委員會副主委 扶輪友誼交換 RFE 委員會副主委	余金全 PP Jim（松青扶輪社） 林永山 PP Anderson（南方扶輪社） 陳細蟬 Rtn. Ivy（逸仙扶輪社）
世界社區服務計畫交換委員會主委 世界社區服務計畫交換委員會副主委	陳明正 PP Justin（華南扶輪社） 王振和 PP Kani（天一扶輪社）
台德交流委員會主委 台德交流委員會副主委	徐江展 PP John（南天扶輪社） 曹書瑋 IPP Kevin（南茂扶輪社）
台日交流委員會主委 台日交流委員會副主委	王木村 PP Owner（龍門扶輪社） 蕭輔信 PP Jason（龍華扶輪社）
台韓交流委員會主委 台韓交流委員會副主委	金 聖 PP Calvin Kim（南區扶輪社） 李志建 Rtn. Insrea（龍門扶輪社）
台義法交流委員會副主委	宋純慧 Rtn. Jewelry（逸仙扶輪社）
台美交流委員會主委 台美交流委員會副主委	王悅賢 PP Kevin（南港扶輪社） 陳忠世 Rtn. Jones（華陽扶輪社）
台馬交流委員會主委 台馬交流委員會副主委	黃祖凱 PP Kevin（松青扶輪社） 黃文南 IPP Alec（瑞光扶輪社）
台港交流委員會主委 台港交流委員會副主委	林樹生 PP Used（華中扶輪社） 饒有為 PE Enzo Rao（華茂扶輪社）
台泰交流委員會主委 台泰交流委員會副主委	黃明裕 PP Austin（華陽扶輪社） 陳之貴 PP Kuei（龍鳳扶輪社）
台菲交流委員會主委 台菲交流委員會副主委	莊錫弘 CP David（龍來扶輪社） 李友梨 IPP Grace（華麗扶輪社）
全球網路團體主委 全球網路團體副主委	郭柏佐 PP Ben（大都會扶輪社） 李睿煬 PP Vincent（龍華扶輪社）

地區職務	姓名
地區青少年服務委員會	
地區青少年服務委員會主委 地區青少年服務副主委 地區青少年服務委員會顧問	林志昇 PP Yoneyama（南區扶輪社） 周峻墩 PP Tucker（龍華扶輪社） 楊文德 PP Apex（南海扶輪社）
NGSE 新世代服務交換委員會主委 NGSE 新世代服務交換副主委 NGSE 新世代服務交換委員會顧問	蕭淑妹 PP Amy（雲聯網扶輪社） 李瑞琦 Rtn. Rachel（松青扶輪社） 朱自忠 PP J.C.（南海扶輪社）
地區扶輪少年服務團主委 地區扶輪少年服務團副主委	謝鎔宅 PP UPS（龍華扶輪社） 鍾仲煒 CP Javy（碩華扶輪社）
地區扶輪青年服務團主委 地區扶輪青年服務團副主委	陳桂惠 PP Grace（逸仙扶輪社） 高許定 PP Foody（華陽扶輪社）
RYE 地區青少年交換主委 RYE 地區青少年交換副主委	陳威州 PP David（松青扶輪社） 郭美蘭 PP Jennifer（雲聯網扶輪社）
地區青少年論壇主委 地區青少年論壇副主委	范姜素美 PP Diana（南區扶輪社） 蔡林安 PP Alex（永康扶輪社）
新世代服務聯誼委員會主委	林尚毅 PP Sun（南鷹扶輪社）
RYLA 地區扶輪青年領袖營主委 RYLA 地區扶輪青年領袖營副主委 RYLA 地區扶輪青年領袖營執行長	蔣岳宇 CP Chris（逸澤扶輪社） 黃淑鳳 IPP Catherine（逸澤扶輪社） 邱琳恩 P Lynne（逸澤扶輪社）
地區青少年保護委員會主委（兼 YEP） 地區青少年保護委員會副主委（兼 YEP）	陳柏舟 CP Lawyer（永華扶輪社） 蘇鼎峰 PP Scorsese（新世代扶輪社）
地區扶輪基金委員會	
地區扶輪基金委員會主委 地區扶輪基金委員會副主委 地區扶輪基金委員會副主委	郭俊良 PDG D.K.（西南區扶輪社） 蔡江鎮 PP Roger（南門扶輪社） 蔡麗瓊 PP Michelle（華樂扶輪社）
獎助金監督委員會 Stewardship 主委 獎助金監督委員會 Stewardship 副主委	賴昭宏 PP Rex（龍鳳扶輪社） 楊王佐 PP Joe（台北網路扶輪社）
獎助金 Grant 委員會主委 獎助金 Grant 委員會副主委	蔡必毓 PP Billy（南區扶輪社） 張一郎 PP Ichiro（龍華扶輪社）
全球獎助金 Global Grant 委員會主委 全球獎助金 Global Grant 委員會副主委	蕭翠華 PP Flora（華樂扶輪社） 林彥宇 PP Mark（南華扶輪社）
地區獎助金 District Grant 委員會主委 地區獎助金 District Grant 委員會副主委	郭英釗 PP Y.C.（南雅扶輪社） 黃瓊琇 PP Sarah（文華扶輪社）
職業訓練團體 VTT 委員會主委 職業訓練團體 VTT 委員會副主委	高許定 PP Foody（華陽扶輪社） 許壽顯 IPP Charles（西華扶輪社）

地區職務	姓名
全球獎學金委員會主委 全球獎學金委員會副主委	吳權威 PP Power（南雅扶輪社） 于殿永 IPP Jimmy（龍華扶輪社）
地區扶輪基金勸募委員會主委 地區扶輪基金勸募委員會副主委	汪群凱 PP Milk-King（風澤扶輪社） 陳宣諭 PP Flower（華麗扶輪社）
地區消除小兒麻痺推廣委員會主委 地區消除小兒麻痺推廣委員會副主委	陳隆昌 PP Housing（南區扶輪社） 蔡光賢 PP Tsai（南欣扶輪社）
永久基金 Endowment Fund 勸募委員會主委 永久基金 Endowment Fund 勸募委員會副主委	曾桂枝 PP Apple（南德扶輪社） 林武璋 CP Johnnie（高峰扶輪社）
AKS 委員會主委 AKS 委員會副主委	郭淑惠 PP Sophie（華樂扶輪社） 陳淑娟 PP Ellen（華樂扶輪社）
冠名基金勸募委員會主委 冠名基金勸募委員會副主委	唐伃慧 PP Angel-Tang（龍鳳扶輪社） 郭永宗 PP Jack（龍華扶輪社）
地區鉅額捐獻勸募委員會主委 地區鉅額捐獻勸募委員會副主委	陳麗瓊 PP Shirley（華樂扶輪社） 陳俊良 PP David（龍族扶輪社）
EREY 推廣勸募委員會主委 EREY 推廣勸募委員會副主委	林新發 PP Hartz（華欣扶輪社） 徐誠斌 PP Roy（南陽扶輪社）
保羅哈里斯協會委員會主委 保羅哈里斯協會委員會副主委	俞雲卿 PP Kitty（南德扶輪社） 吳宗裕 PP Bridge（中區扶輪社）
保羅哈里斯之友委員會主委 保羅哈里斯之友委員會副主委	趙台仙 PP Jacqueline（逸仙扶輪社） 黃聖懿 IPP Rick（健康扶輪社）
扶輪基金特別委員會主委 扶輪基金特別委員會副主委	陳榮傑 CP Jackey（南方扶輪社） 楊愛珠 PP Anny（健康扶輪社）
扶輪和平研究計劃獎學金主委 扶輪和平研究計劃獎學金副主委	程致中 PP Kevin（健康扶輪社） 袁世澤 PP Spencer（華陽扶輪社）
扶輪基金六大焦點領域推廣委員會主委 扶輪基金六大焦點領域推廣委員會副主委	黃輝煌 PP Eric（天一扶輪社） 陳明和 PP Carl（南海扶輪社）
國際扶輪認同卡推廣委員會主委 國際扶輪認同卡推廣委員會副主委	張曼均 PP Victoria（文華扶輪社） 黃敏玲 CP Wendy（衡陽扶輪社）
地區社員委員會	
地區社員委員會主委 地區社員委員會副主委 地區社員委員會顧問	吳瑞玲 PP Joyce（逸仙扶輪社） 陳勇伯 IPP Peter（南陽扶輪社） 簡維正 PP Walter（南門扶輪社）
地區新社擴展委員會主委 地區新社擴展委員副主委	陳昱光 CP Parker（南茂扶輪社） 王培宇 CP Liam（南東扶輪社）

地區職務	姓名
地區社員發展委員會主委 地區社員發展委員會副主委	高國平 PP Simon（民生扶輪社） 石靜惠 IPP Grace（永康扶輪社）
創社領導人養成委員會主委 創社領導人養成委員會副主委	王興民 CP Broader（華陽扶輪社） 林 恩 CP Jonson（雲聯網扶輪社）
地區社長養成委員會主委 地區社長養成委員會副主委	許美珠 PP Margaret（華樂扶輪社） 張添勇 P.P Manpower（南陽扶輪社）
地區防止社員流失委員會主委 地區防止社員流失委員會副主委	謝素玲 PP Celine（華樂扶輪社） 許添和 PP T.H.（南欣扶輪社）
DMS 地區社員發展研習會主委 DMS 地區社員發展研習會副主委 DMS 地區社員發展研習會副主委	彭世偉 PP Jonathan（華中扶輪社） 謝傳施 PP Joe（華中扶輪社） 林政光 PP Robert（華陽扶輪社）
地區扶輪家庭委員會主委 地區扶輪家庭委員會副主委	杜瑞煙 PP Face（府門扶輪社） 康志遠 PP Hanks（南西扶輪社）
地區特別關懷委員會主委 地區特別關懷委員會副主委	謝炎堯 PP Life（南區扶輪社） 周淑玲 PP Annie（民生扶輪社）
新社友聯誼委員會主委	陳右琛 PP Yu-Chen（龍鳳扶輪社）
地區前受獎人聯誼委員會主委 地區前受獎人聯誼委員會副主委	陳進川 IPP David Chen（民生扶輪社） 劉佳芬 IPP Fen Fen（好望角扶輪社）
扶輪米山委員會主委 扶輪米山委員會副主委	蕭美虹 PP Penny（台北網路扶輪社） 歐元韻 Rtn. Euro（南山扶輪社）
地區國際事務委員會	
地區國際事務委員會主委	楊樑福 IPP Jassy（中區社扶輪社）
台北國際年會推廣委員會主委 台北國際年會推廣委員會副主委	許念椿 PP Nina（南區扶輪社） 蕭意樺 PP Eva（高峰扶輪社）
埠際會議推廣委員會主委 埠際會議推廣委員會副主委	葉基光 PP David（逸天扶輪社） 楊小萍 IPP Chery（明星扶輪社）
扶輪地帶研習會推廣主委	黃秀敏 PP Joy（華樂扶輪社）
地區年會籌備委員會	
地區年會顧問	詹煥忠 PP Bio（府門扶輪社）
地區年會籌備委員會主委 地區年會籌備委員會執行長 地區年會籌備委員會副執行長	黃秀敏 PP Joy（華樂扶輪社） 周小雯 PP Marisa（逸仙扶輪社） 楊嘉明 PP Ming（南雅扶輪社）

地區職務	姓名
地區年會籌備委員會副執行長 地區年會籌備委員會副主委〔2021-22 主委〕 地區年會籌備委員會副主委〔一工扶輪社〕 地區年會籌備委員會副主委〔二工扶輪社〕 地區年會籌備委員會副主委〔三工扶輪社〕 地區年會籌備委員會副主委〔四工扶輪社〕	陳家賢 PP Tank〔中區扶輪社〕 阮念初 CP I.D.〔風雲扶輪社〕 潘世昌 PP Pan〔南海扶輪社〕 郭敏昌 PP Arthur〔南區扶輪社〕 蕭志偉 PP Steven〔南華扶輪社〕 曾鴻佳 PP Home〔中區扶輪社〕
地區年會籌備會第一工召集人 地區年會籌備會第一工副召集人〔1〕 地區年會籌備會第一工副召集人〔2〕 地區年會籌備會第一工副召集人〔3〕	呂錦峯 PP Lawrence〔華陽扶輪社〕 李淑惠 PP Sherry〔西南區扶輪社〕 鍾仲煒 CP Javy〔碩華扶輪社〕 林香蘭 IPP T.V.〔華真扶輪社〕
地區年會籌備會第二工召集人 地區年會籌備會第二工副召集人〔1〕 地區年會籌備會第二工副召集人〔2〕 地區年會籌備會第二工副召集人〔3〕 地區年會籌備會第二工副召集人〔4〕	鄭玉章 PP Angus〔瑞光扶輪社〕 李順興 PP S.S. Lee〔府門扶輪社〕 許顥諹 PP Anthony〔南英扶輪社〕 吳世昌 PE A.D.〔華南扶輪社〕 王維宏 PN Joe Wang〔南欣扶輪社〕
地區年會籌備會第三工召集人 地區年會籌備會第三工副召集人〔1〕 地區年會籌備會第三工副召集人〔2〕	張仁龍 PP Kevin〔永康扶輪社〕 謝素玲 PP Celine〔華樂扶輪社〕 羅本佶 PP Jack〔永康扶輪社〕
地區年會籌備會第四工召集人 地區年會籌備會第四工召集人〔1〕 地區年會籌備會第四工召集人〔2〕	張啟明 PP Mingo〔龍門扶輪社〕 林書田 PP Akira〔文華扶輪社〕 郭瑞忠 IPP Venson〔南光扶輪社〕
地區年會籌備會第五工召集人 地區年會籌備會第五工副召集人 地區年會籌備會第五工副召集人 地區年會籌備會第五工副召集人	林梅芬 CP Broader 夫人〔華陽扶輪社〕 姜鈺君 PP Attorney 夫人〔府門扶輪社〕 許瓊婉 David 夫人〔南海扶輪社〕 周瓊瑛 Da-Mao 夫人〔南欣扶輪社〕
年會提案委員會主委	彭建銘 PP LED〔南欣扶輪社〕
年會提案審議委員會主委 年會提案審議委員會副主委	林攸彥 PP Attorney〔府門扶輪社〕 余毅文 PP Michael〔南天扶輪社〕
年會投票選舉人審查委員會主委 年會投票選舉人審查委員會副主委	許英傑 PP Y.C.〔西南區扶輪社〕 官朝永 PP Charles〔天一扶輪社〕
年會財務委員會主委 年會財務委員會副主委	李淑惠 PP Sherry〔西南區扶輪社〕 陳淑菁 PP Carrie〔西南區扶輪社〕

地區職務	姓名
地區訓練委員會	
地區訓練委員會主委 地區訓練委員會副主委 地區訓練委員會副主委 地區訓練委員會副主委 地區訓練委員會執行長 地區訓練委員會副執行長	陳曜芳 PDG Gary（健康扶輪社） 陳淑娟 PP Ellen（華樂扶輪社） 曾國峰 PP Gordon（南港扶輪社） 譚雅文 PP Angela（健康扶輪社） 李敏華 PP Candy（健康扶輪社） 康明淵 PP David（雙贏扶輪社）
DTTS 地區團隊訓練研習會籌備會主委 DTTS 地區團隊訓練研習會籌備會副主委	陳家賢 PP Tank（中區扶輪社） 吳瑞玲 PP Joyce（逸仙扶輪社）
Pre-DTTS 訓練研習會主委 Pre-DTTS 訓練研習會副主委 Pre-DTTS 訓練研習會副主委	鄭玉章 PP Angus（瑞光扶輪社） 洪敏智 IPP Angus（新北投扶輪社） 王維宏 PN Joe Wang（南欣扶輪社）
PETS 社長當選人訓練研習會籌備會主委 PETS 社長當選人訓練研習會籌備會執行長 PETS 社長當選人訓練研習會籌備會副主委 PETS 社長當選人訓練研習會籌備會副主委 PETS 社長當選人訓練研習會籌備會副主委 PETS 社長當選人訓練研習會籌備會顧問 PETS 社長當選人訓練研習會籌備會顧問	張仁龍 PP Kevin（永康扶輪社） 陳國忠 PP Color（龍華扶輪社） 李淑惠 PP Sherry（西南區扶輪社） 鄭玉章 PP Angus（瑞光扶輪社） 羅本佶 PP Jack（永康扶輪社） 鄭誠閔 CP Paper（文華扶輪社） 黃秀敏 PP Joy（華樂扶輪社）
DTA 地區訓練講習會籌備會主委 DTA 地區訓練講習會籌備會執行長 DTA 地區訓練講習會籌備會副主委 DTA 地區訓練講習會籌備會顧問	阮念初 CP I.D.（風雲扶輪社） 周育瑾 CP Catherine（南鷹扶輪社） 陳政鴻 CP Jay（風澤扶輪社） 黃秀敏 PP Joy（華樂扶輪社）
DLS 地區領導人訓練研習會籌備會主委 DLS 地區領導人訓練研習會籌備會副主委	蔡江鎮 PP Roger（南門扶輪社） 賴俊年 PP J.N.（南方扶輪社）
CTTS 社訓練師訓練研習會籌備會主委 CTTS 社訓練師訓練研習會籌備會副主委	彭雲興 CP Stanley（龍華扶輪社） 張一郎 PP Ichiro（龍華扶輪社）
GMS 扶輪基金獎助金管理研習籌備會主委 GMS 扶輪基金獎助金管理研習籌備會顧問 GMS 扶輪基金獎助金管理研習籌備會副主委 GMS 扶輪基金獎助金管理研習籌備會副主委	朱威任 PP Michael（龍門扶輪社） 蕭翠華 PP Flora（華樂扶輪社） 蔣復興 PP Broker（龍門扶輪社） 盧銘清 PP Micro Lu（龍華扶輪社）
D.RFS 地區扶輪基金研習會籌備會主委 D.RFS 地區扶輪基金研習會籌備會副主委	張一郎 PP Ichiro（龍華扶輪社） 李世森 PP Nelson（龍華扶輪社）
MHTS 司儀／主持研習會籌備會主委 MHTS 司儀／主持研習會籌備會副主委	李弘偉 PP Koui（龍族扶輪社） 高　琦 PP Vivian（華麗扶輪社）

地區職務	姓名
ESS 執行祕書訓練研習會主委 ESS 執行祕書訓練研習會副主委	張琦真 CP Jenny（西華社扶輪社） 黃如君 PP Sophia（衡陽扶輪社）
DPIS 扶輪公共形象研習會主委 DPIS 扶輪公共形象研習會副主委	周小雯 PP Marisa（逸仙扶輪社） 徐國瑞 PP K.J.（瑞光扶輪社）
地區職委員相見歡委員會主委 地區職委員相見歡委員會副主委	葉基光 PP David（逸天扶輪社） 蕭淑妹 PP Amy（雲聯網扶輪社）
社長集體就職籌備委員會主委 社長集體就職籌備委員會副主委 社長集體就職籌備委員會副主委	林武璋 CP Johnnie（高峰扶輪社） 邱美紅 PP Hope（華安扶輪社） 李健生 PP C.S.（松山扶輪社）
地區 STAR 會議推廣委員會主委 地區 STAR 會議推廣委員會副主委	蔡淵輝 PP Audi（南港扶輪社） 蔡宏祥 PP Peter（南欣扶輪社）
扶輪知識圓桌會議推廣委員會主委 扶輪知識圓桌會議推廣委員會副主委	林錦堂 CP Sparkle（南西扶輪社） 林書田 PP Akira（文華扶輪社）
領導力發展委員會主委	石幸兒 PP Seki（華中扶輪社）
扶輪領導學院推廣委員會主委	胡僑榮 PP Fido（南門扶輪社）
扶輪知識推廣委員會主委	羅能平 PP Peter（南海扶輪社）
扶輪禮儀推廣委員會主委	王世南 PP Harmony（府門扶輪社）
地區特別委員會主委	王文杞 PP Wenchi（健康扶輪社）
跨地區委員會主委	張家祥 PP Calvin（華南扶輪社）
跨地區聯誼委員會主委	杜富國 PP Frank（華真扶輪社）
地區疾病防治委員會主委	奚臺陽 PP Daniel（西南區扶輪社）
地區簡樸運動委員會主委	周金朝 PP Chow（南德扶輪社）
地區鐵人三項運動推廣委員會主委	張簡鼎晉 PP James（南光扶輪社）
地區緊急事件處理委員會主委	呂玉玫 PP Amanda（南區扶輪社）
地區急難救助委員會主委	洪榮杰 PP Jay（西南區扶輪社）
RI 與地區關係委員會主委	楊文德 PP Apex（南海扶輪社）

地區職務	姓名
藝文推廣委員會主委	陳慧君 PP Maggie（華樂扶輪社）
地區文創推廣委員會主委 地區文創推廣委員會副主委	張惠美 PP Anny（華麗扶輪社） 闕育美 PP Yumei（樂雅扶輪社）
地區眷屬聯誼會會長 地區眷屬聯誼會主委 地區眷屬聯誼會副主委 地區眷屬聯誼會副主委 地區眷屬聯誼會副主委	陳孟貞 PDG Jack Chu 夫人（南區扶輪社） 林梅芬 CP Broader 夫人（華陽扶輪社） 姜鈺君 PP Attorney 夫人（府門扶輪社） 許瓊婉 David 夫人（南海扶輪社） 周瓊瑛 Da-Mao 夫人（南欣扶輪社）
地區登山委員會主委	陳淑貌 PP Sunny（樂雅扶輪社）
地區自行車隊召集人	鄧潤德 PP Audio（南港扶輪社）
地區法治教育推廣委員會主委	何振德 PP Steve（華安扶輪社）
地區攝影聯誼推廣委員會主委	謝國雄 PP Kunio（華中扶輪社）
扶輪社中央系統（RCC）管理及推廣委員會	叢毓麟 IPP I.C.T.（華陽扶輪社）
地區事務協調委員會主委	陳如勇 PP Peter（南區扶輪社）
藝術表演委員會主委	劉育蓉 CP Rita（好望角扶輪社）
地區扶輪規章及程序主委	酈　蘋 PP Ping（華麗扶輪社）
中華扶輪教育基金委員會主委	楊奕蘭 CP Stela（政愛扶輪社）
兩岸扶輪交流委員會	黃福星 PP Frank（永華扶輪社）
獎學金委員會主委	鄧永錢 PP Allen（華陽扶輪社）
地區扶輪發展主委	陳茂仁 PDG Tony（南德扶輪社）
扶輪前瞻主委	郭俊良 PDG D.K.（西南區社扶輪社）
地區策略計畫主委	黃金豹 PDG Amko（南門扶輪社）
扶輪親善委員會主委	徐嬌蓮 PP Linda（南德扶輪社）
社長展演主委	許淑燕 Rtn. Susan（逸仙扶輪社）
地區辦事處行政專員／祕書	蕭子傑 Jay Hsiao 鍾姿君 Sarah
總監特助	胡悠雅 Yoya

【附錄三】
扶輪職務註解

助理總監	AG (Assistant Governor)
創社社長	CP (Charter President)
地區指定用途基金	DDF (District Designated Fund)
地區總監	DG (District Governor)
地區祕書	DS (District Secretary)
地主籌備委員會	HOC (Host Organizing Committee)
派遣	OB (Outbound)
社長	P (President)
前社長	PP (Past President)
前國際扶輪理事	PRID (Past Rotary International Director)
前國際扶輪社長	PRIP (Past Rotary International President)
國際扶輪理事	RID (Rotary International Director)
扶輪青少年交換	RYE (Rotary Youth Exchange)
祕書	S (Secretary)
扶輪基金會	TRF (The Rotary Foundation)
扶輪基金會保管委員	TRF Trustee (The Rotary Foundation Trustee)
台灣國際扶輪青少年交換協會	TRYEMP(Taiwan Rotary Youth Exchange Multidistrict Program)
副社長	VP (Vice President)

時報悅讀 40

年輪交錯的黃金歲月——飛舞的藍蝶

編　　著—阮虔芷、許淑燕
照片 & QR Code 提供—阮虔芷、上德傳播公司 洪敏智、權達聯合創媒 林子傑
責任編輯—廖宜家
主　　編—謝翠鈺
企　　劃—陳玟利
美術編輯—李宜芝
封底主圖—權達聯合創媒 林子傑
封面設計—比撒列創意空間 方子元

董 事 長—趙政岷
出 版 者—時報文化出版企業股份有限公司
一〇八〇一九台北市和平西路三段二四〇號七樓
發行專線—（〇二）二三〇六六八四二
讀者服務專線—〇八〇〇二三一七〇五
（〇二）二三〇四七一〇三
讀者服務傳真—（〇二）二三〇四六八五八
郵撥—一九三四四七二四時報文化出版公司
信箱—一〇八九九　臺北華江橋郵局第九九信箱
時報悅讀網— http://www.readingtimes.com.tw
法律顧問—理律法律事務所 陳長文律師、李念祖律師
印　　刷—和楹印刷有限公司
初版一刷—二〇二二年六月十日
初版二刷—二〇二二年八月十二日
定　　價—新臺幣六五〇元
（缺頁或破損的書，請寄回更換）

時報文化出版公司成立於一九七五年，
並於一九九九年股票上櫃公開發行，於二〇〇八年脫離中時集團非屬旺中，
以「尊重智慧與創意的文化事業」為信念。

年輪交錯的黃金歲月 : 飛舞的藍蝶 / 阮虔芷、許淑燕編著 . -- 初版 . --
臺北市 : 時報文化出版企業股份有限公司 , 2022.06
面；　公分 . -- (時報悅讀 ; 40)

ISBN 978-626-335-313-8(平裝)

1.CST: 國際扶輪社 2.CST: 臺灣

061.51　　111005327

ISBN 978-626-335-313-8
Printed in Taiwan